JN055760
日商簿記3級
光速マスターNEO
テキスト
[第6版]
合格

はしがき

この本を手にとってくださったあなたは、何のために簿記を勉強しようとしているのでしょうか？　就職のため、学校の授業のため、資格取得を通じてのスキルアップのため、さらには開業や会社運営を目的にされる方もいらっしゃることでしょう。

そんな幅広いニーズに応えるために、休み時間や通勤・通学時などのいわゆる「スキマ時間」で効率的な学習を進めることをコンセプトとして『光速マスターＮＥＯ』を制作しました。短時間でポイントを押さえられるよう項目が細かく区切られていますので３分～５分単位での学習も可能です。また、ご自身の理解度､目標検定までの期間に合わせて「さっくり７日間」「しっかり10日間」「じっくり15日間」で学習を終えられるよう進度インデックス式を採用しました。みなさん一人ひとり、最適なペースで学習を進められることでしょう！

また、この本だけで日商簿記３級の内容を正確に理解できるよう各項目ごとに丁寧な説明を加えました。結果的に、理解をともなった中身の濃い学習が可能となるとともに、検定に合格した後も「実際に社会で使える簿記」が身につくようになっています。

日商簿記３級の試験では、出題された取引をイメージし「どういった処理が必要なのか？」と頭の中で組み立てていくことが重要です。そのため、本テキストでは八百屋の源さんのお店を例に、取引のイメージを直感的につかめるようイラストを多用しました。

本書は、最新の出題区分表に基づいて作成されていますので､「統一試験（ペーパー試験)」にも「ネット試験（CBT方式)」にも対応した内容となっています。

さぁ、３級合格に向かって、日商簿記を“光速”で“マスター”してしまいましょう！

2022年２月吉日

株式会社　東京リーガルマインド
LEC総合研究所　日商簿記試験部

本書を使用するにあたって

❶ 学習を始める前に

簿記の学習にあたり、電卓を用意して下さい。

日商簿記検定は、自分で用意した電卓を持って受験します。

電卓は、日商簿記検定3級の受験に際しては、一般的に販売されているものを使っていただいてかまいません。新たに購入するのであれば、12桁表示、早打ち機能、00キー付きで、手のひらくらいの大きさのものが、大きく使いやすいでしょう。

なお、例えば、関数電卓等の多機能な電卓は使用できませんので注意が必要です。

使用可能な電卓の詳細は、日本商工会議所のホームページでご確認ください。

❷ 勉強のすすめ方

本書は、日商簿記検定3級の学習を開始される方に、合格のために必要な知識を解説する入門書です。また、テキストである本書の姉妹書として、テキストで得た知識を用いて演習を行う『日商簿記3級光速マスターNEO問題集』を販売しています。

テキストと問題集を効果的に使用して、簿記の力を身につけていきましょう。

❶ テキストを用いて記帳方法を理解しましょう。

学習方法

各章、大見出しごとに「イントロダクション」がついています。ここでこれから学習していく内容のイメージをつかみましょう。本文中では、まず理論的な背景を説明しているので、これを読んでから具体的な取引と記帳方法を「例題」で押さえます。「例題」の「考え方」も参照し、必要であれば電卓を利用して数字を確かめてください。

学習の効果

「例題」を用いた具体的な記帳方法と、その理論的背景や考え方を並行して学習することで、基本的な取引の記帳方法を理解し、また難易度の高い問題に対応するための応用力を養うことができます。

一つひとつ理解しながら身につけていく学習が、簿記の力を着実に育てていきます。

❷「確認テスト」で論点を整理しましょう。

学習方法

各章の終わりにある「確認テスト」を用いて、その章で学習した論点を整理し、問題演習を行いましょう。間違ってしまった場合は、もう一度本文に戻って理解の不足を補ってください。

学習の効果

論点を整理することで、日商簿記3級の学習内容のどの部分を学習したのかを把握できます。また、理解不足の論点がないかどうかを確かめることができます。

❸ 問題集を使って、問題演習を行いましょう。

学習方法

本書の姉妹書である「日商簿記3級光速マスターNEO問題集」は、〈基本〉と〈応用〉に分けて問題を掲載しています。本書の1章目の学習を終えたら、対応する〈基本〉の問題を解きましょう。
他の章も同じように、対応する〈基本〉の問題を解く、といった順序でまずは学習を進めていきます。このような本書と問題集の〈基本〉の問題を用いた全16章の学習を終えたら、次に問題集の〈応用〉の問題を順に解いていきましょう。

学習の効果

テキストと問題集の〈基本〉問題の演習を並行した全16章の学習によって、充分な基礎力を獲得することができます。また、その後の問題集の〈応用〉問題の演習によって、本試験に対応していく実戦力を養います。

本書の効果的活用法

イントロダクション

このテキストでは、八百屋の源さんが経営している八百源という会社が主人公になっています。源さんを通じて取引をみていきましょう。

本文の理解を助ける情報等をまとめました。

重要

必ず押さえなければならないポイントです。

コトバ

大切なキーワードです。
理解することで、効率よく学習が進められます。

1 手形取引

イントロダクション

八百源は再びお客さんから紙切れをもらいました。
また「小切手」だと思っていた社長の源さんですが、よく見るといつもと様子が違います。焦った源さんは、横浜商会の店主にすぐ電話をしました。
「どうやら『手形』という紙切れらしい…」

1 手形をもらう、手形を渡す！

手形は、金額や満期日の日付などが書いてある小さな紙です。手形を持っている人は、その手形に書いてある満期日（支払期日ともいう）がきたら、手形に書いてある金額を受け取ることができます。

他方、手形代金の支払人は、満期日がきたら手形金額を支払わなければいけません。

◆確認テスト

各章をひととおり学習したら、すぐに解いてみましょう。必ずノートに書いて解いてください。

問 題

次の取引の仕訳をしなさい。

① 50,000円分の株式を発行し、現金を受取り、商売を開始した。
② 銀行から30,000円を借入れ、現金を受取った。
③ 現金を支払って、商売で使うためのパソコン45,000円を購入した。
④ 従業員に対して、12,000円の給料を現金で支払った。

（単位：円）

	借方科目	金額	貸方科目	金額
①				

 売上総利益の算定

【例10－6】の決算整理仕訳により、仕入勘定で売上原価400円が算定できました。売上高は【例10－5】で600円と算定されているので、これらにより、売上総利益を算定することができます。

売上高600円－売上原価400円＝売上総利益200円

理屈は難しいけど、勘定科目の頭文字をとって「しーくり、くりしー」と覚えれば大丈夫！

しーくり、くりしー

【例10－6】の決算整理仕訳は、仕入勘定で売上原価を算定するための決算整理仕訳です。しかし、本番の試験中にこのような仕訳を1から理屈を考えて仕訳を書いていくのは時間がかかってしまうため、売上原価算定の決算整理仕訳は「しーくり、くりしー」という語呂でフォーマットを覚えてしまった方が効率的に問題を解くことができます。

借方科目	金額	貸方科目	金額
仕入	100	繰越商品	100

「しいれ」の「しー」　「くりこししょうひん」の「くり」

借方科目	金額	貸方科目	金額
繰越商品	200	仕入	200

◆ マーク

理解をさらに深める状況説明です。本文とあわせて読みましょう。

☆　仕訳をしてみよう！

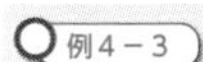

問題　青森商会は八百源に商品2,000円を売上げ、八百源振出、青森商会宛の約束手形を受け取った。

【解答】

借方科目	金額	貸方科目	金額
受取手形	2,000	売上	2,000

【考え方】

八百源から約束手形を受け取った
⇒ 満期日になったら手形代金を受け取る
⇒ 受取手形（資産）の増加

名宛人の仕訳だね！

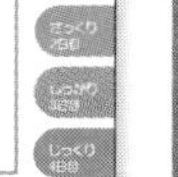

振出人：八百源（お金を支払う人）

名宛人：青森商会（お金を受け取る人）

手形VS小切手

小切手は、銀行に持っていけばすぐにお金に換えることができましたが、手形は満期日があるので、満期日が到来するまでは銀行に持っていってもお金に換えることはできません。

第4章　商品売買と債権・債務

さっくり 2日目　しっかり 3日目　じっくり 4日目

◆ 例

取引の内容を簡単な言葉で説明しています。ここで、どのような取引があったのかを理解しましょう。試験で用いられる専門的な言葉に慣れていきましょう。

◆ 学習進度の目安

さっくり 7 日間パターン
しっかり 10日間パターン
じっくり 15日間パターン
の進度インデックスです。
自分の学習ペースに合わせて選びましょう。

キャラクター相関図

お客さん

銀行

青森商会

運送会社

源さん

群馬商会

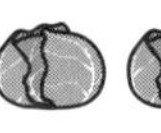

横浜商会

沖縄商会

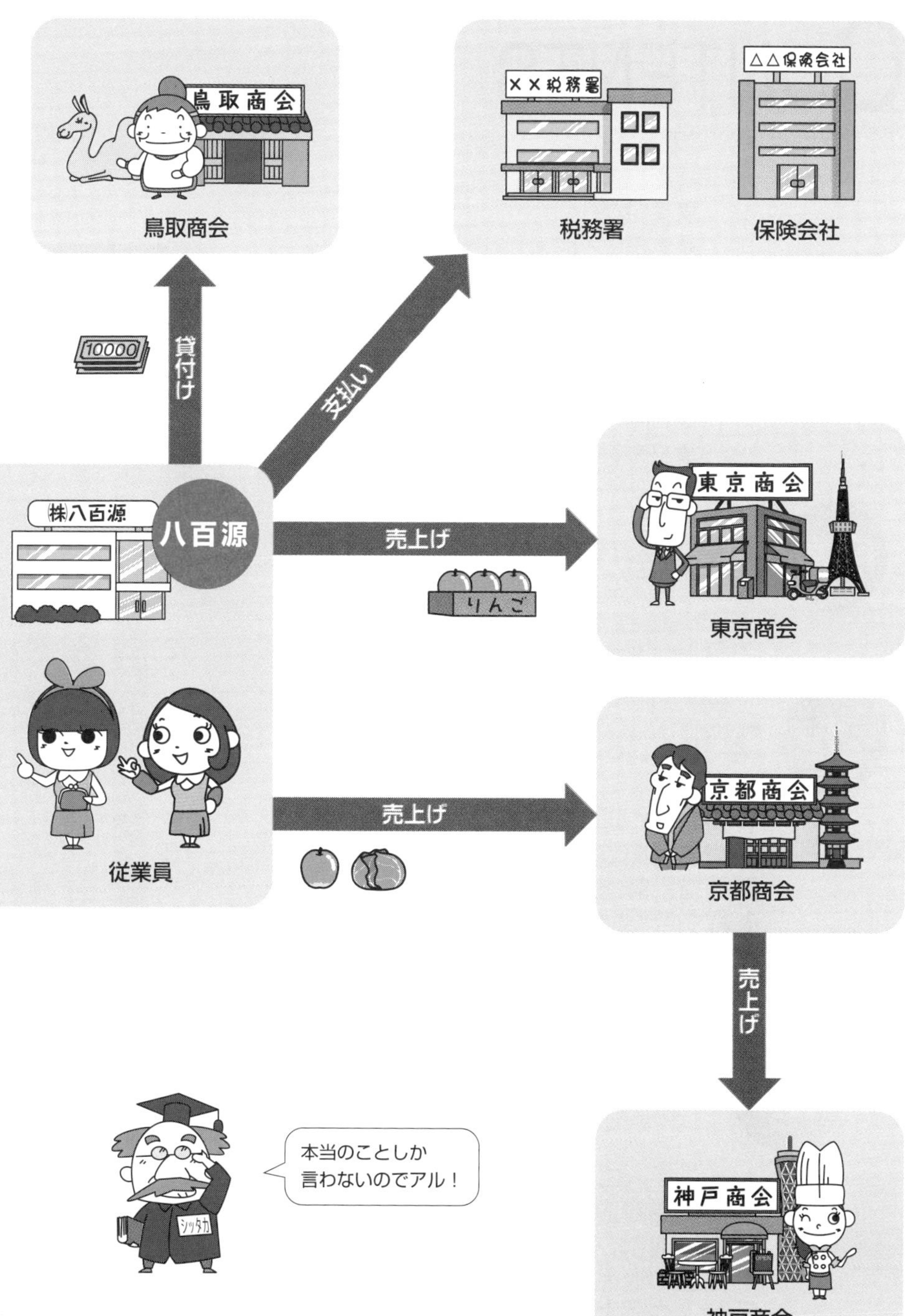
鳥取商会
鳥取商会
××税務署
△△保険会社
税務署
保険会社
10000
貸付け
支払い
㈱八百源
八百源
売上げ
東京商会
りんご
東京商会
従業員
売上げ
京都商会
京都商会
売上げ
本当のことしか
言わないのでアル！
シッタカ
神戸商会
神戸商会

CONTENTS

● はしがき
● 本書を使用するにあたって
● 本書の効果的活用法
● キャラクター相関図
● 日商簿記3級の学習内容
● 勘定科目一覧
● 日商簿記3級検定ガイド
● 日商簿記3級傾向と対策

学習進度目安

さっくり 7日間	しっかり 10日間	じっくり 15日間
1日目	1日目	1日目
	2日目	2日目

序章 八百屋の源さん

プロローグ …… 2

第1章 簿記とは

1 簿記って何だろう? …… 6
2 貸借対照表とは …… 10
3 損益計算書とは …… 16
4 取引を記録しよう! …… 22
5 株式の発行 …… 40
6 資本とは …… 43
確認テスト …… 44

第2章 商品売買

1 仕入先と得意先 …… 48
2 商品売買取引を仕訳しよう! …… 50
3 掛け取引 …… 56
4 商品の返品 …… 65
5 仕入や売上にかかる費用 …… 72
確認テスト …… 85

第3章 現金・預金

1 現金 …… 90
2 現金過不足 …… 95
3 当座預金 …… 104
4 当座借越 …… 115
5 その他の預金 …… 122
6 小口現金 …… 129
確認テスト …… 138

第4章 商品売買と債権・債務

1 手形取引 …… 142
2 前払金・前受金 …… 154
3 受取商品券 …… 163
4 クレジット売掛金 …… 168
5 電子記録による債権・債務 …… 172
確認テスト …… 177

第5章 その他の債権・債務

1 貸付金・借入金 …… 180
2 未払金・未収入金 …… 197
3 仮払金・仮受金 …… 206
4 立替金・預り金 …… 217
確認テスト …… 230

第6章 税金

1 費用となる税金 …… 234
2 消費税 …… 240
3 法人税、住民税及び事業税 …… 250
確認テスト …… 258

2日目 3日目 3日目 4日目 3日目 4日目 5日目 6日目

第7章 その他の取引

1 有形固定資産の取得 262
2 有形固定資産の修理 267
3 消耗品費と通信費 274
4 差入保証金 279
5 法定福利費 283
6 記入漏れ・訂正仕訳 287
確認テスト 291

第8章 試算表

1 試算表とは 296
2 試算表の作成 298
確認テスト 317

第9章 決算整理Ⅰ

1 決算とは 322
2 決算整理と棚卸表 324
3 収入印紙と郵便切手 326
4 当座借越 332
5 現金過不足の決算整理 338
確認テスト 351

第10章 決算整理Ⅱ

1 商品の決算整理 354
2 貸倒れと貸倒引当金 373
確認テスト 387

第11章 決算整理Ⅲ

1 費用の前払い・収益の前受け 392
2 費用の未払い・収益の未収 402

4日目 5日目 5日目 6日目 7日目 7日目 8日目 9日目 10日目 11日目

3 固定資産の減価償却と売却 415
確認テスト 432

第12章 精算表と帳簿の締切り

1 精算表 436
2 帳簿の締切り 466
3 財務諸表の作成 480
4 月次決算 496
確認テスト 500

第13章 株式会社の資本

1 利益の使い道を決めよう! 506
2 配当金の支払い 508
確認テスト 513

第14章 主要簿と補助簿

1 主要簿 516
2 補助簿 521
確認テスト 560

第15章 伝票会計

1 伝票への記入 564
2 伝票の集計・転記 580
確認テスト 592

第16章 証ひょう

1 証ひょうの見方と仕訳 596
確認テスト 609

6日目 7日目 8日目 9日目 10日目 12日目 13日目 14日目 15日目

◎日商簿記3級の学習内容◎

準備

このノートのことを帳簿と呼びます。これについては第1章と第14章で詳しく学習します。

ノートを
2冊用意します

取引

● 商品を買ってきてお店に並べます。

● お金を貸してあげます。

● 税金を払います。

固定資産税
納税通知書

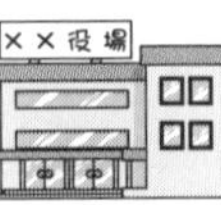

小切手

● お店にくるお客さんに商品を販売します。

● 土地を買います。

● お金を借ります。

● 従業員に給料を渡します。

この他にもいろいろな取引があります。第2章から第13章までで、さまざまな取引について詳しく学習します。

記録

取引をする前後で、何が増えて
何が減ったのかを考えます

取引を行うことで、さまざまなものが増えたり減ったりします。この増減するものを資産・負債・純資産・収益・費用の5つのグループに分類します。

2冊のノートに記録をとります

まず
1冊目のノートに
書き込みます

次に
もう1冊のノートに
書き込みます

資産に分類したものが増えたときはどんなふうに書き込むのか、負債に分類したものが減ったときはどんなふうに書き込むのか、すべてルールがあるので、そのルールどおりに記録をとります。

報告

ノートの記録をもとに、
1年ごとに報告書を2枚作ります

貸借対照表
会社にどれだけ財産が
あるかを表す報告書です

損益計算書
1年間でどれだけ儲かった
かを表す報告書です

1年間書きためてきたノートの記録をもとにして、報告書を2枚作ります。
これについては第9章から第12章までで詳しく学習します。

◎勘定科目一覧◎

◉資産

◀左 資産に分類されるもの

貸借対照表	
資　産	負　債
	純資産

損益計算書	
費　用	収　益

勘定科目	内容
現金	紙幣・硬貨や銀行などですぐに紙幣・硬貨に換えられるもの
小口現金	電車代や文房具など少額の支払いのために用意しているお金
当座預金	銀行の当座預金口座に預けてあるお金
普通預金	銀行の普通預金口座に預けてあるお金
定期預金	銀行の定期預金口座に預けてあるお金
受取手形	手形を持っていて、期日になったらお金をもらえる予定があるもの
売掛金	商品を売ったのに代金をまだもらっていなくて、お金をもらえる予定があるもの
クレジット売掛金	商品をクレジットカードで売ったのに代金をクレジットカード会社からまだもらっていなくて、お金がもらえる予定があるもの
電子記録債権	商品を売った代金をもらえる権利を電子データで記録して管理するもの
繰越商品	売れ残っている商品
前払金	代金は払ったけれど、まだ商品をもらっていないもの
立替金	他の人の代わりに立替えて払ってあげたもの
従業員立替金	従業員の代わりに立替えて払ってあげたもの
受取商品券	自治体などが発行した商品券
未収入金	まだお金をもらっていなくて、お金をもらえる予定があるもの
仮払金	お金は支払ったけれど、何のための支払いかまだ確定していないもの
差入保証金	事務所や店舗などを借りるときに担保として支払った敷金などのお金
貯蔵品	期末に未使用の切手や収入印紙など
仮払消費税	商品を仕入れたときなどに当社が支払った消費税
仮払法人税等	中間申告で先払いした法人税・住民税・事業税
前払保険料	来年の分の保険料なのに今年支払っているもの
前払○○	来年の分の費用なのに今年支払っているもの（○○には費用の内容を表す言葉が入ります）
未収利息	今年の分の利息なのにまだもらっていないもの
未収○○	今年の分の収益なのにまだもらっていないもの（○○には収益の内容を表す言葉が入ります）
建物	店舗や商品を保管しておく倉庫など
備品	商品を並べておく棚やパソコンなど
車両	商品を配達するためのトラックなど
車両運搬具	車両と同じ意味

土地	店舗が建っている土地やお店の駐車場など
貸付金	他の人にお金を貸していて、返してもらえる予定があるもの
役員貸付金	当社の役員にお金を貸していて、返してもらえる予定があるもの
手形貸付金	他の人に手形を使ってお金を貸していて、返してもらえる予定があるもの

◉負債

▶右 負債に分類されるもの

貸借対照表		損益計算書	
資 産	負 債	費 用	収 益
	純資産		

当座借越	期末時点で、当座預金口座のお金が足りなくなって一時的に銀行に立替えてもらっているもの
支払手形	他の人が手形を持っていて、期日になったらお金を支払う予定があるもの
買掛金	商品を買ったのに代金をまだ支払っていなくて、お金を支払う予定があるもの
電子記録債務	商品を仕入れた代金を支払う義務を電子データで記録して管理するもの
前受金	代金はもらったけれど、まだ商品を渡していないもの
預り金	一時的に預かっているお金
所得税預り金	一時的に預かっている所得税
社会保険料預り金	一時的に預かっている社会保険料の従業員負担分
未払金	まだお金を支払っていなくて、お金を支払う予定があるもの
未払配当金	株主に支払わなければいけない配当金
仮受金	お金はもらったけれど、何のお金かまだわからないもの
仮受消費税	商品を売ったときなどに当社が受取った消費税
未払消費税	受取った消費税と支払った消費税の差額で、未払いとなっている消費税
未払法人税等	１年間の儲けに対して支払わなければいけない法人税・住民税・事業税
未払利息	今年の分の利息なのにまだ支払っていないもの
未払○○	今年の分の費用なのにまだ支払っていないもの（○○には費用の内容を表す言葉が入ります）
前受手数料	来年の分の手数料なのに今年もらっているもの
前受○○	来年の分の収益なのに今年もらっているもの（○○には収益の内容を表す言葉が入ります）
借入金	他の人からお金を借りていて、返す予定があるもの
役員借入金	当社の役員からお金を借りていて、返す予定があるもの
手形借入金	他の人から手形を使ってお金を借りていて、返す予定があるもの

◉純資産

▶右 純資産に分類されるもの

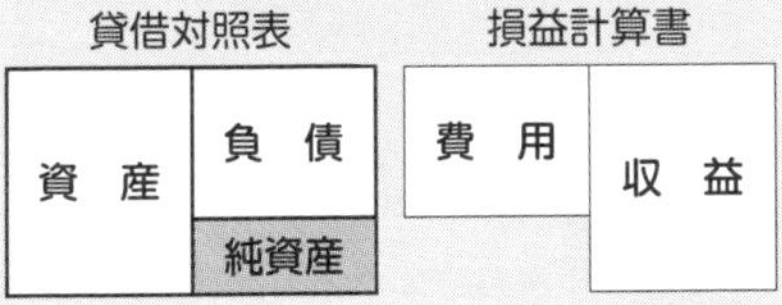

貸借対照表	
資　産	負　債
	純資産

損益計算書	
費　用	収　益

資本金	商売をしていくための元手として、株主から払込まれた分
利益準備金	会社が配当するときに、とっておかなければいけない分
繰越利益剰余金	会社がこれまでで儲けた利益で、使い道がまだ決まっていない分

◉費用

◀左 費用に分類されるもの

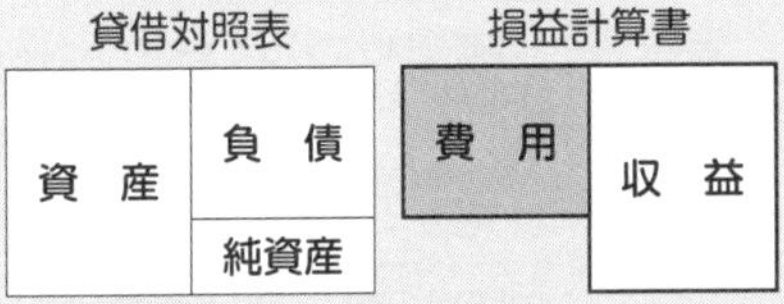

貸借対照表	
資　産	負　債
	純資産

損益計算書	
費　用	収　益

仕入	商品を買ってくる時にかかった金額
給料	会社で働いてくれる従業員に渡す給料
法定福利費	従業員の社会保険料のうち、会社が負担する分
広告宣伝費	広告宣伝にかかるお金
発送費	商品をお客さんのところへ届けるのにかかる運送料など
支払運賃	発送費と同じ意味
旅費	出張などにかかるお金
交通費	電車代、バス代など
通信費	切手代、はがき代など
水道光熱費	電気代、ガス代、水道代など
雑費	お茶代、新聞代など
消耗品費	文房具やコピー用紙などの金額
保険料	火災保険などの保険に入っている時に支払う料金
支払手数料	手形代金の取立てをしてもらうときなどの手数料
支払地代	駐車場代など、土地を借りるときにかかるお金
修繕費	建物などを修理するためにかかるお金
租税公課	固定資産税など
貸倒引当金繰入	貸倒引当金を増やすもの
貸倒損失	他の人からもらえる予定のお金がもらえなくて損をした分
減価償却費	持っている建物や備品の価値が今年下がってしまった分
支払利息	他の人からお金を借りたときに支払う利子
雑損	原因は分からないけれどなくなってしまったお金
雑損失	雑損と同じ意味
固定資産売却損	持っている土地や建物などを安い値段で売って損をした分

車両売却損	持っている車両を安い値段で売って損をした分
○○売却損	持っているものを安い値段で売って損をした分（○○には売ったものの名前が入ります）
保管費	倉庫などで物を保管してもらっているときにかかるお金
諸会費	会社が加入している団体・組合などに支払う会費
法人税、住民税及び事業税	国や地方自治体などに支払う税金

◉ 収益

▶右 収益に分類されるもの

貸借対照表		損益計算書	
資産	負債	費用	収益
	純資産		

売上	お客さんに売れた商品の売り値
受取手数料	何かのサービスをしてあげた時にもらう料金
受取利息	他の人にお金を貸した時にもらう利子
雑益	原因は分からないけれど増えたお金
雑収入	雑益と同じ意味
固定資産売却益	持っている土地や建物などを高い値段で売って得をした分
車両売却益	持っている車両を高い値段で売って得をした分
○○売却益	持っているものを高い値段で売って得をした分（○○には売ったものの名前が入ります）
貸倒引当金戻入	貸倒引当金を減らすもの
償却債権取立益	他の人からもらえる予定のお金がもらえなくなったとあきらめたあとで、支払ってもらえたもの

◉ その他

◀左右▶ その他

現金過不足	実際に持っているお金と帳簿上の現金の金額がずれていて、原因を調査中のもの
貸倒引当金	他の人からもらえる予定のお金がもらえなくなるかもしれない事態への備え
減価償却累計額	持っている建物や備品の価値が今年までに下がってしまった分
損益	収益と費用をすべて列挙するときに用いるもの

◎日商簿記3級検定ガイド◎

「ネット試験（CBT方式）」導入でますます受験しやすい検定試験に!!

日商簿記３級検定試験は基礎的な商業簿記原理および記帳、決算などに関する初歩的実務について出題されています。つまり、３級で学ぶのは、小規模な会社の簿記と考えてください。

合格点は70点です。競争試験ではありませんので、十分な対策・勉強をすることで合格できる試験といえます。

日商簿記検定試験３級は、従来からの「答案用紙」に解答を記入する「ペーパー試験」（以下、「統一試験」）に加え、安定した受験機会の確保やデジタル社会にふさわしい試験とするために、2020年12月からは「ネット試験（CBT方式）」（以下、「ネット試験」）も実施されるようになりました。

ネット試験では、自分の希望で試験日が決められます。つまり自分の都合に合わせて学習スケジュールを組み立てることができます。これにより、たとえば「統一試験」を受験する予定で勉強をすすめている途中でも、実力がついたところで「ネット試験」を受験するということもできます。選択肢が増えたことで、これまでにも増してますます受験しやすい試験となりました。

以下、試験概要と受験までの流れについてご案内いたします。

1. 試験概要

下記は、「ネット試験」「統一試験」共通です。

◉ **受験資格**　年齢・性別・学歴・国籍による制限はありません。誰でも受験できます。

◉ **合格基準点**　合格点　70点以上（100点満点）

◉ **試験科目**　商業簿記（レベル初歩）

◉ **「合格」の扱い**　「ネット試験」「統一試験」の合格は同じ扱いになります。
履歴書等には「日商簿記検定３級取得」と記載できます。

2.「ネット試験（CBT方式）」と「統一試験（ペーパー試験）」の申込みから受験までの流れ

	ネット試験（CBT方式）※1	統一試験（ペーパー試験）※1
試験日	試験センターが定める日時において随時受験可	6月第2週、11月第3週、2月第4週
試験会場	日本商工会議所が指定する試験センター	各商工会議所が指定する会場
受験申込み方法	「株式会社CBT-Solutions」の日商簿記申込専用ページから申込み https://cbt-s.com/examinee/examination/jcci.html ※受験希望日時、希望受験会場、受験者情報を入力し、受験料・申込み手数料を決済	各商工会議所の指定する方法で申込み（ネット・窓口・書店など）※2
試験時間・出題数	60分（3問出題） （出題内容は次ページ参照）	
出題範囲	日本商工会議所が定める「簿記検定出題区分表」に則して出題	
受験料	3,300円（ネット試験・統一試験同額）	
解答方法	①試験センター設置の端末に、受験者ごとに問題が配信される。 ②キーボード・マウスを使用して解答を入力（プルダウン＋入力式）	答案用紙に解答を記載。 ネット試験の「プルダウン式」や「入力式」と共通にするため、一覧から選択する方式となる問題もある。
合格発表	①試験終了後に自動採点され、パソコン画面に結果が表示される。 ②QRコードから<**デジタル合格証**>が即日取得できる。	実施後、2～3週間程度必要となる。
その他	計算用紙が配布され、試験終了後に回収。筆記用具は貸し出し。	計算用紙は冊子に綴じ込まれています。筆記用具は持ち込み。

※1　詳細は商工会議所検定（HP）の案内をご確認ください。
https://www.kentei.ne.jp/

※2　各商工会議所により申込期間および申込方法が異なりますので、受験予定の商工会議所の案内でご確認ください。
http://www5.cin.or.jp/examrefer/

◎日商簿記3級傾向と対策◎

■ 試験の出題形式 ■

試験は、第１問から第３問まで、大きく分けて３つの問題が出題されます。制限時間は60分です。100点満点で、70点以上得点できれば合格となります。

第1問	[出題内容] 仕訳問題が15題 [配点] 45点	幅広い範囲から15題の仕訳問題が出題されます。解答に使用する勘定科目は、語群やプルダウンから選択します。１題あたり１分程度で解答する必要があるため、速さと正確性の両方を身に付ける必要があります。
第2問	[出題内容] 勘定記入、補助簿、適語補充などに関する問題 [配点] 20点	問１と問２の２問構成です。勘定記入では、有形固定資産・経過勘定項目・繰越利益剰余金などについて取引資料等から勘定への記入が問われます。補助簿では、取引ごとに記入すべき補助簿を選択する問題や、商品有高帳への記入などが出題されます。適語補充の問題では、基本的な用語の意味や会計処理のルールに関する文章の空欄に適切な語句を選択して埋める問題が出題されます。これらの他、伝票会計に関する問題の出題も想定されます。
第3問	[出題内容] 決算に関する問題 [配点] 35点	精算表、財務諸表、決算整理後残高試算表の出題が想定されます。特に、財務諸表作成問題が大事です。決算の問題では、基本的な決算整理項目について、仕訳パターンを完全に習得しておく必要があります。

【ネット試験における注意点】
1. 仕訳問題における勘定科目は選択式（プルダウン方式）です。
2. 金額を入力する時は数字のみ入力します。カンマを入力する必要はありません。
3. 財務諸表作成などの問題で、科目名の入力が必要な場合もあります。

※その他「ネット試験」詳細は商工会議所の案内をご確認ください。
https://www.kentei.ne.jp/

八百屋の源さん

Prologue

プロローグ

中小企業で働く青年、ベジタリアンの源さんは、自称「野菜博士」。

世間の人々に野菜や果物の美味しさを知ってもらうべく、仲間たちと「いつかお店を運営する会社を設立したいね。」と夢を語っていました。

こつこつ貯金すること数年、
「やっと開店資金も貯まってきたぞ！」

源さんは、ついに八百屋の開店を決意するのでした。
「今の会社はさっさと辞めて、夢を実現するぞ！」

気分はすっかり会社の社長。

「でもお店を始めたら、**帳簿**をつけなくちゃならないし、お金の管理とかどうすればいいんだろう…」

コトバ

帳簿：取引やお金の流れを記録するノートのこと。

野菜には詳しい源さんですが、会社の経営となると不安がいっぱいです。

数日後、源さんは横浜に来ていました。経営に詳しい友人、横浜商会の社長まーちゃんに相談しようと思ったのです。

「あの人、少し恐いんだよなぁ…」
ベイブリッジを眺めながらつぶやくと、横浜商会へ向かいました。

「すごく頼りになりそうだ！　これからもいろいろと相談にのってもらおう。」

その日、源さんは、多くのことを知りました。
小切手というものが便利だということ（本書３章）、
決算書類の作り方（本書12章）、
帳簿のつけ方　　などなど…

どれも会社の経営に役立つ情報ばかり、
「すごいんだな、まーちゃんは！」

横浜からの帰り道、まーちゃんから薦められた簿記の本を購入し、少しやる気になった源さん。

「うーん、『光速マスターNEO』か。」
「うーん…」
「…」

源さんが八百屋の「八百源」を開くのは、それから少し後のこと…

第1章 簿記とは

学習進度目安

さっくり 7日間	しっかり 10日間	じっくり 15日間
1日目	1日目	1日目

◉第1章で学習すること

① 簿記って何だろう?

② 貸借対照表とは

③ 損益計算書とは

④ 取引を記録しよう!

⑤ 株式の発行

⑥ 資本とは

1 簿記って何だろう？

イントロダクション

「簿記」という言葉を耳にしたことのある方も多いと思いますが、そもそも「簿記」とは、どんな意味があるのでしょうか？
ここでは、「簿記」の意味や目的をみていきましょう!!

これから
しっかり勉強しようネ

1 帳簿に記録をとっておこう!!

簿記(ぼき)とは、「**帳簿**(ちょうぼ)」（ノートのことです）に記録することをいいます。お店や会社は、モノを売ったり、買ったりするだけでなく、お金を借りたり貸したり、必要な品を揃えたり、電気代を支払ったりと、様々な活動を行っています。日記のように「何月何日にどの商品が売れました」「電器屋さんでパソコンを買いました」とメモをとっても良さそうですが、実際には、この記録のとり方にはルールが定められています。このルールを学習することが簿記の学習です。

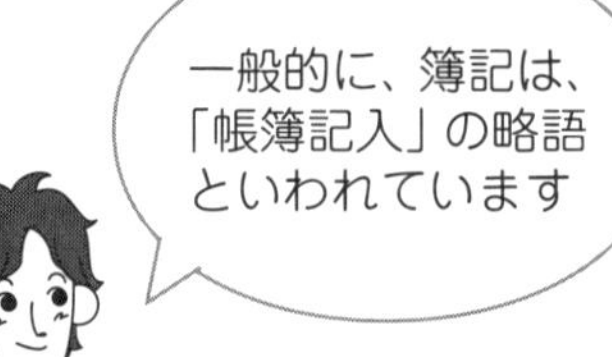

誰が帳簿を見ても、どんな取引が行われたのかが分かるようにルールがあります！

このルールに基づいてお店や会社の活動を帳簿に記録することで、「現金や預金がどのくらいあるのか、借金がいくらあるのか」といった現在の**財政状態**や、「いくら儲けて、いくら使ったのか」といった**経営成績**を知ることができます。

日商簿記検定３級では「小規模な株式会社」を前提とした簿記が出題されるので、ここからは「小規模な株式会社」を主人公として学習を進めていきます。

コトバ

財政状態：現時点で会社の財産がどれくらいあるのか
経営成績：どのような原因でどれくらい儲かっているか

2 報告書を作ろう!!

会社の経営者は、日々の会社の活動を帳簿に記録し、1年経ったところで報告書を2枚作ります。1つは、「**貸借対照表**」、もう1つは「**損益計算書**」と呼ばれるものです。また、これらの報告書をまとめて「**財務諸表**」と呼びます。

「財務諸表」ってのは会社の成績表みたいなものだね！

財務諸表は色んな種類があるけど、3級で学習する財務諸表は貸借対照表と損益計算書の2種類だって！

重要 3級で学習する財務諸表

貸借対照表…現時点で、どれだけの財産を持っていて、またどれだけの借金をしているのか（財政状態）を明らかにする報告書

損益計算書…いくら儲かったか、いくら損したか（経営成績）を明らかにする報告書

帳簿に記録をする係

経営者が一人で会社を経営しているような場合は、経営者自身が直接帳簿に記録をします。しかし、会社の経営が忙しくなると経営者は会社の経営に専念するために帳簿に記録を行う専門の係が必要になります。このような係を「経理（部）」といいます。

3 会計期間って?

報告書を作るとき、1年間の最初の日のことを「**期首**」、1年間の最後の日のことを「**期末**」、期首から期末までの1年間のことを「**会計期間**」と呼びます。また、期末のことを「**決算日**」ともいいます。

また、現在の会計期間のことを「**当期**」、当期の次の会計期間のことを「**次期(または翌期)**」、当期の1つ前の会計期間のことを「**前期**」と呼びます。

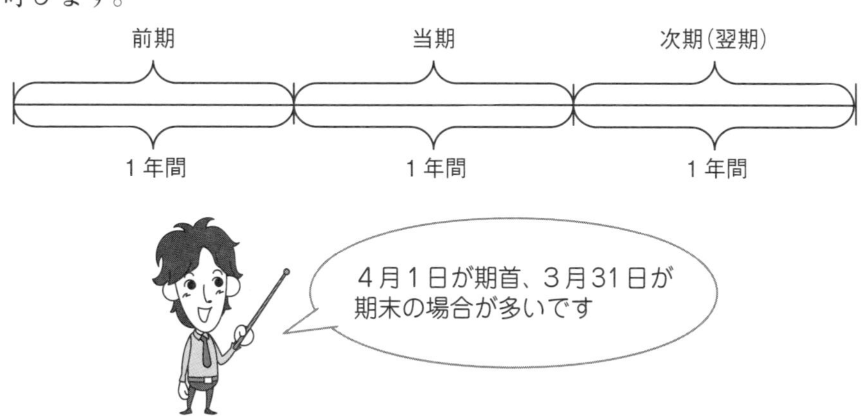

2 貸借対照表とは

イントロダクション

貸借対照表とは会社の財産の状況を表す成績表で、この貸借対照表を作ることが簿記の目的の１つになります。貸借対照表のフォーマットで各要素（資産・負債・純資産）の部屋の位置をしっかりとおさえましょう！

1 貸借対照表を見てみよう!

現時点でどれだけの財産を持っていて、また、どれだけの借金をしているのか、そして、今、借金をすべて返したとしたら残る財産はどのくらいになるのか、といったことを明らかにする報告書を「**貸借対照表**」といいます。記入にあたっては、現金などは「**資産**」、借入金などは「**負債**」、資産から負債を差し引いた残りの正味の財産は「**純資産**」というように３つのグループに分類して記載します。

貸借対照表は真ん中で区切られ、左側を「**借方**(かりかた)」、右側を「**貸方**(かしかた)」と呼び、借方の合計金額と貸方の合計金額は必ず一致します。

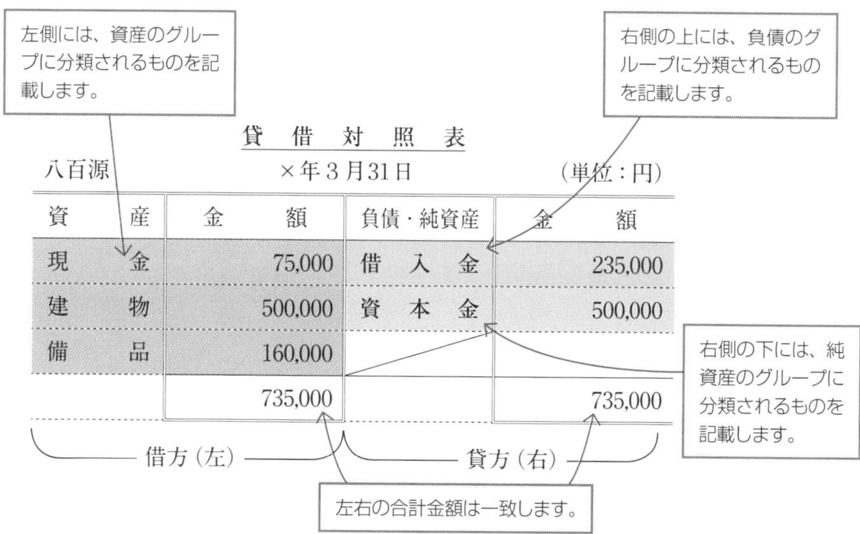

貸　借　対　照　表

八百源　　×年3月31日　　（単位：円）

資　　産	金　　額	負債・純資産	金　　額
現　　金	75,000	借　入　金	235,000
建　　物	500,000	資　本　金	500,000
備　　品	160,000		
	735,000		735,000

コトバ

B/S（ビーエス）：貸借対照表のこと。
Balance Sheetの略です。

備品とは…

簿記の世界での「備品」とは、パソコン、机、椅子、本棚等…会社の儲けのために会社の活動で使用するものを指します。同じパソコン、机、椅子、本棚等…でも、会社が売るために購入したものは、「備品」には該当しません。

売るために買ってきたものは「商品」って呼ぶんだよ。

同じものでも目的によって言い方が違うのか…

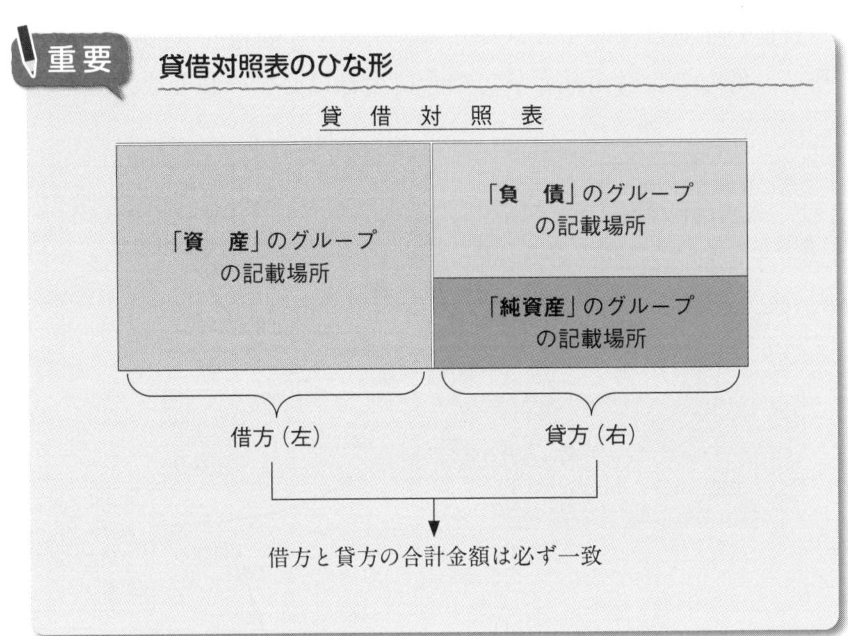
重要
貸借対照表のひな形
貸　借　対　照　表
「資　産」のグループ
の記載場所
「負　債」のグループ
の記載場所
「純資産」のグループ
の記載場所
借方（左）
貸方（右）
借方と貸方の合計金額は必ず一致

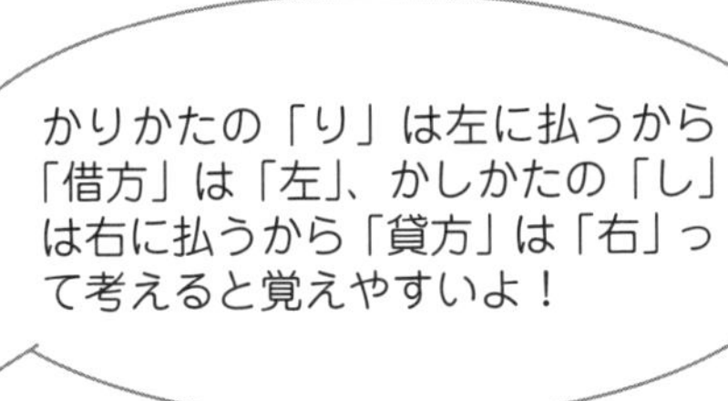
かりかたの「り」は左に払うから
「借方」は「左」、かしかたの「し」
は右に払うから「貸方」は「右」っ
て考えると覚えやすいよ！

2 「資産」とは増えたらうれしいもの

貸借対照表の借方は、「資産」の部屋です。「資産」の部屋には「資産」が入りますが、「資産」とは一体どのようなものなのでしょうか。

現金が手元に入ったらうれしいですよね？　現金、商品、建物などもらってうれしい会社の財産となるものは、「資産」というグループに分類します。

他にも資産には…！

誰かにお金を貸すと、貸したときはお金が減りますが、貸したお金は後で返してもらえます。このような、貸したお金を後で返してもらう「権利」なども「資産」のグループに分類されます。

3 「負債」とは増えたら嫌なもの

貸借対照表の貸方の上には、「負債」の部屋があります。「負債」の部屋には「負債」が入りますが、「負債」とは一体どのようなものなのでしょうか。

借金とは誰にとってもイヤなものです。借入金などのように後で返さなくてはならない義務のあるお金は、「負債」というグループに分類し、「負債」の部屋に表示します。

4 「純資産」に分類されるものは?

貸借対照表の貸方の下には、「純資産」の部屋があります。「純資産」の部屋には「純資産」が入りますが、「純資産」とは一体どのようなものなのでしょうか。

会社が商売を始めるときには元手が必要になります。この元手となる金額のことを「**資本金**」といいます。資本金は「純資産」というグループに分類し、「純資産」の部屋に表示します。

資本金も「資本」の仲間なんだけど、
「資本」は13章で詳しく学習するよ!

純資産には「資本」
というものが分類
されるよ

～貸借対照表～

貸借対照表の借方と貸方の合計金額が必ず一致しますが、そこには２つの考え方があります。

①「資産－負債＝純資産」とする考え方

この考え方は、会社にお金を出資した人を主人公と考えています。すなわち、資産をすべて換金し、そのお金で負債をすべて返済すると、会社のオーナーである出資者の受け取ることができるお金が残るのです。これが純資産です。純資産は、簿記３級では詳しく学習しませんが、出資者の持ち物というふうに考えるといいでしょう。

②「資産＝負債＋純資産」とする考え方

この考え方は、会社そのものを主人公と考えています。ここでは、貸借対照表の貸方はお店がどのように資金を調達したかを表し（調達源泉）、借方は調達したお金をどのように使っているか（運用形態）を表していると考えます。

左側（借方）と右側（貸方）の金額の合計が同じになる性質を、**貸借平均の原理**というのでアル！

3 損益計算書とは

イントロダクション

損益計算書とは会社の経営成績を表す成績表で、この損益計算書を作ることが簿記の目的の１つになります。貸借対照表と同じように、損益計算書のフォーマットで各要素（収益・費用）の部屋の位置をしっかりとおさえましょう！

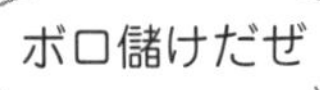

1 損益計算書を見てみよう!

「**損益計算書**」とは、１年間でどのように稼いだのか、一方でどのようにお金などを使ったのか、その結果いくら儲かったのか（もしくは損してしまったのか）ということを明らかにする報告書です。このとき、会社の売上などは「**収益**」、広告を作るために使ったお金などは「**費用**」というように２つのグループに分類して記載します。

損益計算書も貸借対照表と同じように真ん中で区切られ、左側を「**借方**」、右側を「**貸方**」と呼びます。また、収益と費用の差額を「**当期純利益**（または**当期純損失**）」といいます。

左側の上には、費用のグループに分類されるものを記載します。

右側には、収益のグループに分類されるものを記載します。

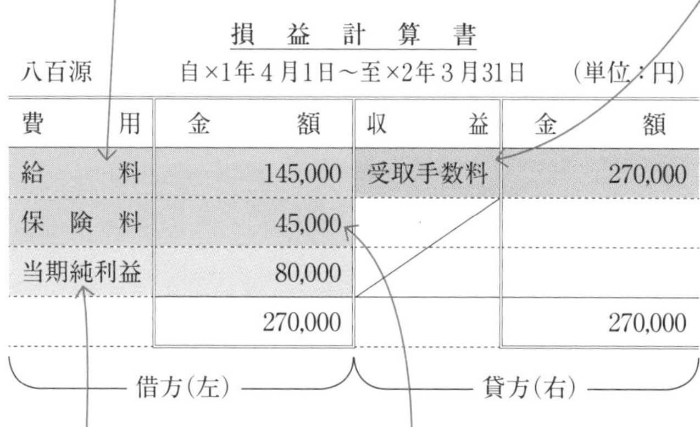

損 益 計 算 書

八百源　　自×1年4月1日～至×2年3月31日　　(単位：円)

費　用	金　額	収　益	金　額
給　料	145,000	受取手数料	270,000
保険料	45,000		
当期純利益	80,000		
	270,000		270,000

左側の下には、当期純利益（当期の儲け）を記載します。

190,000円の経費を使ったから80,000円の利益が残っているんだね！

コトバ

P/L（ピーエル）：損益計算書のこと。
Profit and Loss Statementの略です。

財務諸表はF/Sと呼ばれるのでアル！

Financial Statementsの略語でアル！

損益計算書のひな形

損　益　計　算　書

「費　用」のグループの記載場所	「収　益」のグループの記載場所
当期純利益	
借方（左）	貸方（右）

収益と費用の差額が、会社の１年間の純粋な稼ぎ（儲け）を表す「**当期純利益（損失）**」になります。

「収益」よりも「費用」が大きければ
「当期純損失」になるよ！

「収益」よりも「費用」が大きい
ってことは、損しているんだね…

2 「収益」とはズバリ稼ぎ!

損益計算書の貸方は、「収益」の部屋です。「収益」の部屋には「収益」が入りますが、「収益」とは一体どのようなものなのでしょうか。

商品を売ったときの売上、サービスを提供して手数料をもらったときの受取手数料などの会社の稼ぎは、「収益」というグループに分類し,「収益」の部屋に表示します。

「収益」は、お金などの「資産」が増える原因ともいえるよ!

サービスの提供とは…!?

会社の商売は商品を販売することだけでなく、他にも様々な商売があります。例えば、土地やビルを貸したり、お金を貸したり、保険という目に見えない商品を販売するなど…。これらの商売は簿記の世界では「サービスの提供」といいます。これらのサービスの提供にともなって、地代・家賃・利息・保険料などを受取りますが、これらは皆「収益」に分類されます。

さっくり 1日目
しっかり 1日目
じっくり 1日目

3 「費用」とは稼ぐために使ったお金

損益計算書の借方には、「費用」の部屋があります。「費用」の部屋には「費用」が入りますが、「費用」とは一体どのようなものなのでしょうか。

「費用」は、お金などの「資産」が減る原因ともいえるのよ！

会社は稼ぐために従業員を雇ったり、会社の商品などの宣伝をしなくてはなりません。こういった、従業員へのお給料や宣伝費などのように、会社が収益を得るために使った分は「費用」というグループに分類されます。

要するに、稼ぐために使った経費とかが費用なんだね

簿記における「給料」は…！

お仕事をされている方はお給料を受け取るとうれしいですね。そのため、「給料」は一見会社の稼ぎを表す「収益」だと思ってしまうかもしれません。しかし、帳簿に記録を行うのは給料を支払う会社側なのです。会社の立場にたってお給料を考えると、収益を得るために雇った従業員に支払う「費用」として捉えることになります。

4 1年間の儲け!

前のページでも説明があるように、1年間の儲けを「**当期純利益**」といい、収益の合計金額と費用の合計金額の差額として表される、純粋な儲けのことを意味します。1年間の会社の活動の結果がここに表れます。また、収益の合計金額と費用の合計金額の差額がマイナスになるとき（収益よりも費用が大きい場合）は会社が損をしてしまったことになるので、その差額を「**当期純損失**」といいます。

「当期純利益の計算は…」！

例えば、当期1年間の収益の合計が270,000円、費用の合計が190,000円だとします。

この場合、当期1年間の当期純利益は

収益270,000円－費用190,000円＝当期純利益80,000円

となります。

4 取引を記録しよう!

イントロダクション

貸借対照表や損益計算書といった会社の成績表を作るために日々の取引を帳簿に記録していきますが、その記録方法は何でもいいわけではありません。記録方法には一定のルールがあります。このルールこそが、第1章の中で最も重要なので、完璧におさえてから次へ進むようにしてください。

1 記録が必要なときはいつなの?

会社の取引の全てを帳簿に記入しなければいけないわけではありません。帳簿に記録をとらなければならないのは、「**簿記上の取引**」があったときだけです。ここで、簿記上の取引とは、会社の資産・負債・純資産・収益・費用のいずれかが増減する出来事を意味します。

例えば、会社がパートさんを募集し、面接を行った場合、資産・負債・純資産・収益・費用のいずれも増減しません。そのため、記録の対象にはならないのです。

資産・負債・純資産・収益・費用をまとめて「簿記の五要素」と呼びます

ここから先は、「取引」と言ったら、「簿記上の取引」のことを指します

「簿記上の取引」と「日常生活上の取引」

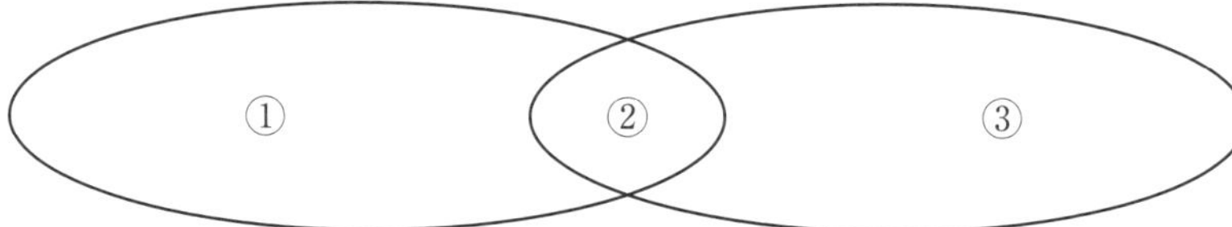

① 簿記上の取引：「建物が火災により焼失」
「泥棒にお金を盗まれた」
⇒ 火災で建物が焼失した場合、簿記の五要素である「資産」が減少します。また、泥棒にお金を盗まれても簿記の五要素である「資産」が減少します。そのため、これらは「簿記上の取引」に該当します。ただし、この事象は日常生活では「取引」とはいいません。

② 簿記上の取引かつ日常生活上の取引：「取引先から商品を仕入れた」
⇒ 取引先から商品を仕入れた場合、簿記の五要素である「資産」が増加します。そのため、これらは「簿記上の取引」に該当します。さらに、この事象は日常生活においても「取引」と呼ばれています。

③ 世間一般の取引：「商品販売の契約を締結した」
⇒ 取引先と商品販売の契約を締結しただけで、商品をまだ仕入れていなければ、簿記の五要素は変化しません。そのため、これらは「簿記上の取引」に該当しません。ただし、この事象は日常生活においては「取引」と呼ばれています。

2 仕訳帳と総勘定元帳

会社で取引があったときは、「**仕訳帳**」という帳簿に「**仕訳**」という形式のメモを書き込みます。次に、「**総勘定元帳**」という帳簿に「**転記**」という作業をします。これを１年間繰り返して、期末になったら、総勘定元帳を見ながら貸借対照表と損益計算書を作ります。

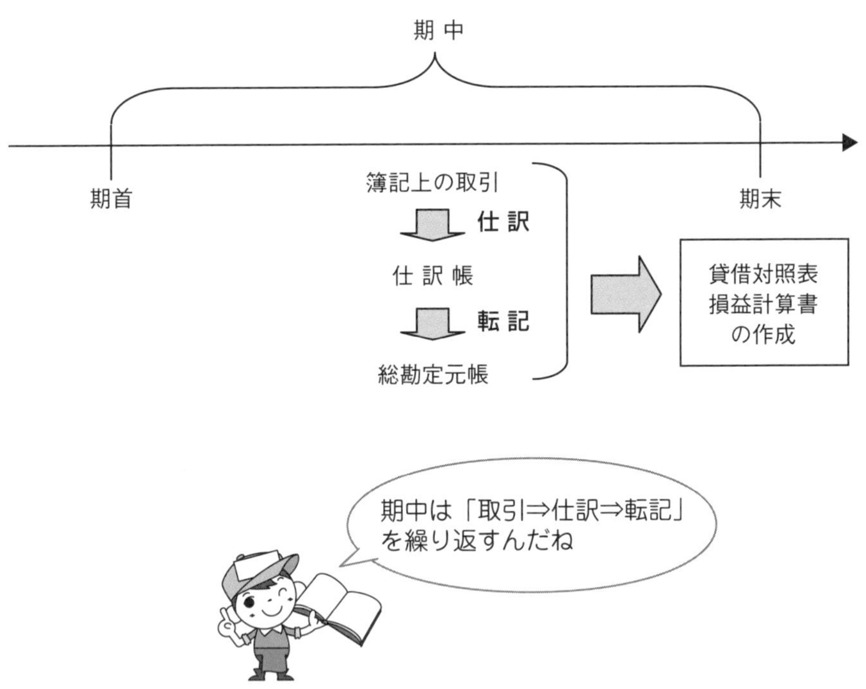

コトバ

仕　訳：取引の内容を、勘定科目と金額を使って表したもの
勘定科目：簿記の五要素を、さらに内容や性質に応じて細かく分類した名称
仕訳帳：仕訳を書き込む帳簿
転　記：仕訳帳に書き込んだ仕訳を、総勘定元帳に書き移すこと
総勘定元帳：勘定が集まった帳簿（勘定については後で詳しく…）

3 仕訳ができるまでのステップ!

仕訳とは、取引の内容を勘定科目（かんじょうかもく）と金額のみを使って表す簿記特有の記録方法です。簿記上の取引があったら、その取引の内容を仕訳の形に直して、仕訳帳に書き込んでいきます。

ここで、「会社の事務で使うために50,000円のパソコンを、お金を支払って買ってきた」という取引を仕訳にすると、次のようになります。

借方科目	金額	貸方科目	金額
備　　品	50,000	現　　金	50,000

このような仕訳ができるまでには、5つのステップがあります！
1つずつみていきましょう。

ステップ1　取引の内容から、2つの事がらがあることを見つけます。そして、何が増えて、何が減ったのかを考えます。

取引の内容	お金を支払った	パソコンを買った
	↓	↓
増減の内訳	①お金が減る	②パソコンが増える

「50,000円のパソコンを、お金を支払って買ってきた」という取引は、「①お金が減る」「②パソコンが増える」という2つの要素に分解できます。このように、簿記上の取引は、必ず2つに分解できます。

お金が関係する取引は、お金から先に考えると分解しやすいよ！

ステップ２　見つけた事がらごとに、使用する勘定科目を選びます。

一般的な名称	お金	パソコン
	⇩	⇩
勘定科目	現金	備品

「お金」は「現金」という勘定科目を、会社の事務で使用する「パソコン」は「備品」という勘定科目を使用します。取引の内容は「勘定科目」と呼ばれる、様々なものをひとくくりにした言葉で表します。

他にも、以下のような勘定科目があります。

勘定科目は誰が見ても分かるように
グループ分けの役割も果たすよ

勘定科目	分類	勘定科目の説明
現金	資産	硬貨や紙幣
貸付金（かしつけきん）	資産	貸したお金を返してもらう権利
備品	資産	商売をするために使うもの （パソコン、コピー機等）
借入金（かりいれきん）	負債	借りたお金を後で返す義務
資本金（しほんきん）	純資産	商売のための元手
給料	費用	従業員に支払う人件費
受取手数料	収益	サービスの提供により受け取るお金

勘定科目は他にもたくさんあるよ！

徐々に覚えていこう！！

ステップ3 ステップ2で選んだ勘定科目が、資産・負債・純資産・収益・費用のうちどのグループに分類されるのかを判断します。

勘定科目	現金	備品
↓	↓	↓
簿記の5要素	資産	資産

ステップ2の表にも示されているとおり、ほとんどの勘定科目は、資産・負債・純資産・収益・費用の５つのグループのいずれかに分類されます。

ステップ4 選んだ勘定科目を、仕訳帳の左側（借方）に書くのか、右側（貸方）に書くのかを判断します。

勘定科目の動き	現金（資産）が減る	備品（資産）が増える
↓	↓	↓
仕訳帳への記入	右側（貸方）へ記入	左側（借方）へ記入

選んだ勘定科目を仕訳帳の左側（借方）に書くのか、右側（貸方）に書くのかは、勘定科目の各要素（資産・負債・純資産・収益・費用）の部屋が貸借対照表または損益計算書の左右いずれかに位置するか（借方or貸方）から判断します。具体的には以下のように、「資産・費用」と「負債・純資産・収益」で記入の仕方が分かれます。

資産・費用	負債・純資産・収益
貸借対照表または損益計算書の借方（左側）に位置しているので、増加した場合には借方（左側）に記入し、減少した場合には逆の貸方（右側）に記入します。	貸借対照表または損益計算書の貸方（右側）に位置しているので、増加した場合には貸方（右側）に記入し、減少した場合には逆の借方（左側）に記入します。

例えば、「現金」は資産の性質をもつ勘定科目です。そして資産は貸借対照表の左側（借方）に部屋があります。そのため、資産である現金が増えたときは左側（借方）に記入します。また、減ったときは増えたときの逆側、つまり資産が減ったときは右側（貸方）に記入します。

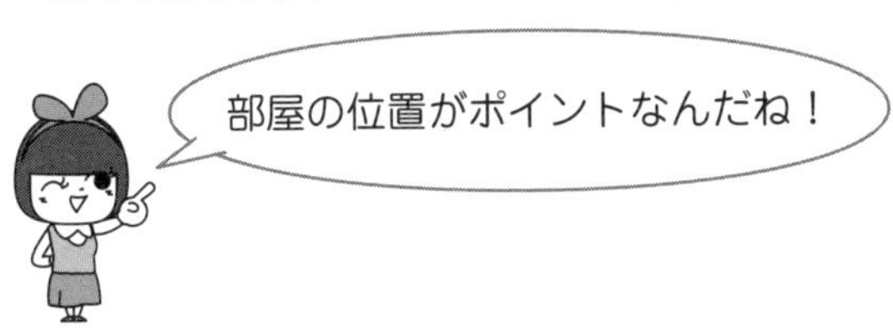

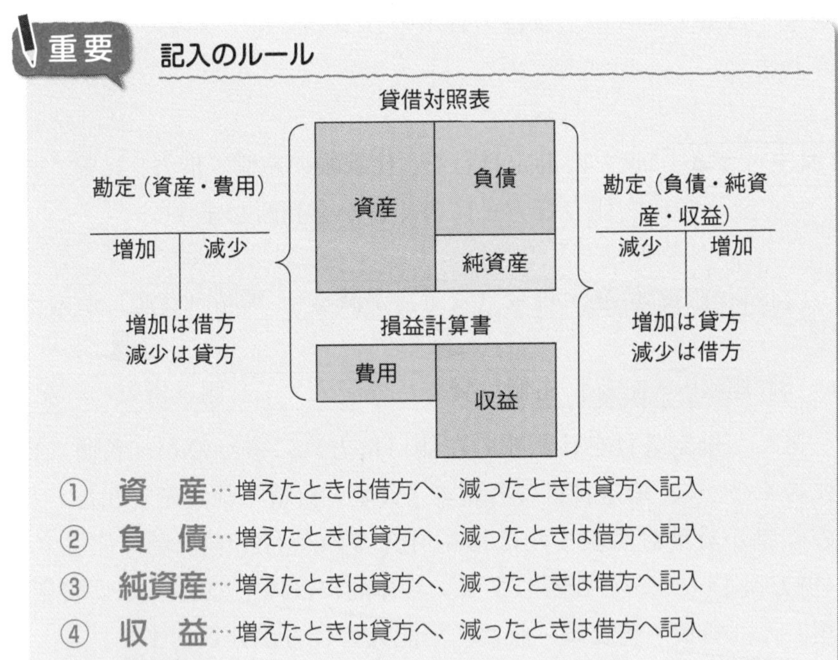

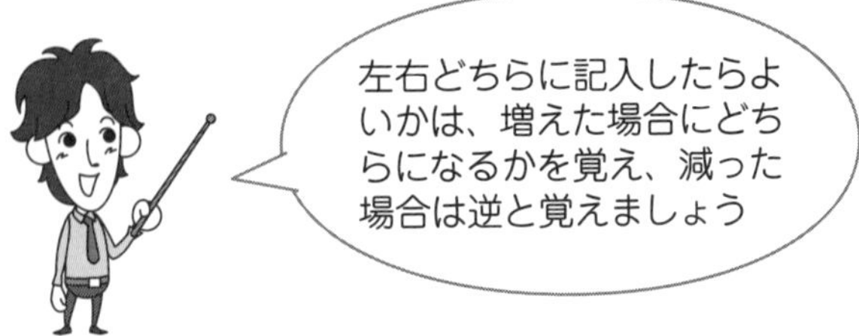

ステップ5 仕訳帳に、勘定科目と金額を書き込みます。

借方科目	金額	貸方科目	金額
備　　品	50,000	現　　金	50,000

必ず一致！

1つの取引を2つに分解しているだけなので、借方と貸方の金額は必ず同じ金額になります。なお、仕訳でも、左側を「借方」、右側を「貸方」と呼びます。

例１－１

問題　以下に示す勘定科目が、増加したときに借方・貸方のどちらに記入するか答えなさい。

①備品　②借入金　③資本金　④受取手数料

⑤給料

【解答】

①備品→借方

②借入金→貸方

③資本金→貸方

④受取手数料→貸方

⑤給料→借方

【考え方】

① 備品 = 資産

⇒資産は貸借対照表の借方に位置している

⇒増加した場合は借方に記入

② 借入金 = 負債

⇒負債は貸借対照表の貸方に位置している

⇒増加した場合は貸方に記入

③ 資本金 = 純資産

⇒純資産は貸借対照表の貸方に位置している

⇒増加した場合は貸方に記入

④ 受取手数料 = 収益

⇒収益は損益計算書の貸方に位置している

⇒増加した場合は貸方に記入

⑤ 給料 = 費用

⇒費用は損益計算書の借方に位置している

⇒増加した場合は借方に記入

4 仕訳の後はすぐ転記!

仕訳帳に仕訳を書き込んだら、次に、総勘定元帳に転記をします。総勘定元帳には、勘定科目ごとに「**勘定**(かんじょう)」と呼ばれる集計のための表がたくさんあり、表の真ん中の区切りを境に左側と右側に書き込むことができるようになっています。ここでも、左側を「**借方**」、右側を「**貸方**」と呼びます。

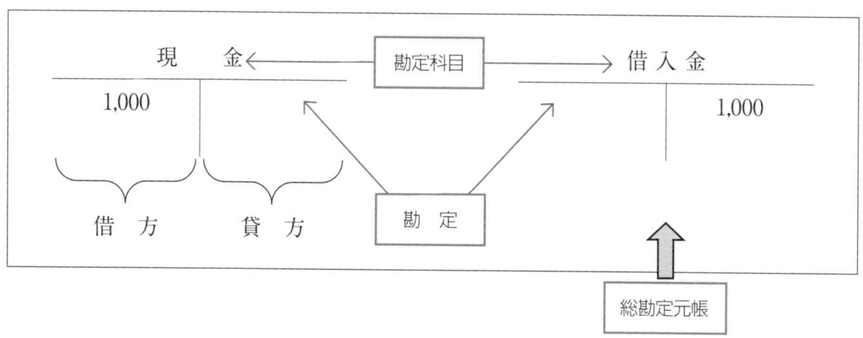

コトバ
勘 定：取引の金額を集計するフォーマット

取引があったら、仕訳帳に仕訳をします。次に、その仕訳を見ながら、総勘定元帳に転記をします。すでに学習した「会社の事務で使うために50,000円のパソコンを、お金を支払って買ってきた」という取引の仕訳を転記してみましょう。

ステップ1 仕訳で使った勘定科目の勘定に、そのまま金額を移していきます。仕訳のときに借方に記入した金額は勘定でも借方に、貸方に記入した金額は勘定でも貸方に記入します。

借方科目	金額	貸方科目	金額
備品	50,000	現金	50,000

備品

借方	貸方
50,000	

現金

借方	貸方
	50,000

ステップ2 ステップ1 で記入した金額の隣に、相手勘定科目を記入します。ここで、相手勘定科目とは、仕訳のときに反対側に記入される勘定科目のことをいいます。「備品」の立場で考えると、仕訳のときに反対側に記入される勘定科目は「現金」なので、「現金」が相手勘定科目になります。一方、「現金」の立場で考えると、仕訳のときに反対側に記入される勘定科目は「備品」なので、「備品」が相手勘定科目になります。

借方科目	金　額	貸方科目	金　額
備　品	50,000	現　金	50,000

備　品

現金 50,000	

現　金

	備品 50,000

備品の相手勘定科目が現金なので「現金」を記入

現金の相手勘定科目が備品なので「備品」を記入

相手勘定科目を記入すると、なぜ「現金」が減ったのか、なぜ「備品」が増えたのかといった原因が分かります

また、取引の行われた日が判明する場合、その日付も合わせて記入します。例えば10月５日に取引が行われたのであれば、以下のように記入します。

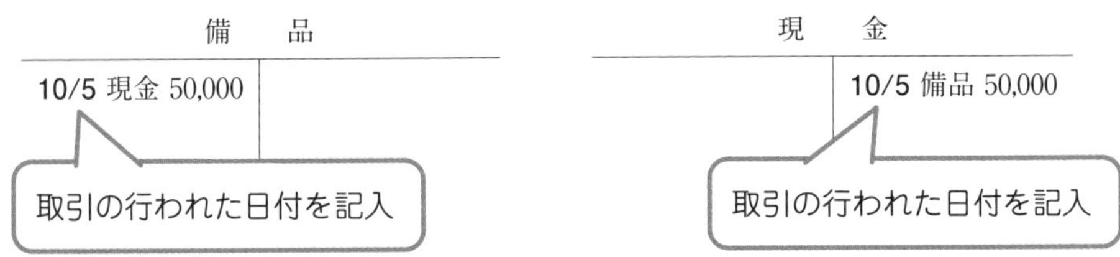

重要　**転記のルール**

① 仕訳で用いた勘定科目の金額を、仕訳で記入した側にそのまま移す。

② 各勘定の金額の隣に相手勘定科目を記入する。

③ 取引の日付が判明する場合は、取引の日付を記入する。

日付と相手勘定科目も
書いてくださいね

☆ 仕訳と転記をしてみよう！

例1－2

問題　4月5日、株式会社八百源は銀行から現金2,000円を借り入れた。

【解答】

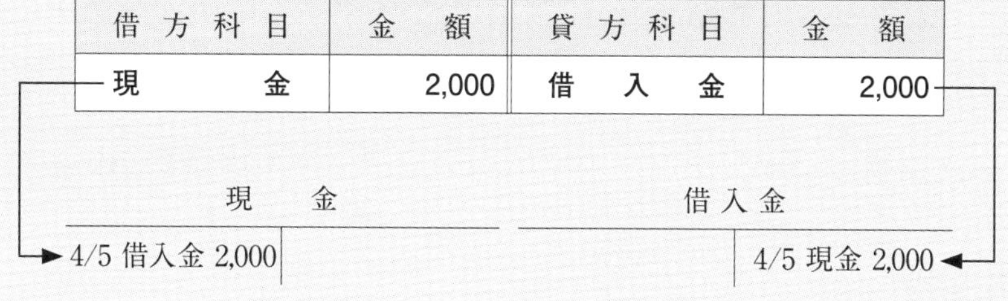

借方科目	金額	貸方科目	金額
現　　金	2,000	借　入　金	2,000

現　金	
4/5 借入金 2,000	

借入金	
	4/5 現金 2,000

【考え方】

① 現金 ＝ 資産 ⇒ 資産は貸借対照表の借方に位置している
⇒ 増加した場合は借方に記入 ⇒ 転記でそのままスライド

② 借入金 ＝ 負債 ⇒ 負債は貸借対照表の貸方に位置している
⇒ 増加した場合は貸方に記入 ⇒ 転記でそのままスライド

貸借対照表	
資産	負債
	純資産

損益計算書	
費用	収益

☆　仕訳と転記をしてみよう！

問題　５月１日、株式会社八百源は手数料3,000円を現金で受け取った。

【解答】

借方科目	金額	貸方科目	金額
現　　　金	3,000	受取手数料	3,000

現　　金	
5/1 受取手数料 3,000	

受取手数料	
	5/1 現金 3,000

【考え方】

①　現金 ＝ 資産 ⇒ 資産は貸借対照表の借方に位置している
⇒ 増加した場合は借方に記入 ⇒ 転記でそのままスライド

②　受取手数料 ＝ 収益 ⇒ 収益は損益計算書の貸方に位置している
⇒ 増加した場合は貸方に記入 ⇒ 転記でそのままスライド

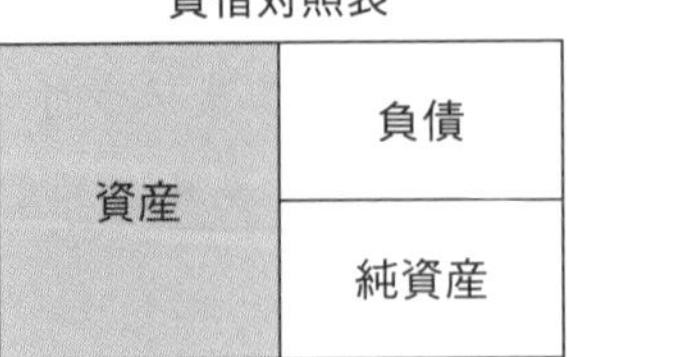

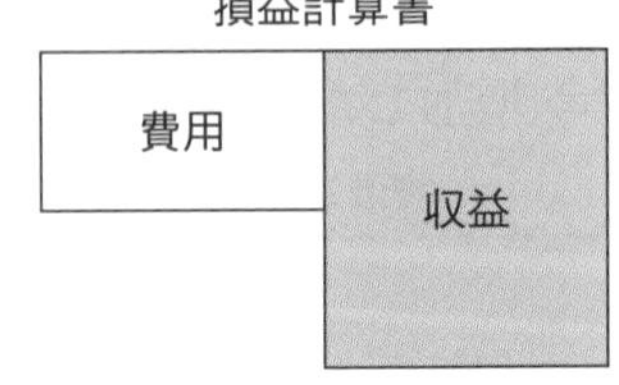

☆ 仕訳と転記をしてみよう！

例1－4

問題 6月10日、株式会社八百源は給料1,500円を現金で支払った。

【解答】

借方科目	金額	貸方科目	金額
給料	1,500	現金	1,500

給料

6/10 現金 1,500	

現金

	6/10 給料 1,500

【考え方】

① 給料 ＝ 費用 ⇒ 費用は損益計算書の借方に位置している ⇒ 増加した場合は借方に記入 ⇒ 転記でそのままスライド

② 現金 ＝ 資産 ⇒ 資産は貸借対照表の借方に位置している ⇒ 減少した場合は貸方に記入 ⇒ 転記でそのままスライド

貸借対照表

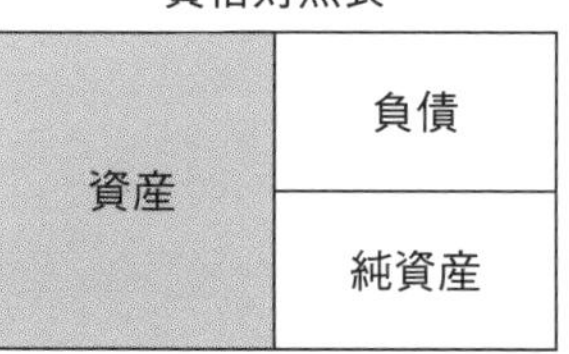

損益計算書

5 転記をしたら集計!

仕訳帳に記入した仕訳にもとづいて、総勘定元帳の現金勘定などに転記をしたら、勘定ごとに集計をします。

例えば、現金勘定の集計結果は、今、持っている現金の金額となり、借入金勘定の集計結果は、今、抱えている借金の金額となります。

現金勘定の集計結果は、現金勘定の左側（借方）に記入した金額の合計と現金勘定の右側（貸方）に記入した金額の合計との差額で求めることができます。この差額で求まる集計結果のことを、**残高**（ざんだか）といいます。ここで、勘定の左側（借方）に記入した金額の合計のことを、**借方合計**（かりかたごうけい）といいます。また、勘定の右側（貸方）に記入した金額の合計のことを、**貸方合計**（かしかたごうけい）といいます。

また、借方合計の方が貸方合計よりも大きいときの残高は借方残高といい、貸方合計の方が借方合計よりも大きいときの残高は貸方残高といいます。

【例１－２】から【例１－４】までの仕訳にもとづいて、現金勘定と借入金勘定の集計を考えてみましょう。

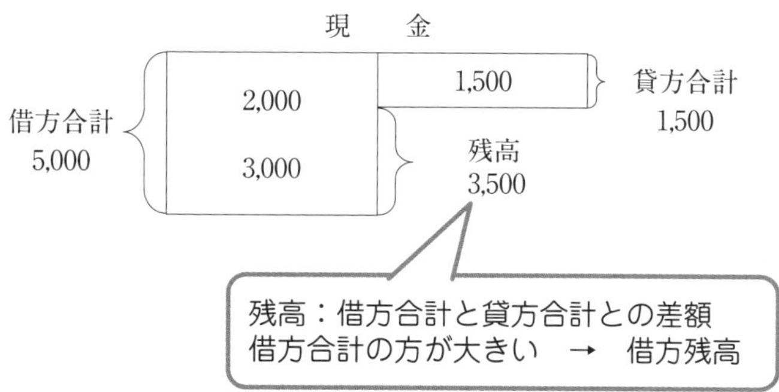

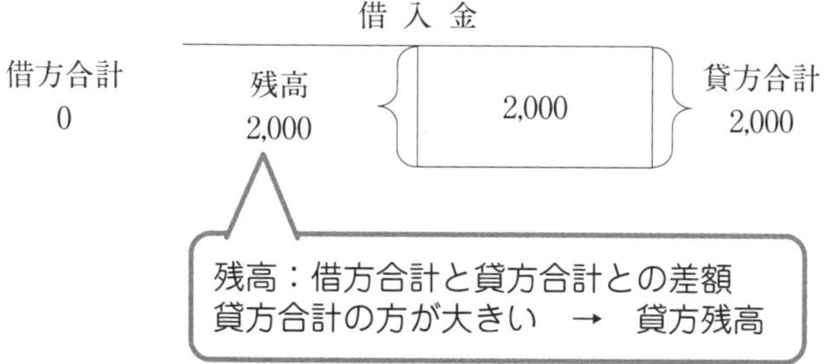

コトバ

借方合計：勘定の借方に記入した金額の合計
貸方合計：勘定の貸方に記入した金額の合計
残高：借方合計と貸方合計の差額
借方残高：借方合計の方が大きいときの残高
貸方残高：貸方合計の方が大きいときの残高

さっくり 1日目
しっかり 1日目
じっくり 1日目

5 株式の発行

イントロダクション

日商簿記検定３級は「小規模な株式会社」を前提とした簿記の問題が出題されます。そこで、このセクションでは株式会社とはどのような会社か、また、新たな株主（会社のオーナー）を募集し、お金を集めるときにどのような処理を行うのかをみていきます。

1 株式会社とは…

「**株式会社**（かぶしきかいしゃ）」という形態の会社をつくるときは、会社のオーナーである「**株主**（かぶぬし）」になりたい人を募集します。そして、この人たちに会社の運営に必要なお金を払い込んでもらい、その代わりに会社のオーナーの地位である「**株式**（かぶしき）」を渡します。

また、会社のオーナーである株主は「**株主総会**（かぶぬしそうかい）」という会議でどのように商売をしていくかといった会社の経営についての基本的な方針を話し合ってきめます。

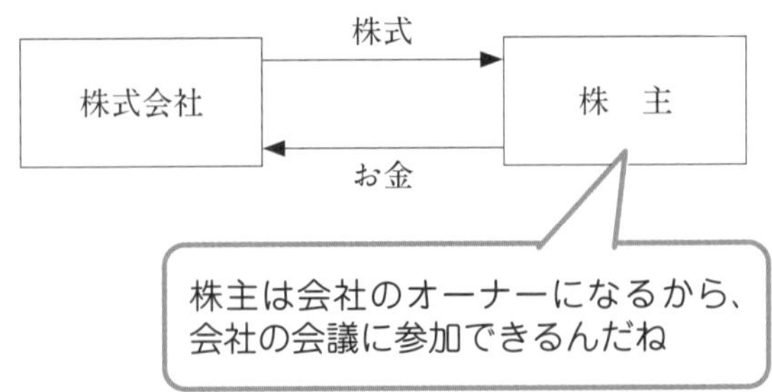

2 株式を発行して資金を集める

会社をつくるときや、会社をつくってしばらくしてからもっと経営を拡大したいと考えたとき、お金を集めるために株式を発行し、お金を払い込んでもらいます。この一連の取引を「**株式の発行**」といいます。払い込んでもらったお金は、原則として全て「**資本金**」(純資産)にします。

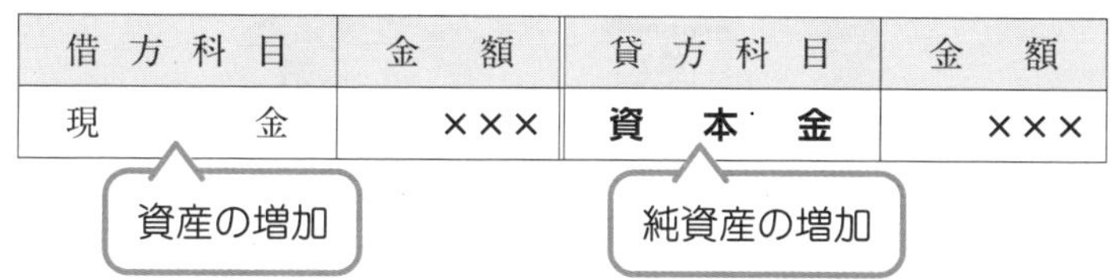

借方科目	金額	貸方科目	金額
現　　金	×××	**資　本　金**	×××

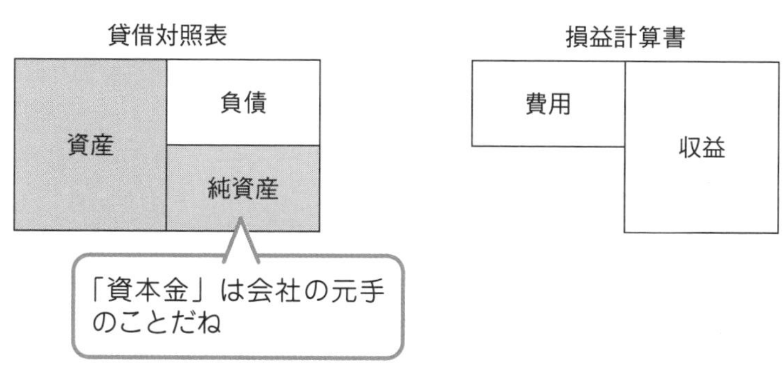

☆ 仕訳をしてみよう！

例1－5

問題　株式会社八百源は会社運営のための資金を集めるために株式を発行し、現金20,000円を受取った。

【解答】

借方科目	金額	貸方科目	金額
現　　金	20,000	資　本　金	20,000

【考え方】

① 現金を受取った
　＝ 現金（資産）の増加
　⇒ 資産は貸借対照表の借方に位置している
　⇒ 増加した場合は借方に記入

② 会社運営のための資金を集めるために株式を発行した
　＝ 資本金（純資産）の増加
　⇒ 純資産は貸借対照表の貸方に位置している
　⇒ 増加した場合は貸方に記入

6 資本とは

イントロダクション

「純資産」のグループには、資本金以外にも様々なものが分類されますが、3級で出題される項目は資本金、繰越利益剰余金、利益準備金の3種類になります。これら3種類をまとめて「資本」といいます。

1 資本とは

前のページでも学習したように会社は元手である「**資本金**」をもとに商売を開始します。会社の商売で儲かった利益は、最終的に「**繰越利益剰余金**」という勘定で集計されます。これら、①会社の元手である「**資本金**」と②元手から稼いだ利益の蓄積である「**繰越利益剰余金**」をまとめて「**資本**」と表します。また、「**利益準備金**」という勘定も「**資本**」の仲間ですが、「**利益準備金**」は第13章で詳しく学習します。

資　本	①資本金
	②繰越利益剰余金
	③利益準備金

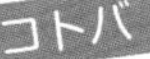

資本：元手とそれをもとに稼いだもの

「繰越利益剰余金」は過去の利益の蓄積だね！

「資本」は勘定科目じゃないよ！

確認テスト

問題

次の取引の仕訳をしなさい。

① 50,000円分の株式を発行し、現金を受取り、商売を開始した。

② 銀行から30,000円を借入れ、現金を受取った。

③ 現金を支払って、商売で使うためのパソコン45,000円を購入した。

④ 従業員に対して、12,000円の給料を現金で支払った。

（単位：円）

	借方科目	金額	貸方科目	金額
①				
②				
③				
④				

解答

（単位：円）

	借方科目	金額	貸方科目	金額
①	現　　金	50,000	資　本　金	50,000
②	現　　金	30,000	借　入　金	30,000
③	備　　品	45,000	現　　金	45,000
④	給　　料	12,000	現　　金	12,000

解説

①－1　現金を受取り ＝ 現金（資産）の増加
⇒ 資産は貸借対照表の借方に位置している
⇒ 増加した場合は借方に記入

①－2　株式を発行した ＝ 資本金（純資産）の増加
⇒ 純資産は貸借対照表の貸方に位置している
⇒ 増加した場合は貸方に記入

②－1　現金を受取った ＝ 現金（資産）の増加
⇒ 資産は貸借対照表の借方に位置している
⇒ 増加した場合は借方に記入

②－2　借入れ ＝ 借入金（負債）の増加
⇒ 負債は貸借対照表の貸方に位置している
⇒ 増加した場合は貸方に記入

③－1　現金を支払って ＝ 現金（資産）の減少
⇒ 資産は貸借対照表の借方に位置している
⇒ 減少した場合は反対の貸方に記入

③－2　商売で使うためのパソコンを買ってきた
＝ 備品（資産）の増加
⇒ 資産は貸借対照表の借方に位置している
⇒ 増加した場合は借方に記入

④－1　現金で支払った ＝ 現金（資産）の減少
⇒ 資産は貸借対照表の借方に位置している
⇒ 減少した場合は反対の貸方に記入

④－2　給料を支払った ＝ 給料（費用）の増加
⇒ 費用は損益計算書の借方に位置している
⇒ 増加した場合は借方に記入

第2章 商品売買

学習進度目安

◉第2章で学習すること

さっくり 7日間	しっかり 10日間	じっくり 15日間
1日目	2日目	2日目

① 仕入先と得意先

② 商品売買取引を仕訳しよう!

③ 掛け取引

④ 商品の返品

⑤ 仕入や売上にかかる費用

1 仕入先と得意先

イントロダクション

株式会社八百源を立ち上げた源さんは、あちこちのお店や農家に足を運び、商品の品質・値段・配達の速さなどを調査しました。
「よーし、りんごは青森商会から仕入れることにしよう」
「信頼できる相手から、信頼できる商品を仕入れないとな」

1 商品を買ってくる!

源さんは、野菜や果物などの商品を、市場や農家から買ってきて店頭に並べます。このことを「**仕入**（しいれ）」といいます。

コトバ
仕入先：当社が繰返し仕入を行う相手

2 商品を売る!

源さんは、市場や農家から買ってきた野菜や果物をお客さんに販売します。このように、商品をお客さんに販売することを「**売上**（うりあげ）」といいます。

また，商品を仕入れ，仕入れた商品を販売する一連の取引のことを「商品売買（取引）」といいます。

コトバ

得意先：当社が繰返し売上げている相手

商品?それとも備品?

例えば、電器屋さんがお客さんに売るためにパソコンを買ってきた場合、そのパソコンは「商品」ですが、会社の事務仕事で使うために買ったパソコンは商品ではありません。この場合、商売のために会社で使うモノですから、「備品」となります。

このように、同じモノであっても、保有する目的により「商品」となったり、「備品」となったりします。

商　品	商売としてお客さんに販売することが目的
備　品	販売目的ではなく、会社で使用することが目的

2 商品売買取引を仕訳しよう!

イントロダクション

青森商会からりんごを仕入れることになった八百源ですが、取引をするときには帳簿への記入が必要です。

「商品が売れたら帳簿に記入しないとな。」

そこで、商品売買の帳簿への記入方法を調べると、一般的には三分法という記入方法が使用されているようです。

「うーん、、上手く記入できるかなぁ…」

1 商品売買の仕訳の方法

簿記3級では、商品売買取引を**三分法**(さんぶんぽう)という方法で仕訳します。三分法は、「**仕入**(しいれ)」という費用の勘定、「**売上**(うりあげ)」という収益の勘定、そして「**繰越商品**(くりこししょうひん)」という資産の勘定を使って仕訳する方法です。

他にも様々な仕訳の方法がありますが、三分法以外の方法は2級以上で学習します。

三分法は、商品売買の仕訳方法の中では最も一般的な方法だよ！

2 仕入れの金額を費用にする!

三分法では、商品を仕入れた時に、「仕入」（費用）を計上します。ここで、商品は会社が商売をしていくために必要不可欠なものであり、これをお金を出して仕入れてくるため、「**仕入**」は費用として考えます。つまり、仕入れにより費用が増えるので借方に「仕入」を仕訳します。また、金額は「仕入原価」を書き込みます。

「仕入」が費用ということは、稼ぐためにお金を使ったと考えるんだ！

コトバ
仕入原価：仕入れたときの商品の値段

借方科目	金額	貸方科目	金額
仕　　入	×××		

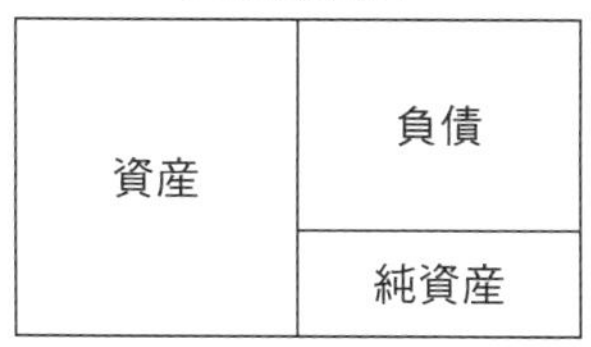

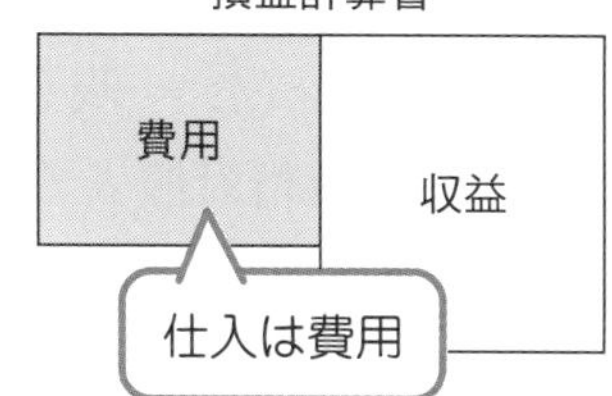

☆ 仕訳をしてみよう！

１個あたりの金額を「@」記号で表すことがあるよ。「@」＝「単価」と読み替えればいいね

問題　八百源は青森商会から商品２個を@100円で仕入れ、代金は現金で支払った。

【解答】

借方科目	金額	貸方科目	金額
仕　　入	200	現　　金	200

【考え方】

① 商品を仕入れた ＝ 仕入（費用）の増加
⇒費用は損益計算書の借方に位置している
⇒増加した場合は借方に記入

② 現金を支払った ＝ 現金（資産）の減少
⇒資産は貸借対照表の借方に位置している
⇒減少した場合は貸方に記入

③ 商品２個を@100円で仕入れた
⇒@100円×商品２個 ＝ 合計200円

3 売上は売価で計上する!!

　商品をお客さんに買ってもらったときには、売上が発生したと考え「**売上**」という収益の勘定を使います。売上げにより収益が増えるので貸方に「売上」を仕訳します。金額は「売価」を書き込みます。

売価：商品の売値

借方科目	金　額	貸方科目	金　額
	×××	売　　上	×××

収益の増加　　売価

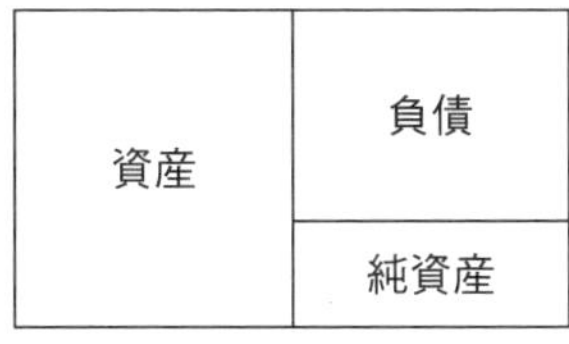

損益計算書

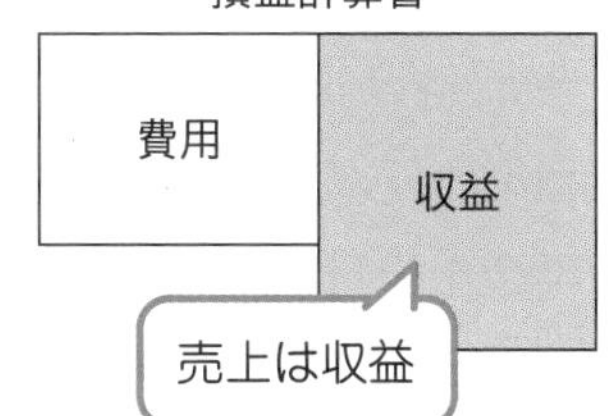

さっくり 1日目
しっかり 2日目

☆　仕訳をしてみよう！

例２－２

問題　八百源は@100円で仕入れた商品２個を@130円で売上げ代金は現金で受け取った。

【解答】

借方科目	金額	貸方科目	金額
現金	260	売上	260

【考え方】

①　商品を売上げた ＝ 売上（収益）の増加
　⇒ 収益は損益計算書の貸方に位置している
　⇒ 増加した場合は貸方に記入

②　現金を受け取った ＝ 現金（資産）の増加
　⇒ 資産は貸借対照表の借方に位置している
　⇒ 増加した場合は借方に記入

③　商品２個を@130円で売り上げた
　⇒ @130円×商品２個 ＝ 合計260円

「繰越商品」勘定

三分法では、商品を仕入れた時に「仕入」を、商品を売上げた時に「売上」を使用して仕訳しますが、商品を販売した時にいくら儲かったか分かりません。商品売買による儲けは、「売上げた商品の売値（売価）」と「売上げた商品の仕入値（売上原価）」の差額により求めますが、決算のまとめ作業の時に「繰越商品」勘定を使用し、一年間の儲けをまとめて計算します。

コトバ

売上原価：売り上げた商品の仕入値

期中にはいくら儲かったかが分からないのか。

「繰越商品」勘定は決算で登場するので、期中では「繰越商品」は使いません。

3 掛け取引

イントロダクション

八百源は、りんごを買ってくるときに、りんご農家にお金をすぐに渡していました。
「少しずつしか買えないんだよな…」
会社を立ち上げたばかりで、手持ち資金の少ない八百源は、いつも少しのりんごしか買えません。りんごが売れたら、お客さんからもらったお金で、また１つ買うのです。
「これだと面倒なんだよな…」
まとめて仕入れて、効率を上げたい八百源は、支払いを来月まで待ってもらえるよう、農家の方にお願いをしてみました。

1 お金の受払いを後回しにする!

商品を仕入れたり、売ったりするときに、手元に現金がない場合や後でまとめて払いたい場合があります。このような場合に、商品の受け渡しを先にすませ、代金のやりとりを後回しにする取引をすることがあります。このような取引を「**掛け取引**」といいます。

2 掛けで商品を買ったときは…

掛け取引で商品を仕入れたときには、その場で料金を支払わず後で支払うと約束します。このような「商品の代金を後で支払わなければならない義務」が発生し、「**買掛金**（かいかけきん）」という負債で表します。買掛金が増加したときは貸方に仕訳します。

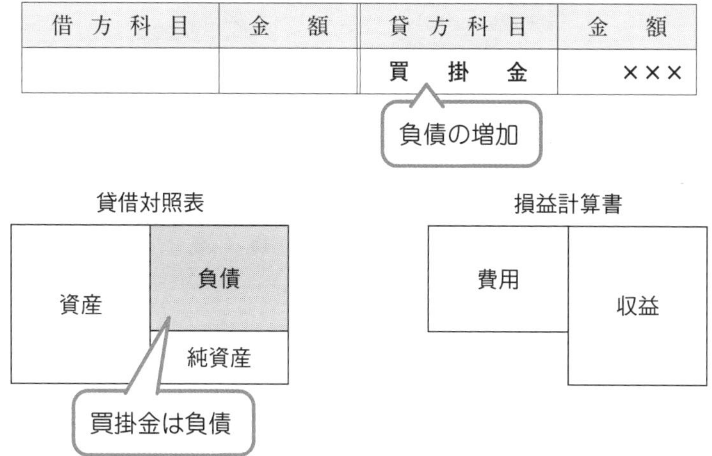

借方科目	金額	貸方科目	金額
		買掛金	×××

☆　仕訳をしてみよう！

例2－3

問題　八百源は青森商会から商品2,000円を仕入れ、代金は掛けとした。

【解答】

借方科目	金額	貸方科目	金額
仕入	2,000	買掛金	2,000

【考え方】

①　商品を仕入れた ＝ 仕入（費用）の増加
　⇒ 費用は損益計算書の借方に位置している
　⇒ 増加した場合は借方に記入

②　掛けで仕入れた ＝ 買掛金（負債）の増加
　⇒ 負債は貸借対照表の貸方に位置している
　⇒ 増加した場合は貸方に記入

3 お金を支払う約束の日がやってきたら…

後で支払うと約束していたお金は、約束の日までに支払わなければなりません。無事にお金を支払うと「商品の代金を後で支払わなければならない義務」はなくなります。買掛金（負債）の減少と考え、借方に仕訳します。

借方科目	金額	貸方科目	金額
買掛金	×××		

負債の減少

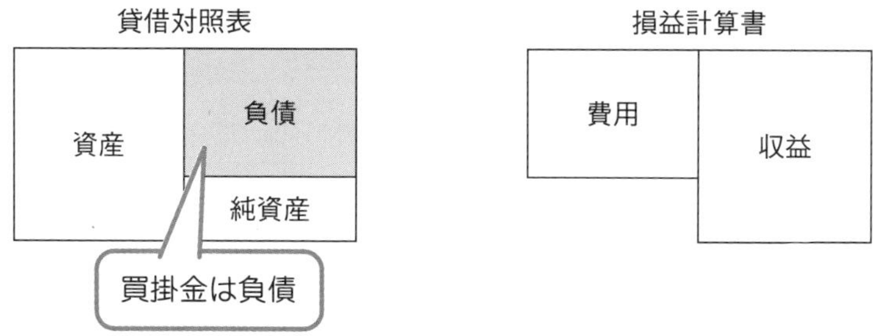

☆　仕訳をしてみよう！

例2－4

問題　八百源は青森商会に対する買掛金2,000円を現金で支払った。

【解答】

借方科目	金額	貸方科目	金額
買掛金	2,000	現金	2,000

【考え方】

①　買掛金を支払った ＝ 買掛金（負債）の減少
　⇒ 負債は貸借対照表の貸方に位置している
　⇒ 減少した場合は借方に記入

②　現金を支払った ＝ 現金（資産）の減少
　⇒ 資産は貸借対照表の借方に位置している
　⇒ 減少した場合は貸方に記入

掛けで商品を売ったときは…

掛け取引で商品を販売する場合、その場で代金をもらわずに、後で受け取ると約束します。このような「商品の代金を後から受け取ることができる権利」は「**売掛金**（うりかけきん）」という資産で表します。

借方科目	金額	貸方科目	金額
売掛金	×××		

資産の増加

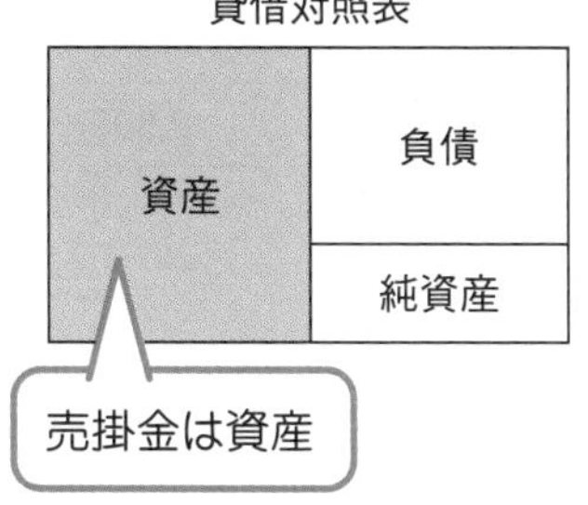

☆　仕訳をしてみよう！

問題　八百源は商品2,500円を売上げ、代金は掛けとした。

【解答】

借方科目	金額	貸方科目	金額
売　掛　金	2,500	売　　　上	2,500

【考え方】

①　商品を売上げた ＝ 売上（収益）の増加
　　⇒ 収益は損益計算書の貸方に位置している
　　⇒ 増加した場合は貸方に記入

②　掛けで売り上げた ＝ 売掛金（資産）の増加
　　⇒ 資産は貸借対照表の借方に位置している
　　⇒ 増加した場合は借方に記入

5 お金を受け取る約束の日がやってきたら…

後で受け取ると約束していたお金は、約束の日までに受け取ることができます。無事にお金を受け取ると「商品の代金を後から受け取ることができる権利」はなくなります。売掛金（資産）の減少と考え、貸方に仕訳します。

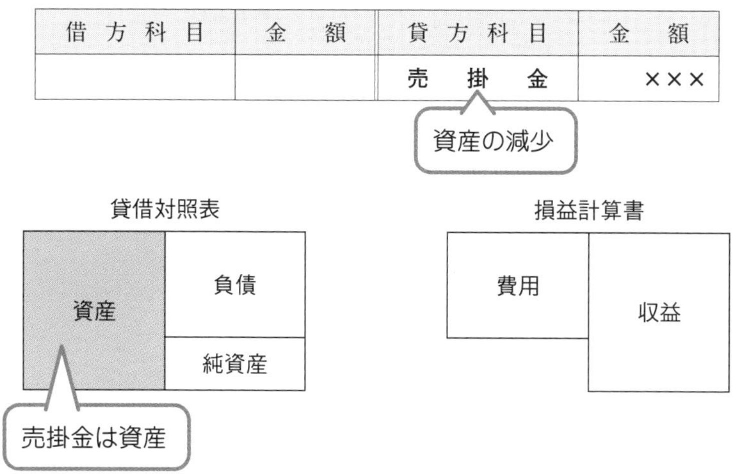

借方科目	金額	貸方科目	金額
		売掛金	×××

仕入先・得意先との取引は…

仕入先・得意先と会社の間では、通常、繰り返し頻繁に取引が行われています。そのため、取引をするたびに代金のやり取りをおこなうのはとても手間がかかります。
そこで、繰り返し取引をする相手に信頼関係がある場合、通常は掛けで取引をします。

ウソつきとは掛け取引ができないね

例2－6

問題　八百源は売掛金2,500円を現金で回収した。

【解答】

借方科目	金額	貸方科目	金額
現　　　金	2,500	売　掛　金	2,500

【考え方】

①　売掛金を回収した ＝ 売掛金（資産）の減少
　　⇒ 資産は貸借対照表の借方に位置している
　　⇒ 減少した場合は貸方に記入

②　現金を受け取った ＝ 現金（資産）の増加
　　⇒ 資産は貸借対照表の借方に位置している
　　⇒ 増加した場合は借方に記入

4 商品の返品

イントロダクション

ある日、納品されたキャベツを検査していた八百源の担当者は、いくつかのキャベツに虫食いがあることに気がつきました。
「これじゃ、お客さんに売れないぞ！」
困った社長の源さんは、キャベツ農家に連絡し、キャベツを返しました。

1 傷ついた商品などを返すのが返品!

仕入れた商品に傷がついている場合や注文していた商品と違った商品が届いた場合などは商品を相手に返すことがあります。このように、商品を返すことを「**返品**(へんぴん)」といい、仕入れた商品の返品を「**仕入返品**(しいれへんぴん)」、売上げた商品の返品を「**売上返品**(うりあげへんぴん)」といいます。

コトバ

返品：商品を返すこと
仕入返品（仕入戻し）：仕入れた商品の返品
売上返品（売上戻り）：売上げた商品の返品

2 買ってきた商品を返す仕入返品!

商品を仕入れた会社が仕入返品を行うと、仕入取引はなかったことになります。つまり、商品を仕入れるためにかかったお金が減り、仕入（費用）の減少と考えます。同時に、将来お金を支払う義務である買掛金（負債）も減少します。

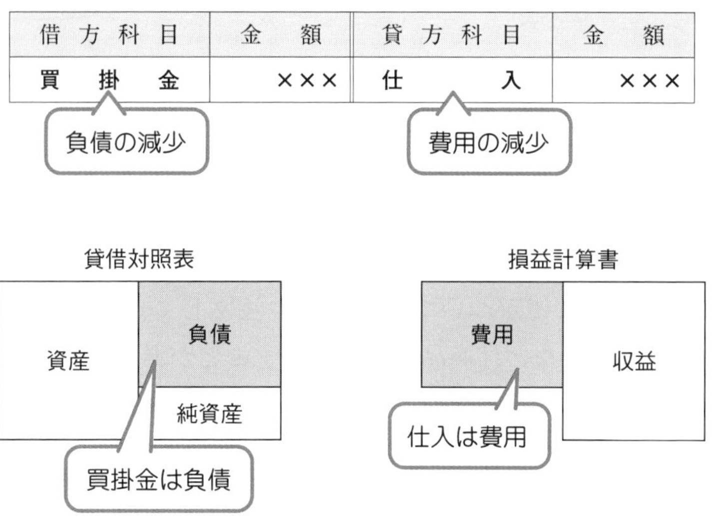

借方科目	金額	貸方科目	金額
買掛金	×××	仕入	×××

☆　仕訳をしてみよう！

例2－7

問題　八百源は群馬商会から掛けで仕入れた商品2,000円分の中にたくさんの傷が付いている商品があったため、200円分の商品を返品した。

【解答】

借方科目	金　額	貸方科目	金　額
買掛金	200	仕入	200

【考え方】

① 仕入返品をした = 買掛金（負債）の減少
　⇒ 負債は貸借対照表の貸方に位置している
　⇒ 減少した場合は借方に記入

② 仕入返品をした = 仕入（費用）の減少
　⇒ 費用は損益計算書の借方に位置している
　⇒ 減少した場合は貸方に記入

3 売った商品が返ってくる売上返品!

商品を売り上げた会社が売上返品を受けると、売上取引はなかったことになります。つまり、商品の売上（収益）が減少したと考えます。同時に、将来お金を受け取る権利である売掛金（資産）も減少します。

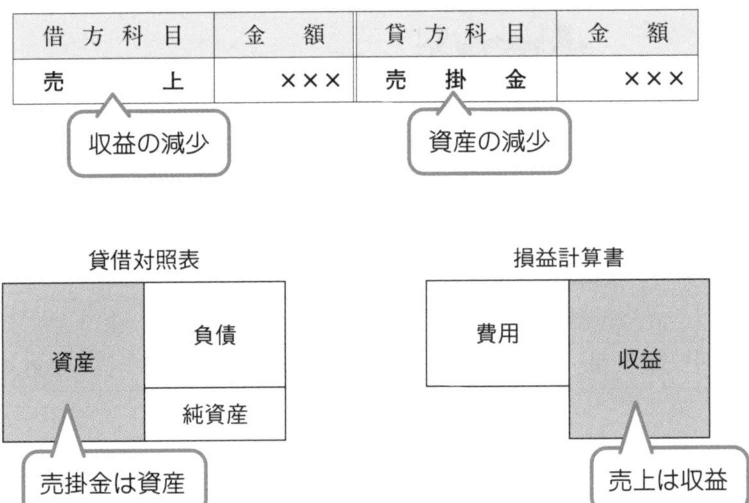

借方科目	金額	貸方科目	金額
売上	×××	売掛金	×××

☆ 仕訳をしてみよう！

例2－8

問題 八百源は掛けで2,500円分の商品を売上げていたが、注文を受けた商品とは違う商品を送ってしまった分があり、400円分の返品を受けた。

【解答】

借方科目	金額	貸方科目	金額
売上	400	売掛金	400

【考え方】

① 売上返品を受けた ＝ 売掛金（資産）の減少
⇒ 資産は貸借対照表の借方に位置している
⇒ 減少した場合は貸方に記入

② 売上返品を受けた ＝ 売上（収益）の減少
⇒ 収益は損益計算書の貸方に位置している
⇒ 減少した場合は借方に記入

反対仕訳（逆仕訳）

仕入返品の仕訳は、商品を仕入れたときの借方と貸方の勘定科目を入れ替えた仕訳（反対仕訳・逆仕訳）をします。
同じように、売上返品の仕訳は商品を売上げたときの借方と貸方の勘定科目を入れ替えた仕訳（反対仕訳・逆仕訳）をします。

【仕入時の仕訳】　←前に行われた商品売買取引の仕訳

借方科目	金額	貸方科目	金額
仕入	×××	買掛金	×××

借方と貸方の勘定科目を入れ替える

【返品時の仕訳】

借方科目	金額	貸方科目	金額
買掛金	×××	仕入	×××

返品には…

ここでは、取引した商品に傷がついていた場合や注文していた商品と違った商品を取引した場合などの返品取引を学習しました。しかし、返品取引には、契約によりお客さんに販売できなかった場合に無条件で返品することができる返品取引もあります。このような返品取引は1級の出題範囲となるため、3級で学習する必要のある返品取引は、このセクションで学習した「商品の品質不良や品違い等による返品取引」になります。

5 仕入や売上にかかる費用

イントロダクション

果物をお客さんに販売しましたが、たくさん買ってくれたので、お客さんは一人で持ち帰れませんでした。そこで、運送屋さんに果物の運送をお願いしました。

「たくさん買ってくれたから運送賃は支払ってあげよう」

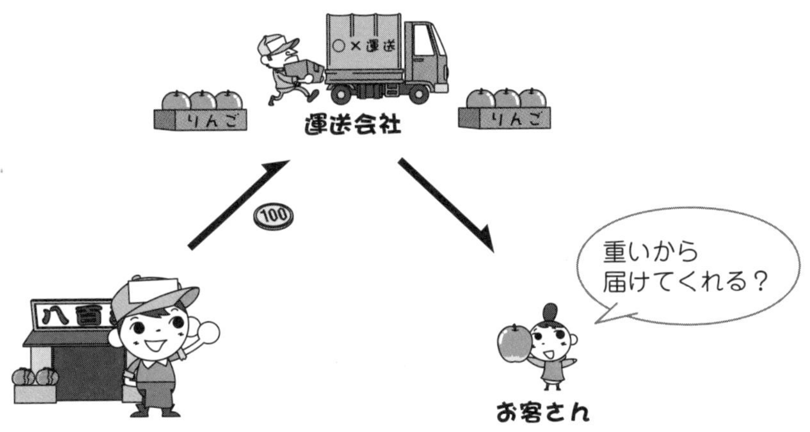

1 仕入にかかった運送料など!

商品を仕入れるとき、運送会社に商品の運送を頼むことがあります。その場合、運送料がかかります。このような、商品を仕入れるときにかかった運送料等の費用を「**仕入諸掛**（しいれしょがかり）」といいます。運送料のほかに、保険料や手数料などが費用としてかかるときも仕入諸掛として処理します。

コトバ

仕入諸掛：商品を仕入れるときにかかった運送料や保険料などの費用

今日は、届け先が多いな

2 当社が負担する仕入諸掛は仕入原価に含める!

仕入諸掛の仕訳は、仕入諸掛を仕入側が負担する（当社負担）か売上側が負担する（先方負担）かにより異なります。

当社負担の場合、仕入諸掛は仕入原価に含めて処理します。つまり、仕入にかかったお金が多くなったと考えます。

ここで、仕入諸掛を除いた商品本体の金額のことを「**購入代価**」といいます。そのため、商品の仕入原価は購入代価に仕入諸掛を加算した金額になります。

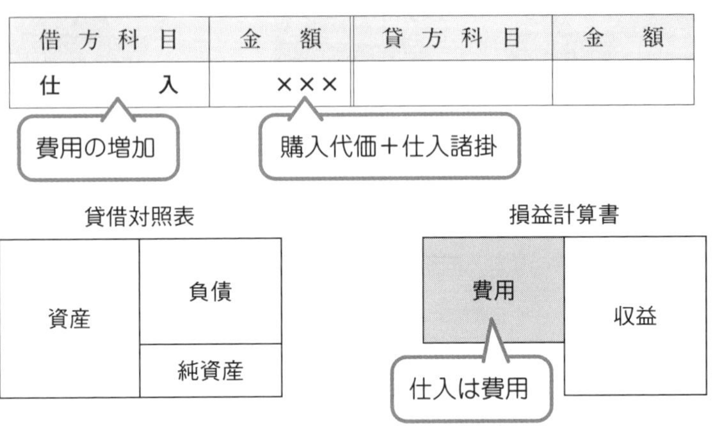

借方科目	金　額	貸方科目	金　額
仕　　入	×××		

コトバ
購入代価：商品本体の金額

☆　仕訳をしてみよう！

例２－９

問題　八百源は青森商会から商品2,000円を仕入れ、代金を掛けとした。なおその際、当社負担の引取運賃100円を現金で支払った。

【解答】

借方科目	金　額	貸方科目	金　額
仕　　入	2,100	買　掛　金	2,000
		現　　金	100

仕入先とは掛け取引をしているけれど、運送屋さんにはすぐにお金を支払っているね

【考え方】

① 商品を仕入れた = 仕入（費用）の増加 ⇒ 費用は損益計算書の借方に位置している ⇒ 増加した場合は借方に記入
なお、金額は、購入代価2,000円に仕入諸掛100円を加算した金額になります。

② 掛けで仕入れた(商品の分) = 買掛金（負債）の増加 ⇒ 負債は貸借対照表の貸方に位置している ⇒ 増加した場合は貸方に記入

③ 現金を支払った(運賃の分) = 現金（資産）の減少 ⇒ 資産は貸借対照表の借方に位置している ⇒ 減少した場合は貸方に記入

3 先方（仕入先）が負担する仕入諸掛を取りあえず立替える

先方負担の仕入諸掛を当社が支払った場合、先方が支払う運送料等を一時的に立替えてあげたと考えます。そのため、「立替えたお金を後で返してもらうことができる権利」が発生し、これを「**立替金**（たてかえきん）」という資産で仕訳します。

借方科目	金額	貸方科目	金額
立替金	×××		

資産の増加

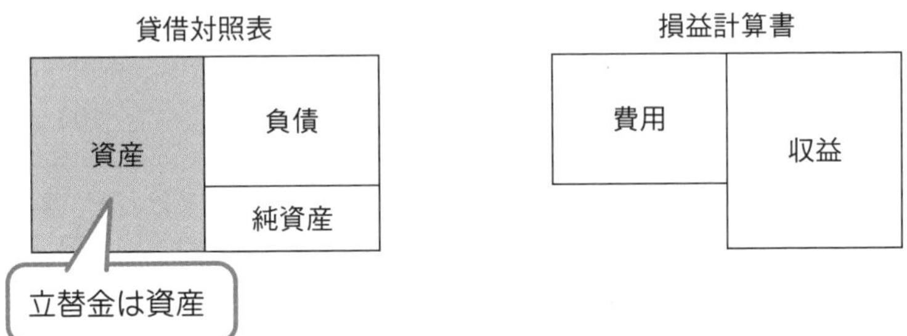

また、立替金勘定で処理するほか、仕入先に対する買掛金から仕入諸掛を差し引いて処理をする方法もあります。つまり、買掛金から当社が立替えた運送料などを差し引いた残額を、仕入先に支払うと考えます。

☆ 仕訳をしてみよう！

例2－10

問題 八百源は青森商会から商品2,000円を仕入れ、代金を掛けとした。なおその際、先方負担の引取運賃100円を現金で支払った。

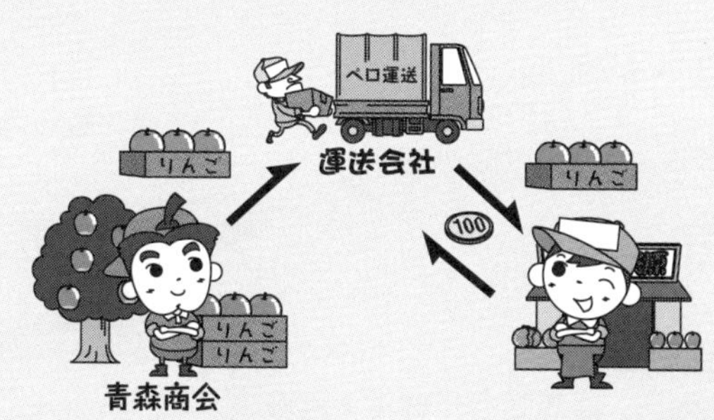

【解答（立替金を用いる場合）】

借方科目	金額	貸方科目	金額
仕入	2,000	買掛金	2,000
立替金	100	現金	100

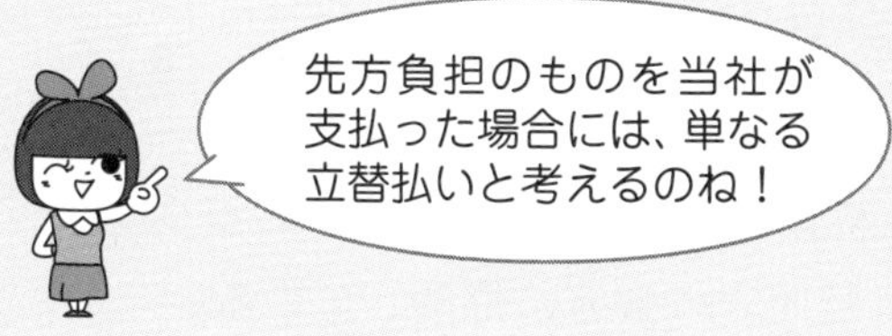

【考え方】

引取運賃を立替えた ＝ 立替金（資産）の増加

⇒ 資産は貸借対照表の借方に位置している

⇒ 増加した場合は借方に記入

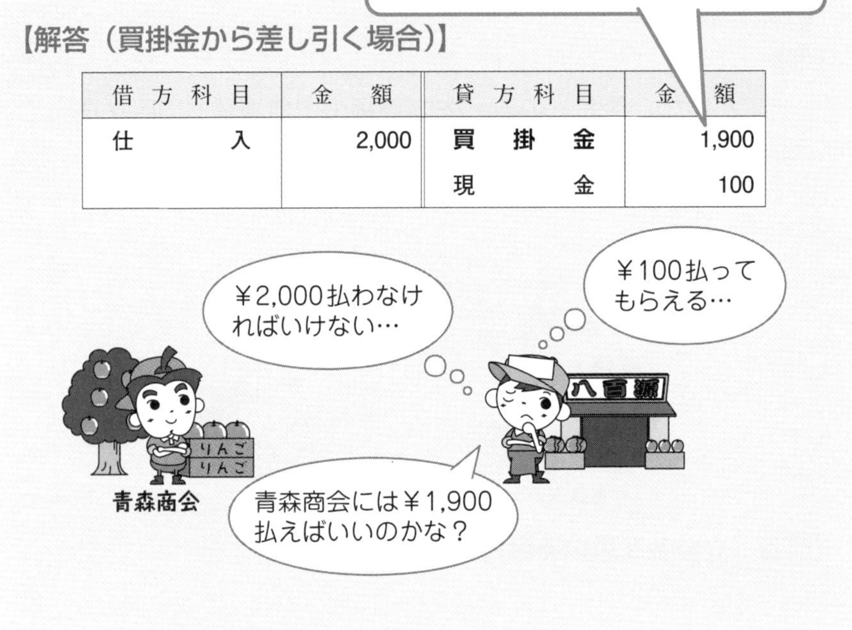

借方科目	金額	貸方科目	金額
仕入	2,000	買掛金	1,900
		現金	100

【考え方】

借方科目	金額	貸方科目	金額
仕入	2,000	買掛金	2,000

引取運賃を立替えた ＝ 買掛金（負債）の減少
⇒ 負債は貸借対照表の貸方に位置している
⇒ 減少した場合は借方に記入

借方科目	金額	貸方科目	金額
買掛金	100	現金	100

上の２つの仕訳を合わせたものが【解答】の仕訳になります。
2,000円のお金を支払わなければいけなかったのですが、100円を立替えたので、買掛金を1,900円しか支払わなくてよいと考えます。

4 商品を届けるのにかかった運送料など!

商品を売ったとき、お客さんの家まで届けるのに運送会社に頼むことがあります。このような、商品を売るときにかかる費用を「**売上諸掛**」といいます。

コトバ

売上諸掛：商品を売るときにかかった運送料や保険料などの費用

5 当社が負担する売上諸掛は…

売上諸掛の仕訳も、当社負担か、先方負担かにより異なります。

当社負担の場合、売上諸掛は「**発送費**」または「**支払運賃**」という費用で表します。

借方科目	金額	貸方科目	金額
発送費 （支払運賃）	×××		

費用の増加

さっくり 1日目
しっかり 2日目
じっくり 2日目

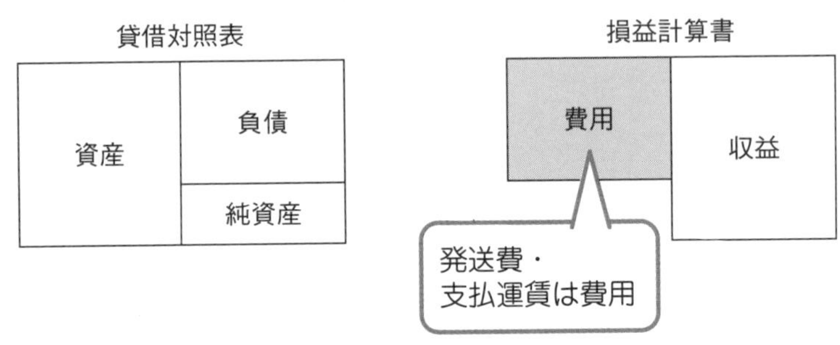
貸借対照表
資産
負債
純資産
損益計算書
費用
収益
発送費・
支払運賃は費用

りんごのジュース
おいし～
りんごたくさん
送ってもらった
からね
誰なんだ
この子？
QUE
りんご
バーテンダー古屋

☆　仕訳をしてみよう！

例2－11

問題　八百源は商品2,500円を売上げ、代金は掛けとした。なおその際、当社負担の発送運賃200円を現金で支払った。

【解答（発送費を用いる場合）】

借方科目	金　額	貸方科目	金　額
売　掛　金	2,500	売　　上	2,500
発　送　費	200	現　　金	200

【考え方】

運送料を負担した ＝ 発送費（費用）の増加

⇒ 費用は損益計算書の借方に位置している

⇒ 増加した場合は借方に記入

【解答（支払運賃を用いる場合）】

借方科目	金　額	貸方科目	金　額
売　掛　金	2,500	売　　上	2,500
支 払 運 賃	200	現　　金	200

「発送費」という費用の勘定科目の代わりに、「支払運賃」という費用の勘定科目を使うこともあります。

6 先方（得意先）が負担する売上諸掛は…

先方負担の運送料等を当社が支払った場合、お客さんが支払う運送料等を立替えて支払っています。このときの処理の方法にはいくつかありますが、3級では、運送料を売上の金額に含めた上で、発送費や支払運賃として費用にもする方法を学習します。運送料を売上という収益と発送費などの費用の両方で表すことで、実質的に、先方が負担していることになります。

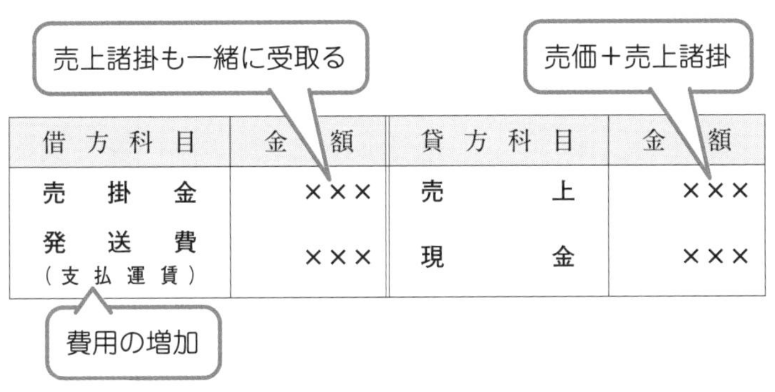

借方科目	金額	貸方科目	金額
売掛金	×××	売上	×××
発送費（支払運賃）	×××	現金	×××

先方負担の売上諸掛

先方負担の売上諸掛を発送費などの費用にしない場合は難しいため、1級で学習します。そのため、売上諸掛については、売上側で費用にする場合だけを学習すればよいです。

☆ 仕訳をしてみよう！

例2－12

問題 八百源は商品2,500円を売上げ、発送運賃を含めた合計額を掛けとした。なおその際、先方負担の発送運賃200円を現金で支払った。

【解答（発送費を用いる場合）】

借方科目	金額	貸方科目	金額
売掛金	2,700	売上	2,700
発送費	200	現金	200

【考え方】

運送料を立替えて支払った

⇒ 運送料を売上（収益）に含める、かつ、発送費（費用）の増加

⇒ 「売上－発送費」を考えると、運送料を負担していない

【解答（支払運賃を用いる場合）】

借方科目	金額	貸方科目	金額
売掛金	2,700	売上	2,700
支払運賃	200	現金	200

第2章
商品売買

さっくり 1日目
しっかり 2日目
じっくり 2日目

諸掛の会計処理

(1) 仕入諸掛

仕入にかかったお金が多くなったと考える

当社負担	仕入原価に含める ↓ 仕入原価＝購入代価＋**仕入諸掛**
先方負担	①買掛金から差し引く（負債の減少）
	②立替金（資産の増加）

(2) 売上諸掛

商品の発送により多くのお金がかかったと考える

当社負担	①発送費（費用の増加）
	②支払運賃（費用の増加）
先方負担	売上に含めた上で、発送費などで費用にもする

売上諸掛は費用にすれば
いいんだってー！

問題文に、当社負担か先方
負担かが示されていないと
きは、当社負担と考えます

確認テスト

問題

次の取引を仕訳しなさい。

① 商品4,000円を掛けにより仕入れた。その際、当社負担の引取運賃200円を現金で支払った。

② 商品3,200円を掛けにより仕入れた。その際、先方負担の引取運賃150円を現金で支払った。なお、立替金勘定を用いること。

③ 商品5,000円を掛けにより売上げた。その際、当社負担の発送運賃280円を現金で支払った。なお、発送費勘定を用いること。

④ 商品6,000円を掛けにより仕入れた。その際、引取運賃300円を現金で支払った。

(単位:円)

	借方科目	金額	貸方科目	金額
①				
②				
③				
④				

さっくり 1日目
しっかり 2日目
じっくり 2日目

解答

（単位：円）

	借方科目	金額	貸方科目	金額
①	仕入	4,200	買掛金	4,000
			現金	200
②	仕入	3,200	買掛金	3,200
	立替金	150	現金	150
③	売掛金	5,000	売上	5,000
	発送費	280	現金	280
④	仕入	6,300	買掛金	6,000
			現金	300

解説

①−1　商品を仕入れた ＝ 仕入（費用）の増加
⇒ 費用は損益計算書の借方に位置している
⇒ 増加した場合は借方に記入
なお、金額は購入代価4,000円に仕入諸掛200円を加算した金額になります。

①−2　掛けで仕入れた ＝ 買掛金（負債）の増加
⇒ 負債は貸借対照表の貸方に位置している
⇒ 増加した場合は貸方に記入

①−3　現金を支払った ＝ 現金（資産）の減少
⇒ 資産は貸借対照表の借方に位置している
⇒ 減少した場合は貸方に記入

② 引取運賃を立替えた = 立替金（資産）の増加
⇒ 資産は貸借対照表の借方に位置している
⇒ 増加した場合は借方に記入

③ 発送運賃を負担した = 発送費（費用）の増加
⇒ 費用は損益計算書の借方に位置している
⇒ 増加した場合は借方に記入

④ 引取運賃を支払った
⇒ 負担者が書いていない引取運賃は当社負担と考える
⇒ 当社負担の引取運賃は仕入原価に含める

第3章 現金・預金

学習進度目安

さっくり 7日間	しっかり 10日間	じっくり 15日間
2日目	2日目	3日目
	3日目	

◉第3章で学習すること

① 現金

② 現金過不足

③ 当座預金

④ 当座借越

⑤ その他の預金

⑥ 小口現金

1 現金

イントロダクション

八百源は野菜を販売したときに、お客さんから紙切れをもらいました。今まで八百源は、お金以外はもらったことがなかったので、横浜商会の主人に聞いてみたところ、「小切手」という価値のある紙切れだということがわかりました。
「お金と同じみたいだな…」

1 簿記の世界の「現金」は?

私たちは、10,000円札や1,000円札などの紙幣、あるいは、500円玉や100円玉などの硬貨のことを「**現金**」と呼んでいます。

簿記の世界でも硬貨や紙幣は「**現金**」と呼びますが、簿記の世界では硬貨や紙幣以外でも「**現金**」と呼ぶものがあります。それらをまとめて「**通貨代用証券**(つうかだいようしょうけん)」といいます。

通貨代用証券には、「**他人振出小切手**」「**郵便為替証書**」「**送金小切手**」などがあります。これらは、すぐにお金に換えてもらうことができる証券なので、簿記の世界では「**現金**」と呼ばれます。通貨代用証券をもらったら、紙幣や硬貨をもらったときと同じように、「現金」が増えたと考えて借方に仕訳します。

2 他の人からもらった小切手は「現金」

他人から受け取った「小切手」を銀行などの金融機関に持っていくと、お金を受け取ることができます。このように、他の人からもらった小切手である「**他人振出小切手**」を受け取ったときは、「現金」（資産）が増加したと考えます。他人振出小切手については後で詳しく学習します。

3 遠くにお金を送るための郵便為替証書も…

郵便為替証書とは、送金者の依頼に基づいて郵便局が交付する証券（お金にまつわる権利を表す紙切れのこと）です。これを郵便局に持っていくと、すぐに紙幣や硬貨に換えてもらえます。そのため、郵便為替証書をもらったときは「現金」（資産）が増加したと考えます。また、このような証券を郵便局ではなく銀行が交付する場合、その証券を送金小切手といい、送金小切手をもらったときは「現金」（資産）が増加したと考えます。

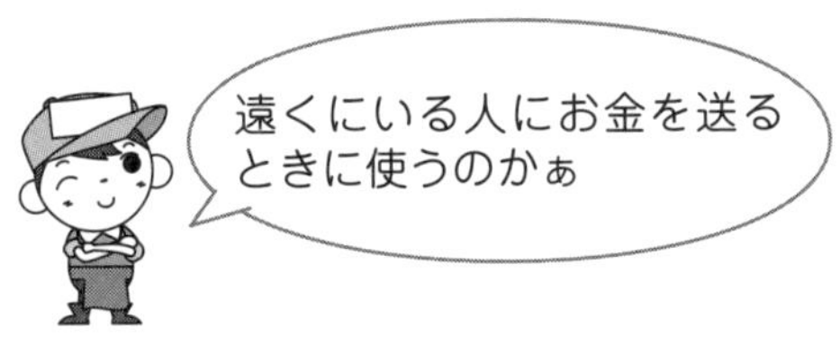

【郵便為替証書（送金小切手）をもらったとき】

借方科目	金額	貸方科目	金額
現金	×××		

資産の増加

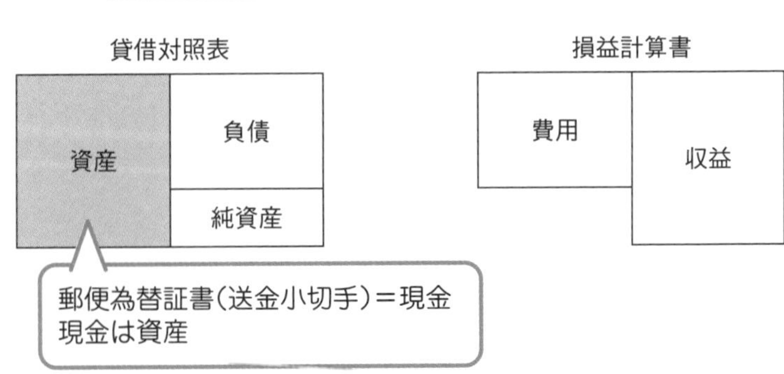

☆　仕訳をしてみよう！

例3－1

問題　八百源は商品2,500円を売上げ、代金は郵便為替証書で受取った。

【解答】

借方科目	金額	貸方科目	金額
現　　金	2,500	売　　上	2,500

【考え方】

郵便為替証書は「現金」

現金を受け取った ＝ 現金（資産）の増加

⇒ 資産は貸借対照表の借方に位置している

⇒ 増加した場合は借方に記入

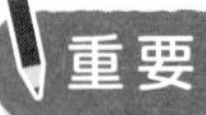

簿記の世界の現金

・通貨（硬貨・紙幣）

・他人振出小切手

・郵便為替証書

・送金小切手

2 現金過不足

イントロダクション

社長の源さんは、順調に帳簿への記録を続けてきましたが、金庫の中をのぞいてみると帳簿に記録してあるお金よりも少ない金額しかありませんでした。
ショックを受けた源さんは、お店を一日お休みにしました。

1 帳簿に書いてある現金の金額が間違っていたら

お金のやり取りをしたときに、帳簿に記入するのを忘れてしまったり、記入を間違えてしまうと、総勘定元帳の現金勘定の残高（帳簿残高）と実際に持っている現金（実際有高）にズレが生じてしまいます。

ズレに気づいたときは、とりあえず、現金勘定の残高を増やすか減らすかして、実際に持っている現金の額と同じになるようにします。

そして、ズレが生じた原因を調べます。原因を調査しているあいだに使うのが「**現金過不足**(げんきんかふそく)」という勘定です。「現金過不足」勘定は、「**仮勘定**(かりかんじょう)」と呼ばれるもので、資産・負債・純資産・収益・費用のどれにも分類されません。

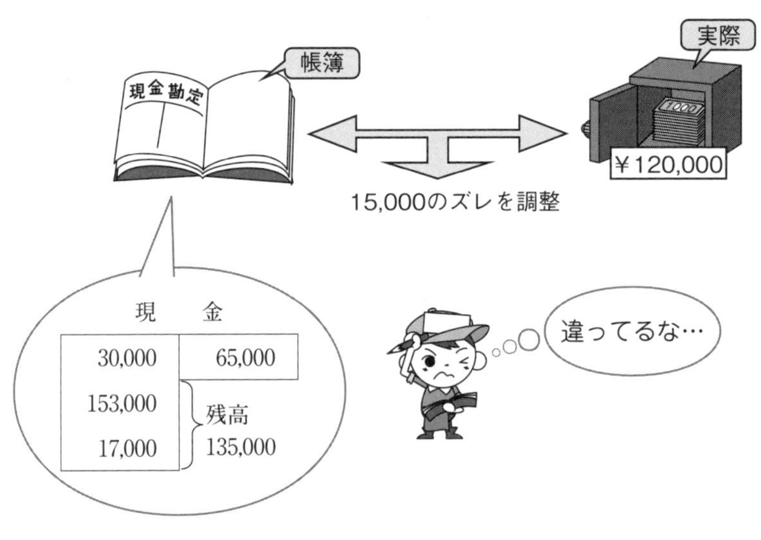

2 記録（帳簿）よりも実際の方が多かったら…

【帳簿よりも実際のほうが多かった場合】

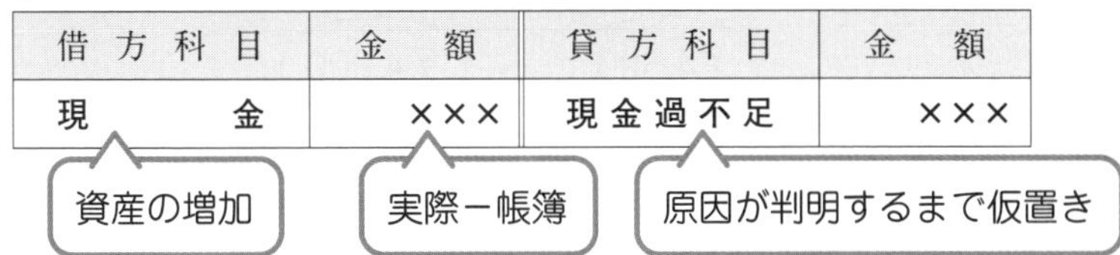

借方科目	金額	貸方科目	金額
現金	×××	現金過不足	×××

貸借対照表

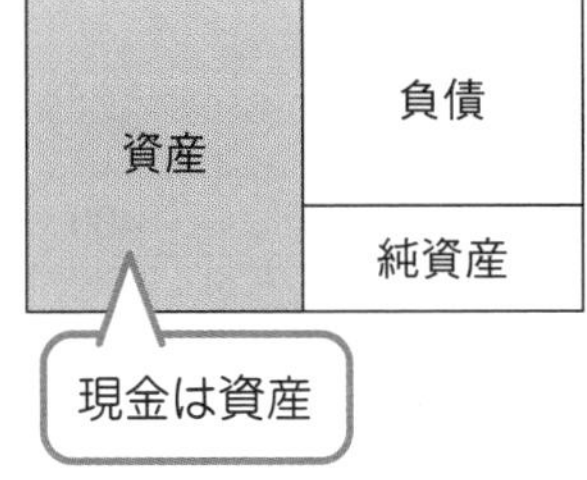

損益計算書

費用	収益

現金過不足とは

「現金過不足」（仮勘定）は、ズレの原因を調べているあいだ、とりあえず使っておくもので、簿記の五要素である資産・負債・純資産・収益・費用のどれにも分類されません。

第3章 現金・預金

さっくり2日目
しっかり2日目

☆ 仕訳をしてみよう！

例3－2

問題　現金勘定の残高が4,500円であるのに対し、実際有高は4,900円であったため、原因を調査することにした。

【解答】

借方科目	金額	貸方科目	金額
現　　金	400	現金過不足	400

【考え方】

① 「現金」を実際の金額に合わせる
⇒帳簿残高よりも実際有高の方が400円多い
⇒現金（資産）の増加として処理

② 現金を調整した反対の勘定は「現金過不足」で仕訳します。

3 帳簿（記録）よりも実際の方が少なかったら…

【帳簿よりも実際の方が少なかった場合】

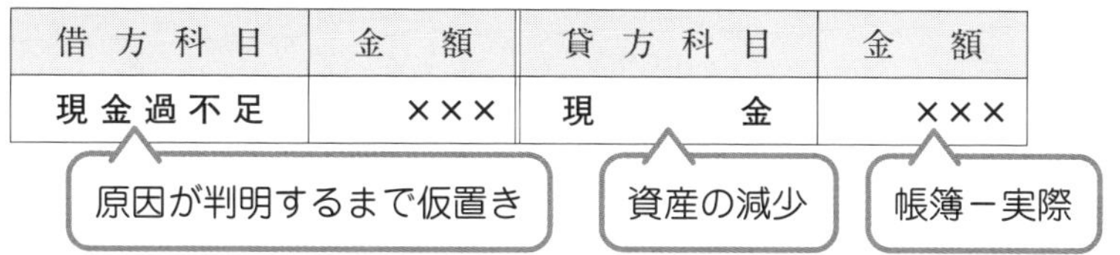

借方科目	金額	貸方科目	金額
現金過不足	×××	現　　金	×××

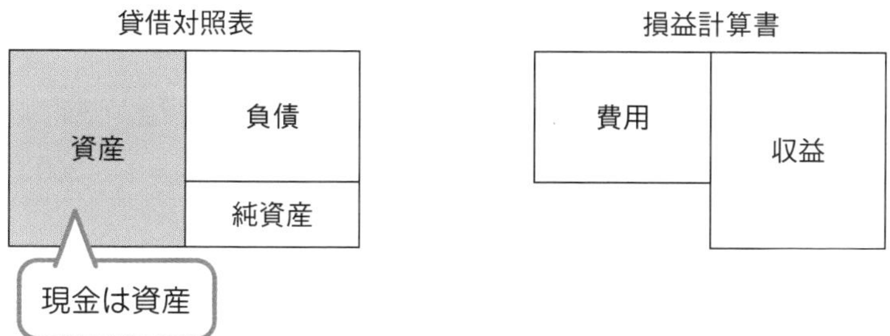

☆　仕訳をしてみよう！

問題　現金勘定の残高が4,500円であるのに対し、実際有高は4,200円であったため、原因を調査することにした。

【解答】

借方科目	金　額	貸方科目	金　額
現金過不足	300	現　　　金	300

【考え方】

① 「現金」を実際の金額に合わせる
⇒帳簿残高よりも実際有高の方が300円少ない
⇒現金（資産）の減少として処理

② 現金を調整した反対側の勘定科目は「現金過不足」で仕訳します。

 4 ズレの原因がわかったら…

「現金過不足」を使って仕訳をした後、調べていたズレの原因が判明したときは、判明した事がらの勘定科目を用いて仕訳します。つまり、すでに計上していた「**現金過不足**」を取り消して、原因が判明した勘定科目で処理します。

【ズレ発見時（帳簿よりも実際の方が少なかった場合）】

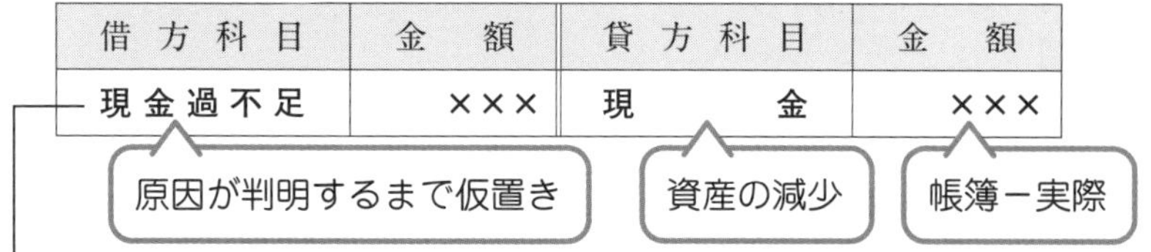

借方科目	金額	貸方科目	金額
現金過不足	×××	現　　金	×××

【原因判明時（帳簿よりも実際の方が少なかった場合）】

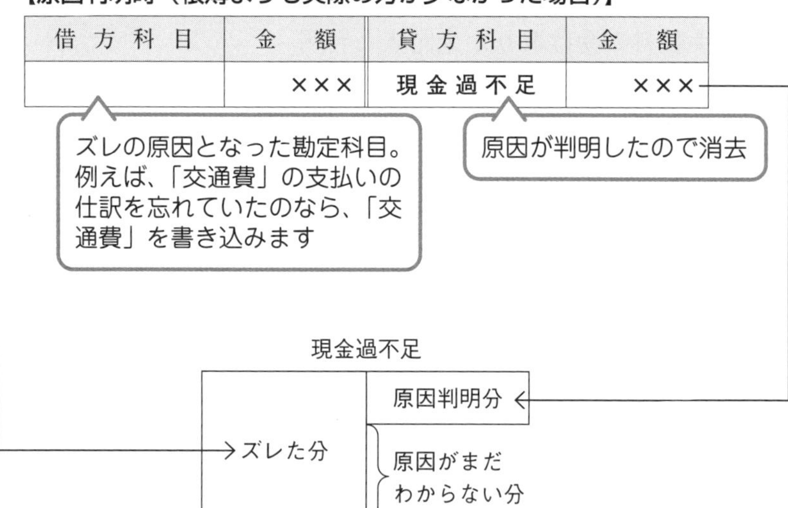

借方科目	金額	貸方科目	金額
	×××	現金過不足	×××

第3章
現金・預金

さっくり 2日目
しっかり 2日目
じっくり 3日目

☆　仕訳をしてみよう！

例３－４

問題　【例３－２】の超過額のうち300円は、手数料を現金で受け取った際に未記帳であったことによるものと判明した。

【解答】

借方科目	金額	貸方科目	金額
現金過不足	300	受取手数料	300

【考え方】

①　手数料の受け取りが未記帳と判明
⇒受取手数料（収益）の増加として処理

②　【例３－２】で計上した「現金過不足」のうち300円分は、原因が判明したので取り消す
⇒貸方に仕訳した400円のうち原因が判明した300円分を借方にもってくる
⇒100円分はまだ原因が判明していない

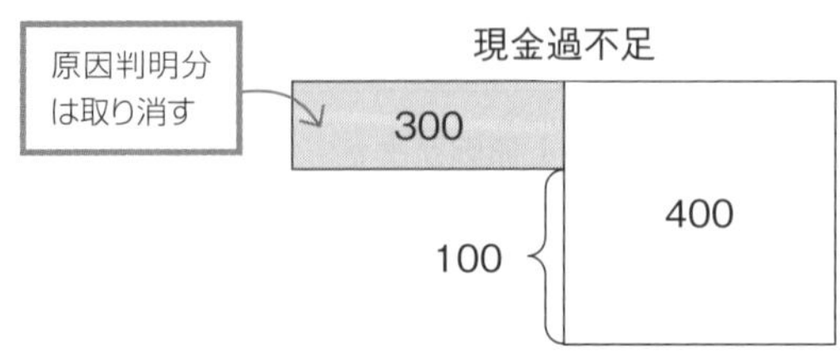

☆　仕訳をしてみよう！

問題　【例３－３】の不足額のうち100円は、交通費を現金で支払った際に未記帳であったことによるものと判明した。

【解答】

借方科目	金額	貸方科目	金額
交通費	100	現金過不足	100

【考え方】

①　交通費の支払いが未記帳と判明
　⇒交通費（費用）の増加として処理

②　【例３－３】で計上した「現金過不足」のうち100円分は、原因が判明したので取り消す
　⇒借方に仕訳した300円のうち原因が判明した100円分を借方にもってくる
　⇒200円分はまだ原因が判明していない

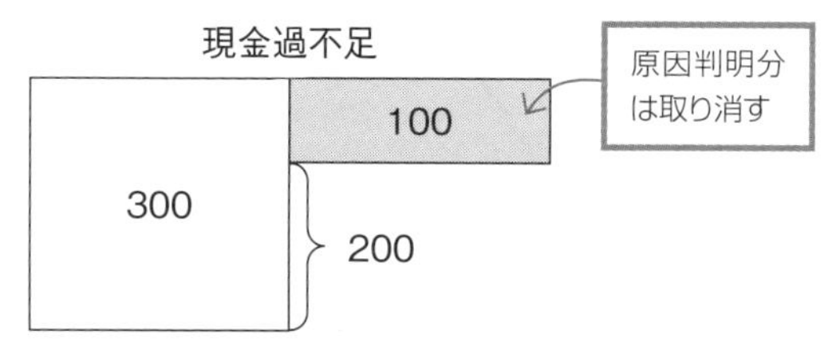

第3章　現金・預金

さっくり 2日目
しっかり 2日目
じっくり 3日目

3 当座預金

イントロダクション

社長の源さんは、以前受け取った「小切手」という価値のある紙切れが気に入ったので、八百源も小切手を作りたいと思いました。「小切手を作るためには「当座預金」という口座をつくらないとダメなのか…」

1 当座預金と小切手!

「**当座預金**（とうざよきん）」とは、銀行に作る預金口座の一種です。定期預金や普通預金などと違って、お金を預けていても利子はつきません。また、当座預金口座に預けてあるお金を引き出すときは「小切手（こぎって）」を作らなければなりません。

当座預金口座に預けてあるお金は、「**当座預金**」という資産で表します。

例えば、商品を仕入れたとき、代金を現金で払うのではなく、「小切手」という金額を書き込んだ小さな紙を作って渡すことがあります。

この場合、八百源の振出した小切手をもらった青森商会が、それを銀行へ持っていくと、小切手に書き込まれた金額が八百源の当座預金口座から引き出され、青森商会に渡されます。

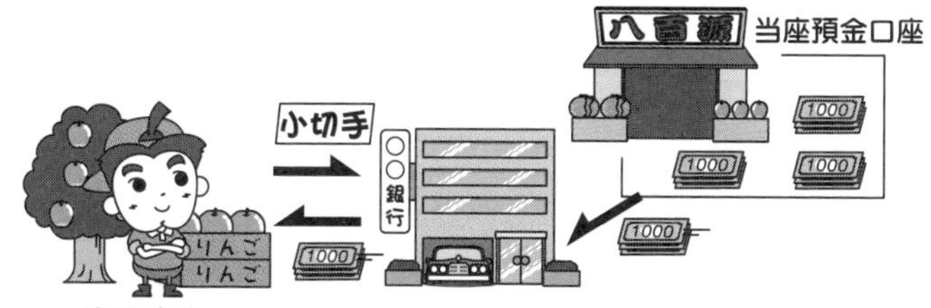

コトバ

小切手：金額の書き込まれた紙切れで、銀行に持っていくとお金に換えてくれるもの
振出し：小切手を作って他の人に渡すこと
振出人：小切手を作った人

【小切手を振出したとき】

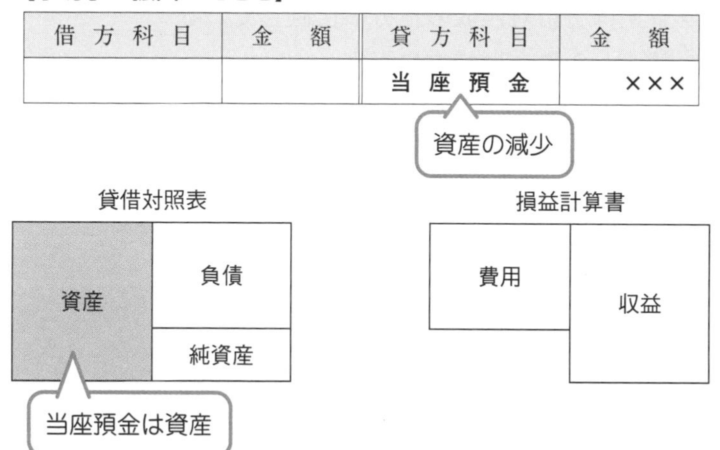

借方科目	金　額	貸方科目	金　額
		当座預金	×××

☆　仕訳をしてみよう！

問題　八百源は当座預金口座を開設し、現金3,000円を預け入れた。

【解答】

借方科目	金額	貸方科目	金額
当座預金	3,000	現　　金	3,000

【考え方】

①　現金を預け入れた ＝ 現金（資産）の減少
　⇒ 資産は貸借対照表の借方に位置している
　⇒ 減少した場合は貸方に記入

②　当座預金口座の開設 ＝ 当座預金（資産）の増加
　⇒ 資産は貸借対照表の借方に位置している
　⇒ 増加した場合は借方に記入

☆　仕訳をしてみよう！

問題　八百源は青森商会から商品2,000円を仕入れ、代金は小切手を振出して支払った。

【解答】

借方科目	金額	貸方科目	金額
仕入	2,000	当座預金	2,000

【考え方】

自分で小切手を振り出した ＝ 当座預金（資産）の減少
⇒ 資産は貸借対照表の借方に位置している
⇒ 減少した場合は貸方に記入

小切手を振出すと…

小切手を振出した場合、近いうちに当座預金口座からお金が引き出されます。そのため、それを見越して小切手を振り出した時点で「当座預金」（資産）の減少として仕訳します。

2 他人が振り出した小切手を受け取った!

商品を売上げたときなど、他の人から小切手を受け取る場合があります。このような他人振出小切手（他の人が振り出した小切手）を銀行へ持っていくとお金に換えてもらえます。そのため、他人振出小切手を受け取ったときには「現金」（資産）が増加したと考えます。すなわち、他人振出小切手は通貨代用証券として処理します。

【他人振出小切手を受け取ったとき】

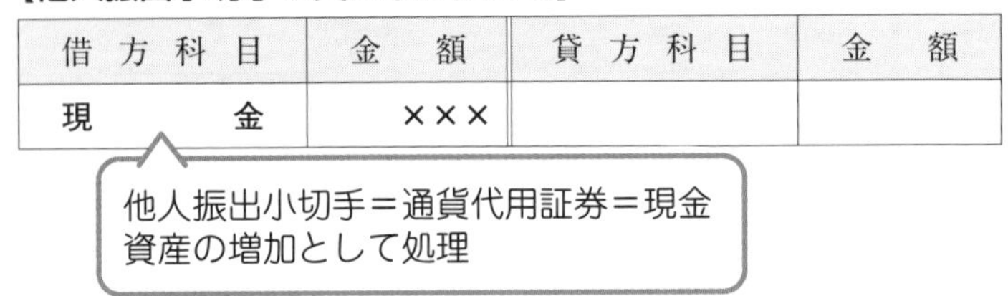

借方科目	金額	貸方科目	金額
現　　金	×××		

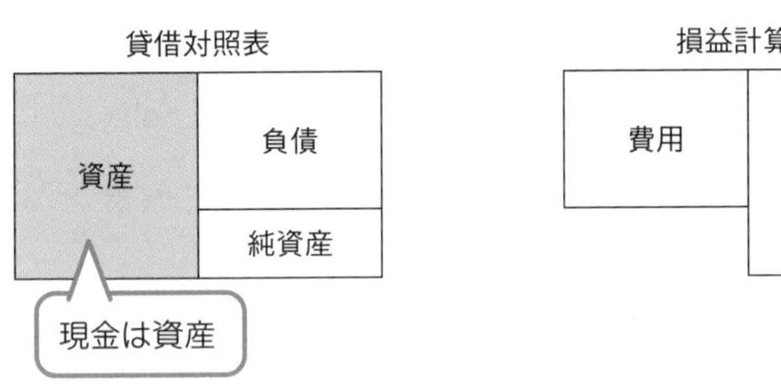

☆　仕訳をしてみよう！

問題　八百源は東京商会に商品2,500円を売上げ、代金は東京商会振出の小切手で受け取った。

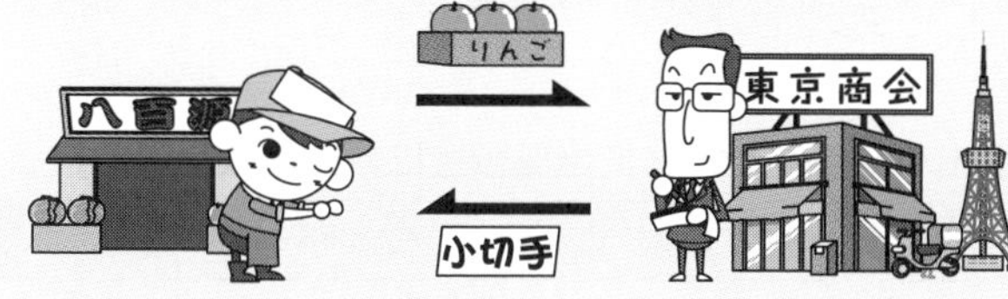

【解答】

借方科目	金額	貸方科目	金額
現　　金	2,500	売　　上	2,500

【考え方】

他人振出小切手 ＝ 通貨代用証券 ＝ 現金（資産）

⇒ 資産は貸借対照表の借方に位置している

⇒ 増加した場合は借方に記入

3 他人が振出した小切手を受け取って、すぐに当座預金に預けた！

他人振出小切手を受け取った後、すぐに当座預金に預け入れる場合があります。この場合には、「現金」(資産) ではなく、「当座預金」(資産) の増加として処理します。

【他人振出小切手をただちに当座預金に預け入れた場合】

借方科目	金額	貸方科目	金額
当座預金	×××		

他人振出小切手＝通貨代用証券＝現金
しかし、ただちに当座預金に預け入れた⇒当座預金

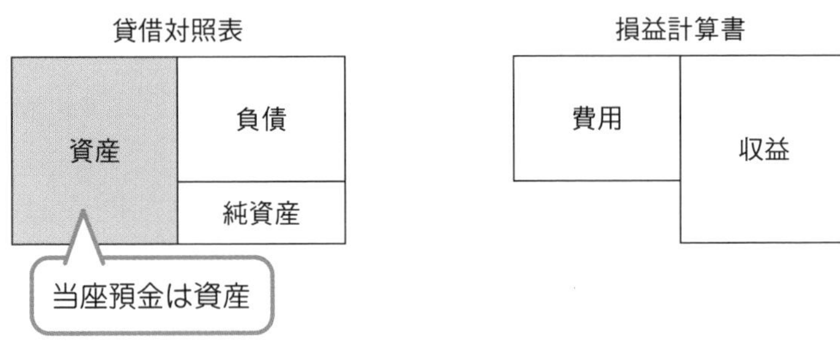

☆　仕訳をしてみよう！

問題　八百源は東京商会に商品2,500円を売上げ、代金は東京商会振出の小切手で受け取り、ただちに当座預金に預け入れた。

【解答】

借方科目	金額	貸方科目	金額
当座預金	2,500	売上	2,500

【考え方】

他人振出小切手 ＝ 通貨代用証券 ＝ 現金（資産）

しかし、ただちに当座に預け入れているので当座預金（資産）の増加として処理する

4 自分が以前振出した小切手が戻ってきたら…

商品を売上げたときなど、他の人から小切手を受け取る場合がありますが、受け取った小切手を確認したら、以前自分が振り出した小切手（**自己振出小切手**）だったという場合があります。この場合、以前小切手を振り出したときに減らした「当座預金」（資産）を元に戻します。つまり、「当座預金」（資産）の増加の仕訳をします。

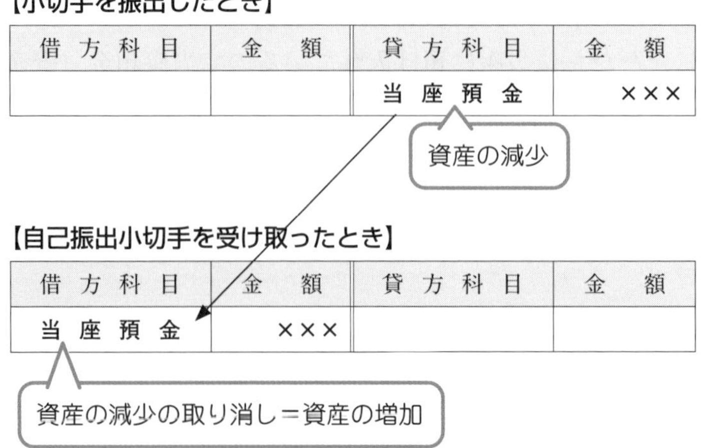

【小切手を振出したとき】

借方科目	金額	貸方科目	金額
		当座預金	×××

【自己振出小切手を受け取ったとき】

借方科目	金額	貸方科目	金額
当座預金	×××		

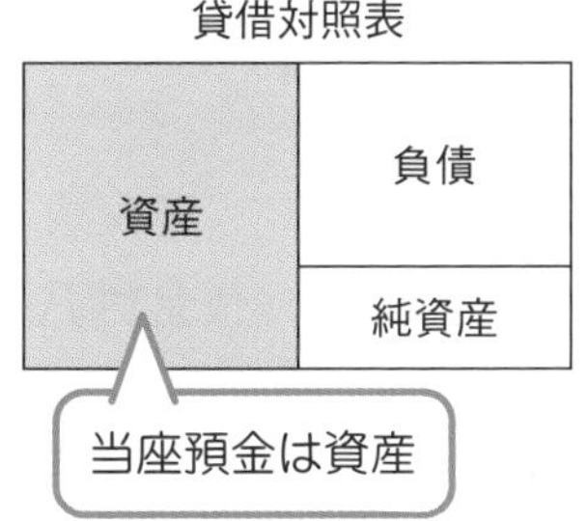

第3章 現金・預金

重要 小切手の会計処理

① **振出人**…当座預金の減少

② **受取人**

通貨代用証券

受け取る小切手の種類等	使用する勘定科目
他人振出小切手	現金の増加
自己振出小切手	当座預金の増加
他人振出小切手を受け取り、ただちに当座預金に預け入れた	当座預金の増加

さっくり 2日目

しっかり 3日目

☆　仕訳をしてみよう！

例3－10

問題　八百源は京都商会に商品2,000円を売上げ、代金は八百源振出の小切手で受け取った。

【解答】

借方科目	金額	貸方科目	金額
当座預金	2,000	売上	2,000

【考え方】

自己振出小切手の受取り ＝ 当座預金（資産の減少の取消し）

⇒ 当座預金（資産）の増加処理

4 当座借越

イントロダクション

当座預金口座を開設し、無事に小切手を作れるようになった八百源ですが、預金口座の残高が少なくて少なくて…
このままだと預金のお金が足りなくなりそうなので、銀行に相談しにいきました。もし、足りなくなったらちょっと銀行が貸してくれるみたいです。

1 預金残高が足りなくなったら…

本来、当座預金口座に預けてある金額よりも大きな金額の小切手を作ることはできません。しかし、預金残高が足りなくなってしまった場合に備えて、あらかじめ銀行と**当座借越契約**(とうざかりこしけいやく)を結んでおくことができます。これは「もし当座預金口座に預けてあるお金が足りなくなってしまったときは、銀行がかわりに立替えておく」という銀行との約束です。

また、当座預金口座に預けてあるお金が足りなくなって銀行に立替えてもらったときは、あとでその分を銀行に返さなければいけません。このように、銀行に立替えてもらった分を「**当座借越**」といい、銀行に対する一時的な借金を意味します。

コトバ

当座借越：銀行に立替えてもらい当座預金がマイナスとなった場合の残高

2 当座借越は当座預金を減らす!

当座借越は銀行からお金を借りることを意味しますが、借入金などの負債を増やすのではなく、「**当座預金**」（資産）のマイナスとして仕訳します。そして、当座預金勘定の貸方残高の金額だけ、銀行に対して借金をしていることになるので、あとで返済する必要があります。

【銀行からお金を立替えてもらったとき】

借方科目	金額	貸方科目	金額
×　×　×	×××	当座預金	×××

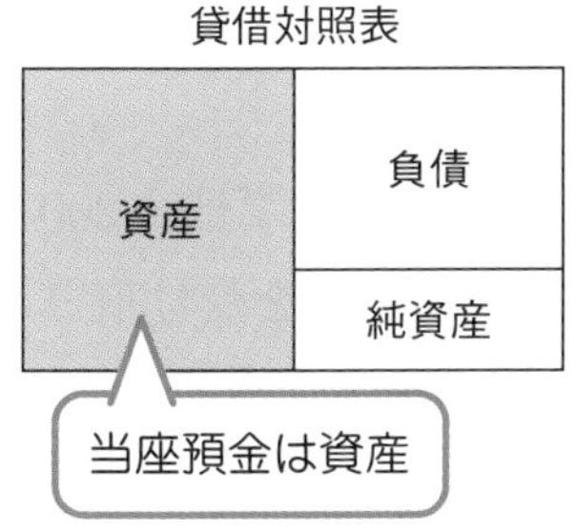

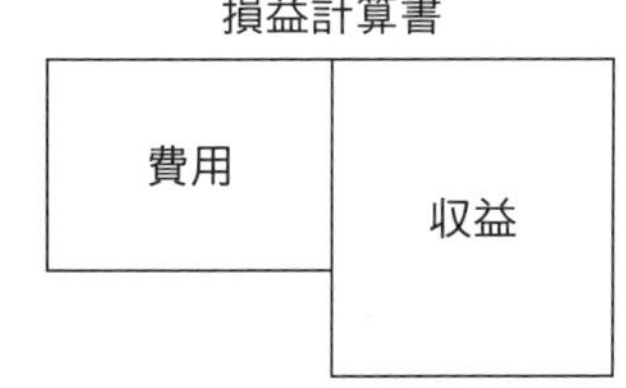

例えば、下の当座預金勘定は

①もともと500円の当座預金があり、②その後700円を銀行に立替えてもらったので、③銀行からの借金が200円あることを意味します。

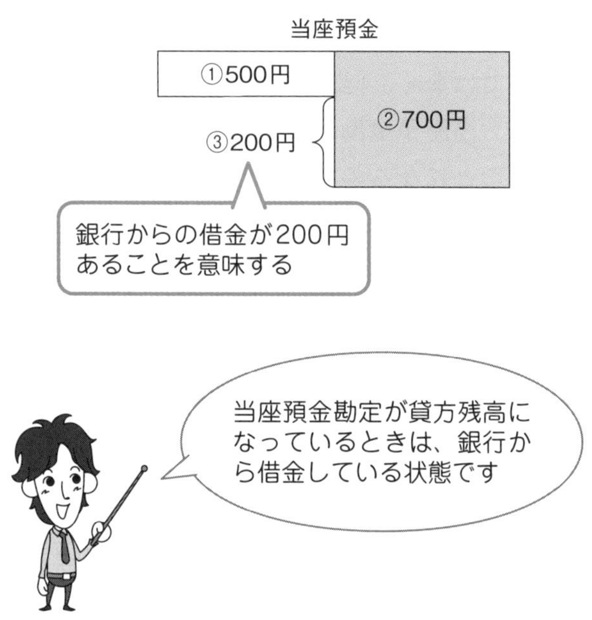

その後、当座預金の増える取引があった場合、まず借金200円を返済すると考えます。例えば、その後300円の小切手を受け取りただちに当座預金に預け入れた場合、①まず200円の借金を返済し、②100円の当座預金が残ります。

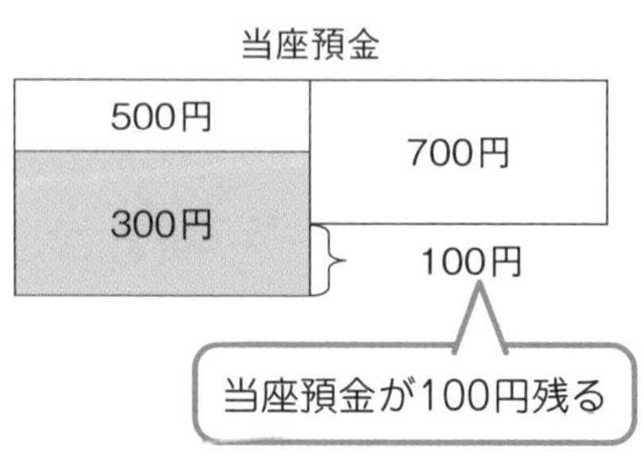

☆　仕訳をしてみよう！

例3－11

問題　八百源は青森商会から商品2,000円を仕入れ、代金は小切手を振出して支払った。八百源の当座預金勘定の残高は1,700円であるが、銀行とは限度額5,000円の当座借越契約を結んでいる。

【解答】

借方科目	金額	貸方科目	金額
仕　　入	2,000	当座預金	2,000

【考え方】

①　当座預金残高1,700円を超える小切手を振出したので、当座預金残高はマイナス300円（当座借越）
　⇒ 当座預金（資産）の減少

②　300円は銀行に立て替えてもらった
　⇒ 銀行に対する300円の借金が残る

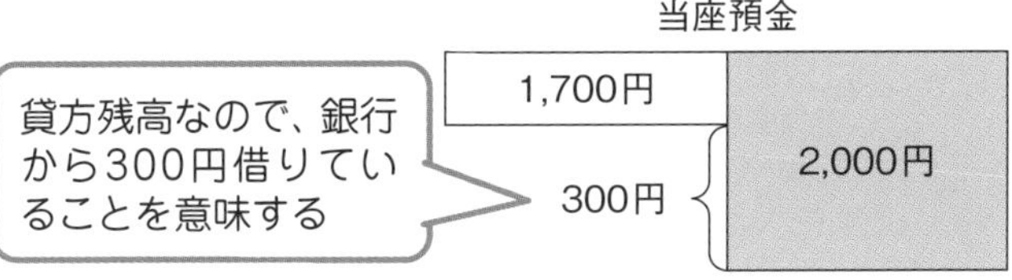

第3章 現金・預金

さっくり 2日目
しっかり 3日目
じっくり 3日目

☆　仕訳をしてみよう！

例3－12

問題　【例3－11】の後、八百源は東京商会に商品2,500円を売上げ、代金は東京商会振出の小切手で受取り、ただちに当座預金に預入れた。

【解答】

借方科目	金　額	貸方科目	金　額
当座預金	2,500	売　上	2,500

【考え方】

① 他人振出小切手を受取り、ただちに当座に預け入れているので、当座預金が増加したと考える
⇒「当座預金」（資産）の増加

② 銀行からの借金300円があったが、2,500円の当座預金を増加させることにより、300円の借金を返済し、2,200円の当座預金が残ると考える

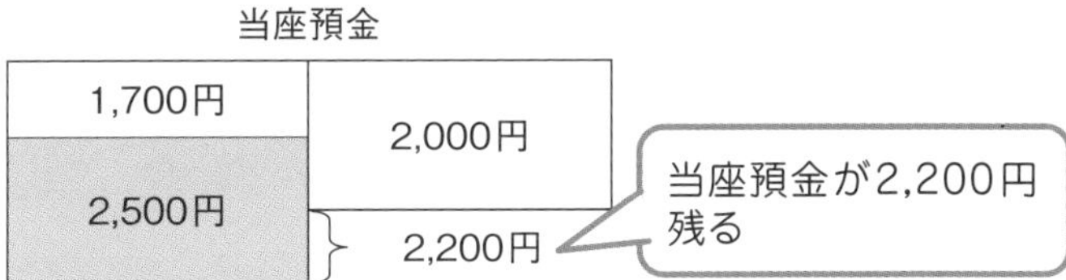

第3章
現金・預金

さっくり
2日目

しっかり
3日目

5 その他の預金

イントロダクション

八百源は取引先が増えてきたので、いろんな銀行の口座をたくさん作りました。
「管理するのが大変になってきたぞ…」
口座を管理するのが大変になった源さんは、何かいい方法があるか調べてみました。

1 普通預金や定期預金!

会社が作る預金口座は、必ず当座預金というわけではなく、私たちが使用している「**普通預金**(ふつうよきん)」や「**定期預金**(ていきよきん)」の口座を作る場合もあります。普通預金を取引で利用したり、定期預金にお金を預けるなどして預金口座に入金があった場合、「普通預金」(資産)や「定期預金」(資産)の増加として仕訳します。また、普通預金や定期預金は当座預金とは異なり利息が発生します。

【普通（定期）預金が増えたとき】

借 方 科 目	金　額	貸 方 科 目	金　額
普通（定期）預金	×××		

資産の増加

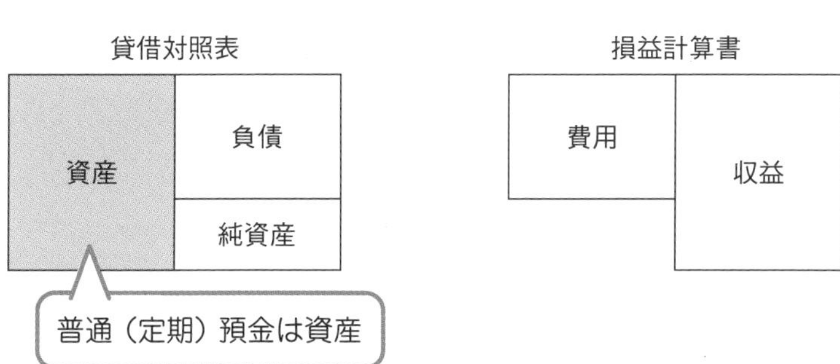

☆　仕訳をしてみよう！

例3－13

問題　八百源は東京商会に商品2,000円を売上げ、代金は普通預金口座に振り込まれた。

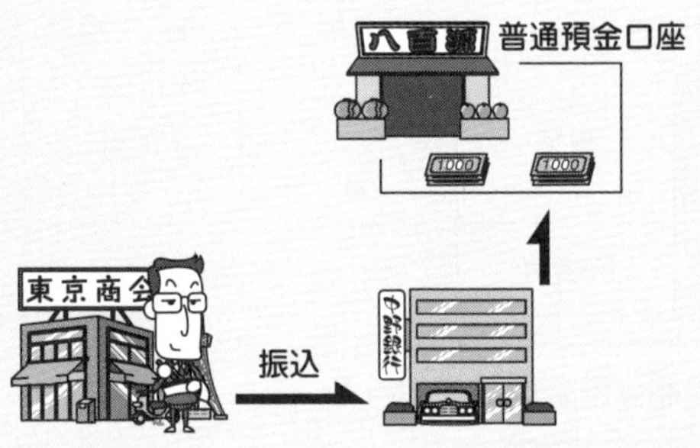

【解答】

借　方　科　目	金　額	貸　方　科　目	金　額
普　通　預　金	2,000	売　　　　上	2,000

【考え方】

代金は普通預金口座に振り込まれた ＝ 普通預金（資産）の増加

⇒ 資産は貸借対照表の借方に位置している

⇒ 増加した場合は借方に記入

2 たくさんの預金口座を管理しよう!

会社が作る預金の口座は1つとは限らず、複数の銀行で預金口座を作ることもできます。例えば、●●銀行で当座預金口座と普通預金口座を作り、▲▲銀行でも当座預金口座と普通預金口座を作るといった具合です。

このような場合、ただ単に「当座預金」勘定や「普通預金」勘定を用いて仕訳をすると、どの銀行に対する口座なのかが判別できず、口座の管理も上手くできなくなります。

そこで、口座を管理するため、銀行口座について口座の種類と銀行名を組み合わせた勘定科目を使用することがあります。●●銀行の当座預金口座であれば「当座預金●●銀行」勘定（資産）、▲▲銀行の当座預金口座であれば「当座預金▲▲銀行」勘定（資産）を使います。

【●●銀行の普通預金口座に振込みがあった場合】

借方科目	金額	貸方科目	金額
普通預金●●銀行	×××		

資産の増加

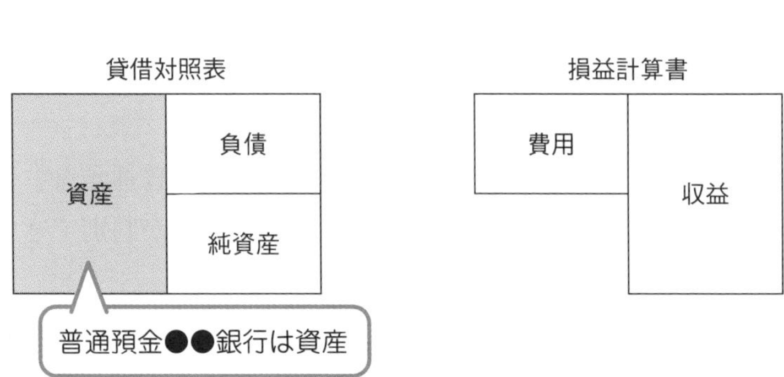

☆ 仕訳をしてみよう！

例3－14

問題　八百源は売掛金6,000円について得意先である東京商会より中野銀行の普通預金口座へ振り込まれた。なお、八百源では銀行口座について口座種別と銀行名を組み合わせた勘定科目を使用している。

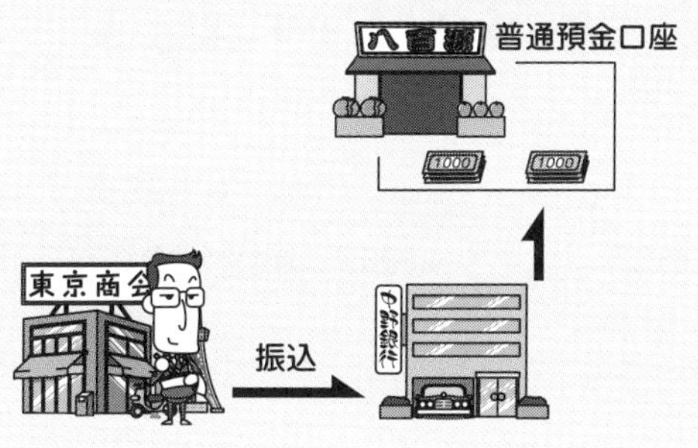

【解答】

借方科目	金　額	貸方科目	金　額
普通預金中野銀行	6,000	売　掛　金	6,000

【考え方】

売掛金について中野銀行の普通預金口座へ振り込まれた。なお、八百源では銀行口座について口座種別と銀行名を組み合わせた勘定科目を使用している

＝ 普通預金中野銀行（資産）の増加

⇒ 資産は貸借対照表の借方に位置している

⇒ 増加した場合は借方に記入

☆　仕訳をしてみよう！

例3－15

問題　八百源は、4,200円について、中野銀行の普通預金口座から水道橋銀行の普通預金口座へ口座振替により移動した。なお、振込手数料として100円が引き落とされた。

【解答】

借方科目	金額	貸方科目	金額
普通預金水道橋銀行	4,200	普通預金中野銀行	4,300
支払手数料	100		

【考え方】

①　中野銀行の普通預金口座から水道橋銀行の普通預金へ振り込みにより移動した ＝ 普通預金水道橋銀行（資産）の増加
⇒ 資産は貸借対照表の借方に位置している
⇒ 増加した場合は借方に記入

②　中野銀行の普通預金口座から水道橋銀行の普通預金へ振り込みにより移動した ＝ 普通預金中野銀行（資産）の減少
⇒ 資産は貸借対照表の借方に位置している
⇒ 減少した場合は貸方に記入

③　振込手数料として100円が引き落とされた
＝ 支払手数料（費用）の増加
⇒ 費用は損益計算書の借方に位置している
⇒ 増加した場合は借方に記入

6 小口現金

イントロダクション

社長の源さんは、会社が繁盛し、忙しくなってきたので新たに従業員を雇いました。
「これで、経営に専念できるぞ！」
新しい従業員さんは、会社に必要な細かな買い物にいってもらう係になったので、毎月従業員さんに少しのお金を預け、細かなやりとりをお願いします。

1 小口現金係に細かい会計を任せる

会社は、電車代、バス代、コピー用紙代やボールペンなどの文房具代など、毎日のように支払う少額のお金の管理を任せることがあります。この担当者を「**小口現金係**（こぐちげんきんがかり）」、この人が管理するお金を「**小口現金**（こぐちげんきん）」といいます。会社の経理部は、小口現金係にあらかじめ一定期間分のある程度まとまった額のお金を渡しておき、日々の細かい支払いは、このお金を使ってやってもらいます。そして、一定期間経過したところで報告してもらいます。この仕組みを「**定額資金前渡制度（インプレスト・システム）**」といいます。

コトバ

小口現金：経理部などが管理を任せた少額のお金
小口現金係（用度係）：少額のお金の管理を任された人
定額資金前渡制度（インプレスト・システム）：小口現金係にあらかじめ一定の額を渡しておき、その中から細かい支払いをやってもらう方法

会社の経理部は、小口現金係に日々の細かい支払いのためのお金の管理を任せます。任された小口現金係が手もとで管理しているお金を「小口現金」（資産）という勘定で表します。

借方科目	金額	貸方科目	金額
小口現金	×××		

資産の増加

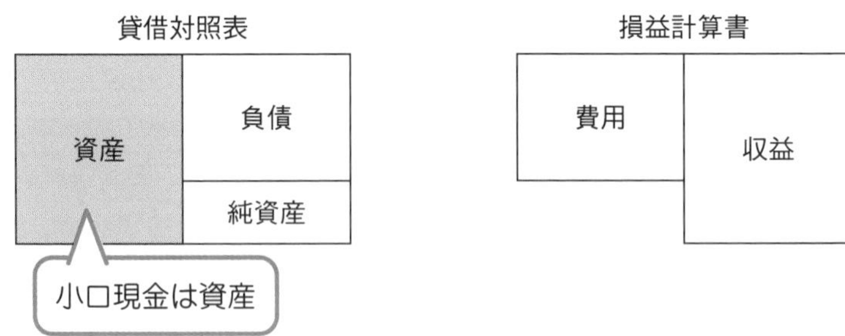

☆ 仕訳をしてみよう！

問題　6月1日、八百源は定額資金前渡制度を採用するため、小切手1,000円を振出して小口現金係に渡した。

【解答】

借方科目	金額	貸方科目	金額
小口現金	1,000	当座預金	1,000

【考え方】

① 小切手を振出して渡した ＝ 当座預金（資産）の減少
⇒資産は貸借対照表の借方に位置している
⇒減少した場合は貸方に記入

② 小口現金係に小切手を振り出して渡した
＝ 小口現金（資産）の増加
⇒資産は貸借対照表の借方に位置している
⇒増加した場合は借方に記入

さっくり 2日目

しっかり 3日目

じっくり 3日目

2 小口現金係が支払ったときは仕訳しない!?

小口現金係は、経理部から渡されたお金で、電車代などの日々の細かい支払いを行います。

電車代、バス代、コピー用紙代やボールペンなどの文房具代など、小口現金係は毎日のように少額の支払いを行うことになりますが、経理部への報告は支払いのたびごとではなく、1ヵ月分（または1週間分）まとめて行います。

経理部は小口現金係からの報告を受けて、1ヵ月分（または1週間分）の支払いについてまとめて仕訳を記帳することになるので、小口現金係が少額の支払いを行っても、その都度、仕訳することはありません。ただし、小口現金係は、経理部に報告するために、小口現金出納帳というノートに支払内容を書き込んでおきます。

小口現金出納帳はあとで詳しく学習するよ！

仕訳をするのは経理部なんだね

小口現金係は仕訳できないのね

小口現金係

☆　仕訳をしてみよう！

問題　6月5日、小口現金係は電車代150円を支払った。

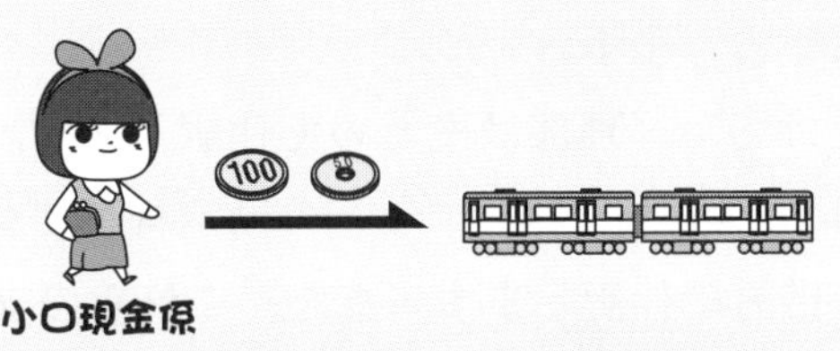

【解答】

借方科目	金額	貸方科目	金額
仕訳なし			

【考え方】

期間中、小口現金係が支払いをしても仕訳はしません。

第3章

現金・預金

3 小口現金係からの報告と補給!

小口現金係は、一定期間経ったところで、何にどのくらいお金を使ったかを経理部に報告します。

この報告を受けて、経理部はまとめて仕訳します。「**交通費**」「**通信費**」「**消耗品費**」「**光熱費**」「**雑費**」などの勘定科目で仕訳し、費用が増加したと考えて借方に仕訳します。また、これらの支払いには小口現金が使われたので、「小口現金」（資産）が減少したと考えて貸方に仕訳します。

借方科目	金額	貸方科目	金額
交通費	×××	小口現金	×××
通信費	×××		
消耗品費	×××		
光熱費	×××		

資産の減少

費用の増加

報告を受けた後、経理部は小口現金係が1ヵ月間で使った合計金額と同じ金額を渡して、再び細かい支払いをやってもらいます。

借方科目	金額	貸方科目	金額
小口現金	×××		

資産の増加

1ヵ月間で使った金額と同じ金額

☆　仕訳をしてみよう！

例3－18

問題　６月30日、小口現金係から６月中の支払いについて、交通費150円、通信費100円、消耗品費200円、光熱費300円との報告を受け、同額の小切手を振出して補給した。

【解答（報告）】

借方科目	金額	貸方科目	金額
交通費	150	小口現金	750
通信費	100		
消耗品費	200		
光熱費	300		

【考え方】

小口現金係から支払いの報告を受けた ＝ 経理部がまとめて仕訳
⇒ 小口現金係の管理しているお金の減少
⇒ 小口現金（資産）の減少

【解答（補給）】

借方科目	金額	貸方科目	金額
小口現金	750	当座預金	750

【考え方】

① 小切手を振出して補給 ＝ 当座預金（資産）の減少
⇒ 資産は貸借対照表の借方に位置している
⇒ 減少した場合は貸方に記入

② 小口現金係に小切手を渡した ＝ 小口現金（資産）の増加
⇒ 資産は貸借対照表の借方に位置している
⇒ 増加した場合は借方に記入

「小口現金」の相殺…

【例3－18】で【報告】と【補給】の仕訳における「**小口現金**」勘定を相殺することができます。

【報告】

借方科目	金額	貸方科目	金額
交通費	150	~~小口現金~~	~~750~~
通信費	100		
消耗品費	200		
光熱費	300		

【補給】

借方科目	金額	貸方科目	金額
~~小口現金~~	~~750~~	当座預金	750

⇩

借方科目	金額	貸方科目	金額
交通費	150	当座預金	750
通信費	100		
消耗品費	200		
光熱費	300		

使った分だけを補給

【例3－18】で、小口現金係は6月1日に社長の源さんから1,000円渡され、そのうち750円を使いましたが、報告をした後に750円を渡されるので、小口現金係が手もとで管理するお金は再び1,000円になります。
このように、定額資金前渡制度では、期間の初めはいつも同額からスタートします。

費用を表す様々な勘定科目

交通費	バス・鉄道などの乗車券・回数券、タクシー代
通信費	切手代、ハガキ代、電話代、インターネット代
消耗品費	コピー用紙、文房具、事務用品、封筒、帳簿、伝票
水道光熱費	電気代、ガス代、水道代
雑費	それ以外（新聞代、お茶菓子代等）

確認テスト

問題

次の取引の仕訳をしなさい。

① 現金の実際有高が帳簿残高に対して1,800円不足していたため、原因を調査することとした。

② ①の後、切手代1,600円を現金で支払った際に未記帳であったことが判明した。

③ 商品3,300円を仕入れ、代金は小切手を振出して支払った。なお、当座預金勘定の残高は3,000円であるが、銀行とは限度額8,000円の当座借越契約を結んでいる。

④ ③の後、商品4,000円を売上げ、代金は当座預金に振り込まれた。

（単位：円）

	借方科目	金額	貸方科目	金額
①				
②				
③				
④				

解答

（単位：円）

	借方科目	金額	貸方科目	金額
①	現金過不足	1,800	現　　　金	1,800
②	通　信　費	1,600	現金過不足	1,600
③	仕　　　入	3,300	当座預金	3,300
④	当座預金	4,000	売　　　上	4,000

解説

①－1　「現金」を実際の金額に合わせる
⇒ 帳簿残高よりも実際有高の方が1,800円少ない
⇒ 現金（資産）の減少として処理

①－2　現金を調整した反対側の勘定科目は「現金過不足」で仕訳

②－1　①－2で計上した「現金過不足」のうち1,600円分は原因が判明したので取り消す
⇒ 借方に仕訳した1,800円のうち原因が判明した1,600円分を貸方にもってくる
⇒ 200円分はまだ原因が判明していない

②－2　判明した原因は切手代
⇒ 切手代は通信費（費用）
⇒ 通信費（費用）の増加として処理

③−1　当座預金残高3,000円を超える小切手を振出したので、銀行に立替えてもらう（当座借越）
⇒当座預金（資産）の減少

③−2　3,000円の当座預金に対して、300円の銀行に立替えてもらった
⇒銀行に対する300円の借金が残る

④−1　当座に振り込まれたため、当座預金が増加したと考える
⇒「当座預金」（資産）の増加

④−2　銀行からの借金300円があったが、4,000円の当座預金を増加させることにより、300円の借金を返済し、3,700円の当座預金が残ると考える

第4章 商品売買と債権・債務

学習進度目安

さっくり 7日間	しっかり 10日間	じっくり 15日間
2日目	3日目	4日目

◉第4章で学習すること

① 手形取引

② 前払金・前受金

③ 受取商品券

④ クレジット売掛金

⑤ 電子記録による債権・債務

1 手形取引

イントロダクション

八百源は再びお客さんから紙切れをもらいました。
また「小切手」だと思っていた社長の源さんですが、よく見るといつもと様子が違います。焦った源さんは、横浜商会の店主にすぐ電話をしました。
「どうやら『手形』という紙切れらしい…」

1 手形をもらう、手形を渡す!

手形は、金額や満期日の日付などが書いてある小さな紙です。手形を持っている人は、その手形に書いてある満期日（支払期日ともいう）がきたら、手形に書いてある金額を受け取ることができます。

他方、手形代金の支払人は、満期日がきたら手形金額を支払わなければいけません。

No. 10　約束手形

青森商会　殿

収入印紙

金額　¥ 2,000 ※

支払期日　×年×月×日
支払地　××県××市
支払場所　〇〇銀行〇〇支店

上記金額をあなたまたはあなたの指図人へこの約束手形を引替えにお支払いいたします。

×年×月×日
振出地住所　××県××市××　×-×
振出人　株式会社　八百源
源　太郎　㊞

2 手形に書いてある額のお金の受渡し

「満期日に手形金額を受け取ることができるという権利」のことを「**手形債権**(てがたさいけん)」といい、「**受取手形**(うけとりてがた)」という資産で表します。

また、「満期日に手形金額を支払わなければならないという義務」のことを「**手形債務**(てがたさいむ)」といい、「**支払手形**(しはらいてがた)」という負債で表します。

手形は…

一般的に、「手形」の支払期日は「掛け」よりも先延ばしにできます。

そのため、手もとにあるお金が少ない場合などは、「手形」で取引することにより、支払いを先延ばしにすることができます。会社は、その間にお金を準備します。

3　約束手形を渡そう!!

約束手形は「約手（やくて）」と略されるよ！

約束手形とは、文字通り、「いくら支払います」と約束して手渡す手形です。「**相手に支払う金額**」「**支払日（満期日）**」「**名宛人（お金を受け取る人）**」を決めて約束手形を作ります。

小切手と同じように手形を作って他の人に渡すことを「振出す」と表現します

例えば、下の約束手形は…

No. 10　約束手形

青森商会　殿

収入印紙

金額　¥　2,000※

支払期日　×年×月×日
支払地　××県××市
支払場所　○○銀行○○支店

上記金額をあなたまたはあなたの指図人へこの約束手形を引替えにお支払いいたします。

×年×月×日
振出地
住　所　××県××市××　×-×
振出人　株式会社　八百源
　　　　源　太郎　㊞

この約束手形は、「八百源が、×年×月×日までに2,000円を○○銀行○○支店の口座から支払う」という約束を示します。つまり、振出人の八百源は、満期日に手形金額を名宛人である青森商会に支払わなければならなくなります。

重要　約束手形のルール

振出人…お金を支払う人

名宛人…お金を受け取る人

約束手形を振出したときは、「満期日に手形金額を支払わなければならない義務」が発生するため、負債の増加として「**支払手形**」勘定で仕訳します。

【約束手形振出時】

借方科目	金額	貸方科目	金額
		支払手形	×××

負債の増加　　手形金額

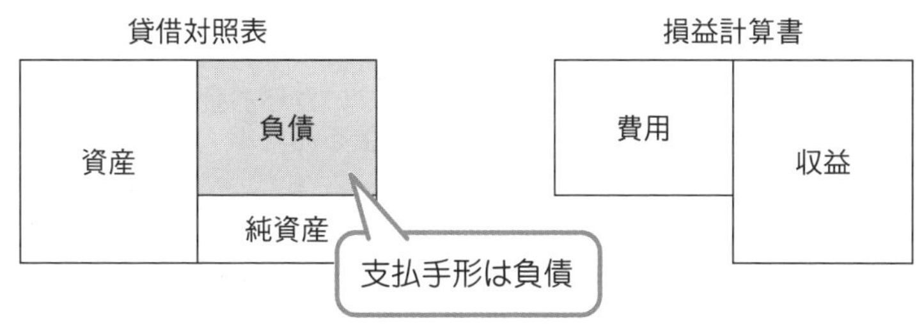

満期日までに支払わないと…

満期日に手形を銀行に持ち込むと、手形金額が、支払人の口座から引き落とされます。しかし、残高不足により支払人が手形金額を支払うことができないことがあり、これを「不渡り」といいます。例えば、半年の間に2回不渡りを出した場合は、銀行との取引が停止になるなどのペナルティを受けます。

☆　仕訳をしてみよう！

例４－１

問題　八百源は青森商会から商品2,000円を仕入れ、青森商会宛の約束手形を振出した。

【解答】

借方科目	金額	貸方科目	金額
仕　入	2,000	支払手形	2,000

【考え方】

青森商会宛の約束手形を振出した

⇒ 満期日になったら手形代金を支払う

⇒ 支払手形（負債）の増加

振出人：八百源（お金を支払う人）

名宛人：青森商会（お金を受け取る人）

第4章　商品売買と債権・債務

さっくり 2日目
しっかり 3日目

じっくり 4日目

4 渡した約束手形の満期がきたら…

振出した約束手形の満期日が到来したら、約束手形の振出人は手形金額の支払いをしなければなりません。支払いが行われると、満期日に手形金額を支払う義務が減少するので「支払手形」(負債) を減少させます。

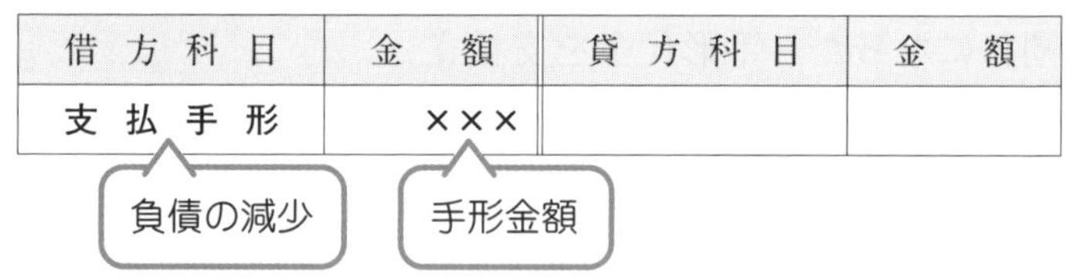

【満期到来時】

借方科目	金額	貸方科目	金額
支払手形	×××		

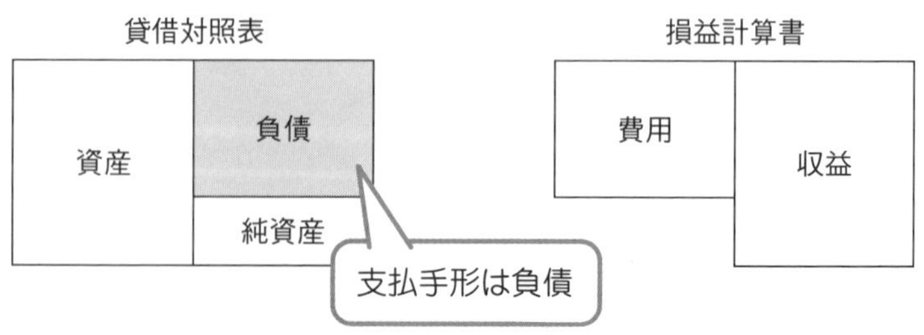

☆　仕訳をしてみよう！

例4－2

問題　【例4－1】の約束手形の満期日となり、八百源の当座預金から2,000円を支払った。

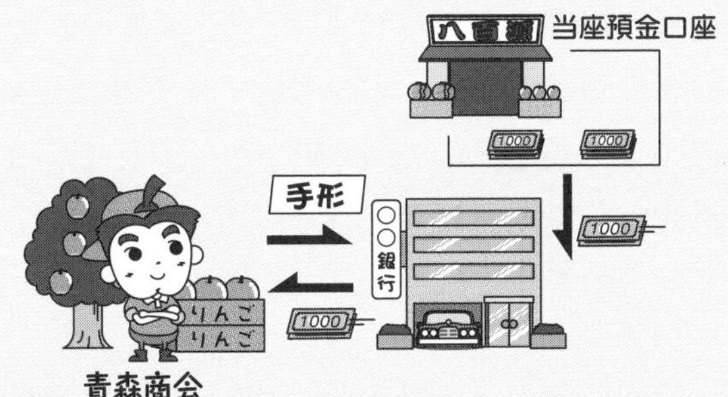

【解答】

借方科目	金額	貸方科目	金額
支払手形	2,000	当座預金	2,000

【考え方】

約束手形の満期が到来 ＝ 手形の決済

⇒ 支払手形（負債）の減少

5 約束手形もらったら…

【例４－１】の場合、青森商会は自分が名宛人となっている約束手形を源さんから渡されています。これにより、青森商会は、満期日に手形金額を振出人（八百源）から受け取ることができます。

この約束手形は、「八百源が、×年×月×日までに2,000円を○○銀行○○支店の口座から支払う」という約束を表しています。つまり、名宛人の青森商会は、満期日に手形金額を振出人である八百源から受け取ることができるのです。

約束手形を受け取ったときは、「満期日に手形金額を受け取ることができる権利」が発生するため、資産の増加として「**受取手形**(うけとりてがた)」勘定で仕訳します。

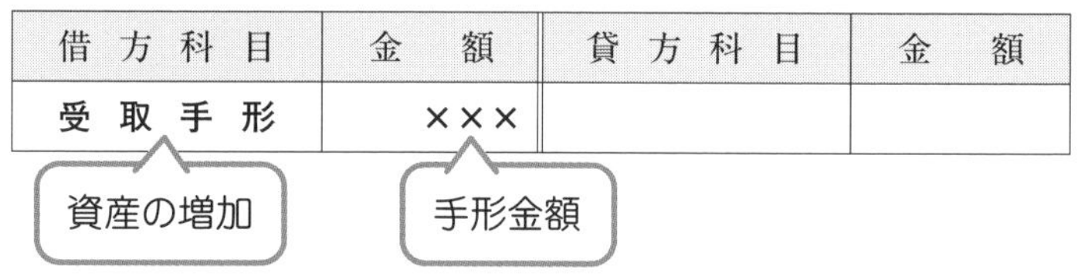

【約束手形受取時】

借方科目	金額	貸方科目	金額
受取手形	×××		

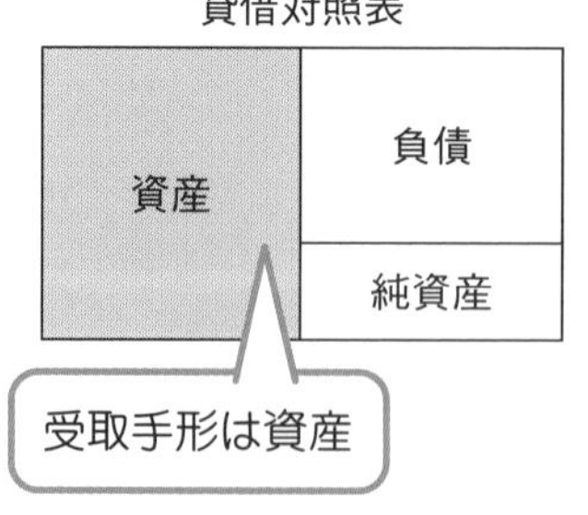

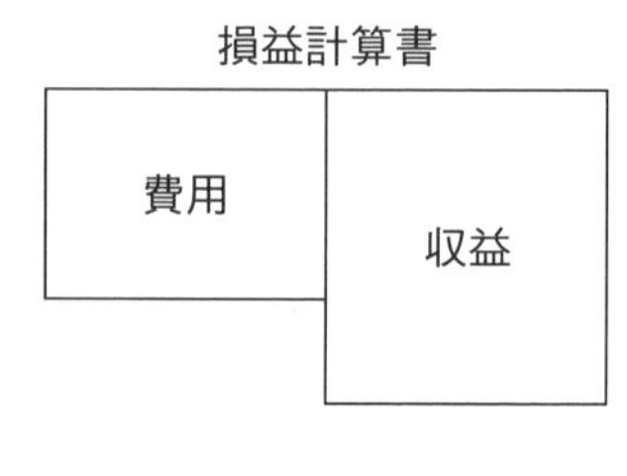

☆　仕訳をしてみよう！

例４－３

問題　青森商会は八百源に商品2,000円を売上げ、八百源振出、青森商会宛の約束手形を受け取った。

【解答】

借方科目	金　額	貸方科目	金　額
受取手形	2,000	売　　上	2,000

【考え方】

八百源から約束手形を受け取った
⇒満期日になったら手形代金を受け取る
⇒受取手形（資産）の増加

名宛人の仕訳だね！

振出人：八百源（お金を支払う人）

名宛人：青森商会（お金を受け取る人）

手形VS小切手

小切手は、銀行に持っていけばすぐにお金に換えることができましたが、手形は満期日があるので、満期日が到来するまでは銀行に持っていってもお金に換えることはできません。

6 もらった約束手形の満期がきたら…

受け取った約束手形の満期日が到来したら、約束手形の名宛人は手形金額を受け取ることができます。手形金額を受け取ると、満期日に手形金額を受け取る権利が減少するので「受取手形」（資産）を減少させます。

【満期到来時】

借方科目	金　額	貸方科目	金　額
		受取手形	×××

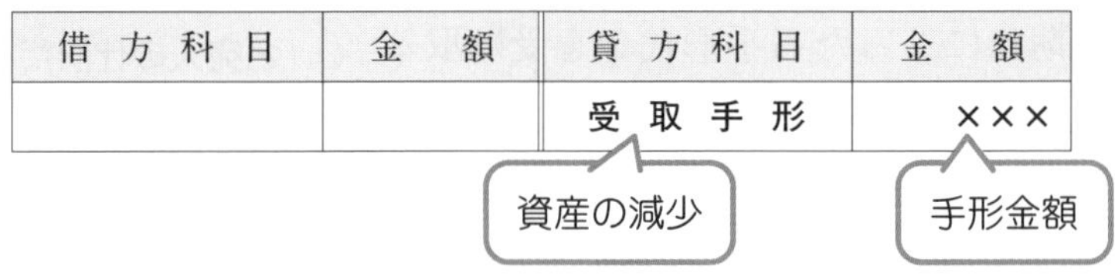

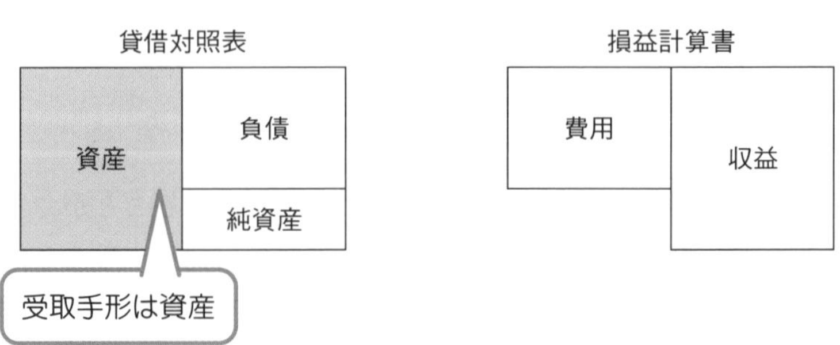

☆　仕訳をしてみよう！

問題　【例４－３】の約束手形の満期日となり、青森商会の当座預金に2,000円が入金された。

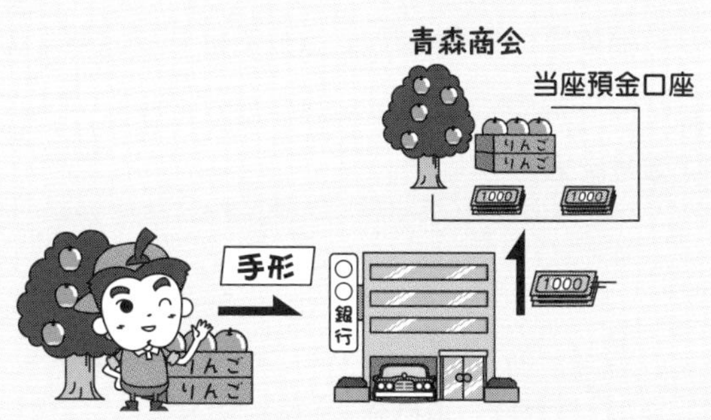

【解答】

借方科目	金額	貸方科目	金額
当座預金	2,000	受取手形	2,000

【考え方】

約束手形の満期が到来 ＝ 手形の決済

⇒受取手形（資産）の減少

コトバ

決済（けっさい）：手形に記載された金額（手形金額）が満期日に支払われること

取立（とりたて）：お金を回収すること

手数料を払えば、取立ててやってもいいぞ。
支払手数料（費用）でやっとけ！

ま〜ちゃん

2 前払金・前受金

イントロダクション

八百源が青森商会からりんごを仕入れようとしたときに、あらかじめ代金の一部を手付金として支払ってほしいと言われました。商品がてもとにないのにお金を支払わなければいけないため、八百源は渋々お金を渡しました。

1 商品の代金を先に渡しておく!

商品を買おうとして注文するとき、実際に商品を受け取る前に少しだけお金を払っておくことがあります。これを「手付金(てつけきん)」または「内金(うちきん)」といいます。このように、商品を仕入れる前に商品の代金の一部を先に支払った場合、「**前払金(まえばらいきん)（前渡金(まえわたしきん)）**」という資産で表します。

「前払金（前渡金）」は先にお金を払った分だけ後で商品を受け取ることができる権利を意味します。

【手付金（内金）支払時】

借方科目	金額	貸方科目	金額
前払金（前渡金）	×××		

資産の増加

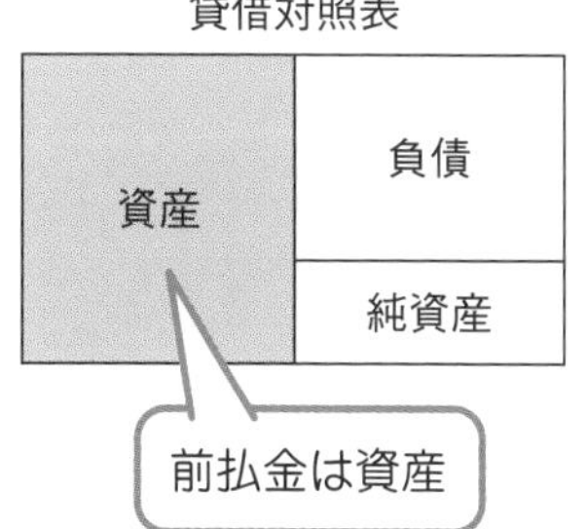

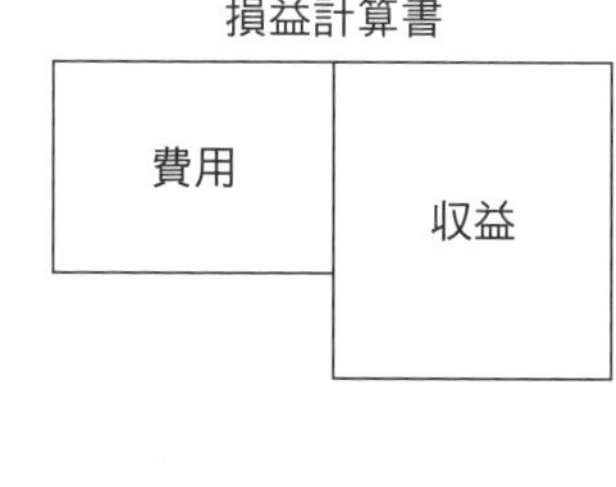

☆　仕訳をしてみよう！

問題　八百源は青森商会に商品2,000円を注文し、手付金100円を現金で支払った。

【解答】

借方科目	金額	貸方科目	金額
前払金	100	現金	100

青森商会から商品を受け取る権利

【考え方】

手付金を支払った

＝ 先にお金を払った分だけ商品を受け取る権利が発生

⇒ 前払金（資産）の増加

2 実際に商品を受け取ったら…

商品の仕入れに先立って手付金を支払った場合、お金を支払った分だけ、商品を受け取ることができる権利が発生します。しかし、実際に商品を受け取ると、商品を受け取る権利はなくなります。このときに、前払金（資産）が減少します。

【商品仕入時】

借　方　科　目	金　　額	貸　方　科　目	金　　額
		前払金（前渡金）	×××

資産の減少

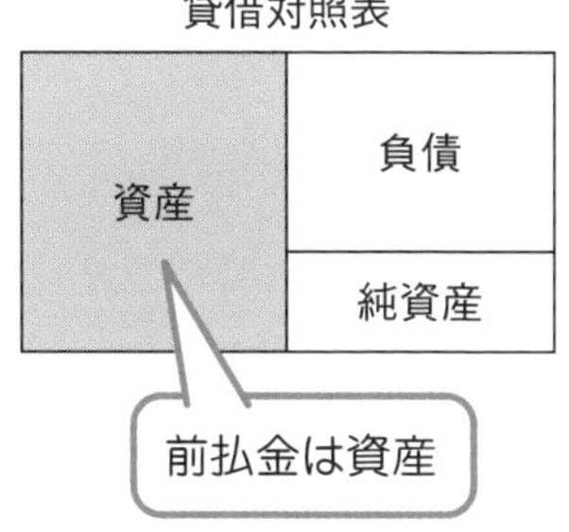

☆　仕訳をしてみよう！

例４－６

問題　八百源は【例４－５】の商品2,000円を仕入れ、手付金を差引いた残額を現金で支払った。

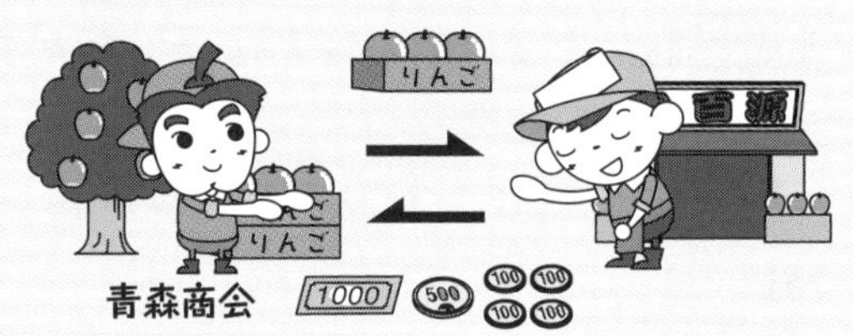

【解答】

借方科目	金額	貸方科目	金額
仕　入	2,000	現　金	1,900
		前払金	100

青森商会から商品を受け取る権利

【考え方】

青森商会から商品を仕入れた

＝ 商品を受け取る権利が減少

⇒ 前払金（資産）の減少

3 商品の代金を先に受け取っておく!

「商品を買いたい」と注文を受けたときに、実際に商品を渡す前に、少しだけお金をもらっておくことがあります。このように、商品を売上げる前に商品の代金の一部を先に受け取った場合、「**前受金**（まえうけきん）」という負債で表します。

「前受金」は、先にお金をもらったことにより、その分の商品を引き渡さなければいけない義務を意味します。

【手付金（内金）受取時】

借方科目	金額	貸方科目	金額
		前受金	×××

負債の増加

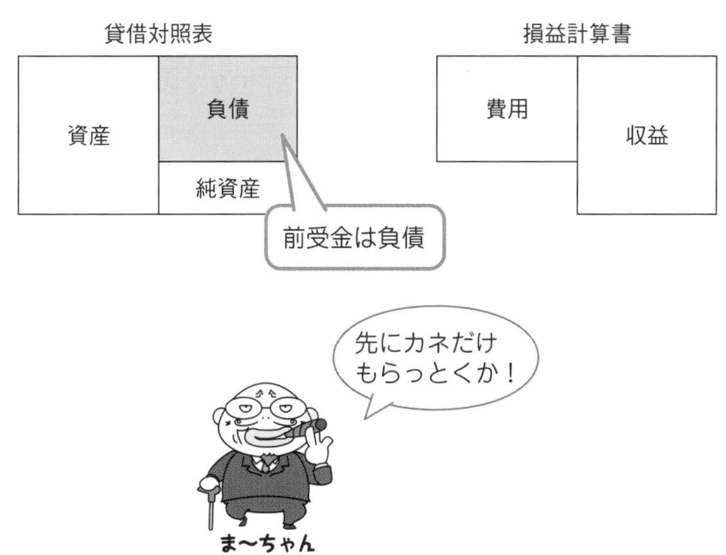

第4章 商品売買と債権・債務

さっくり 2日目
しっかり 3日目
じっくり 4日目

☆　仕訳をしてみよう！

例４－７

問題　八百源は東京商会から商品2,500円の注文を受け、手付金200円を現金で受け取った。

【解答】

借方科目	金額	貸方科目	金額
現　　金	200	前受金	200

東京商会に商品を引き渡す義務

【考え方】

手付金を受け取った

＝ 先にお金を受け取った分だけ商品を引き渡す義務が発生

⇒ 前受金（負債）の増加

4 実際に商品を引き渡したら…

商品の売上に先立って手付金を受け取った場合、お金を受け取った分だけ商品を引き渡さなければいけない義務が発生します。しかし、実際に商品を引き渡すと、商品を引き渡す義務はなくなります。このときに、前受金（負債）が減少します。

【商品売上時】

借方科目	金額	貸方科目	金額
前受金	×××		

負債の減少

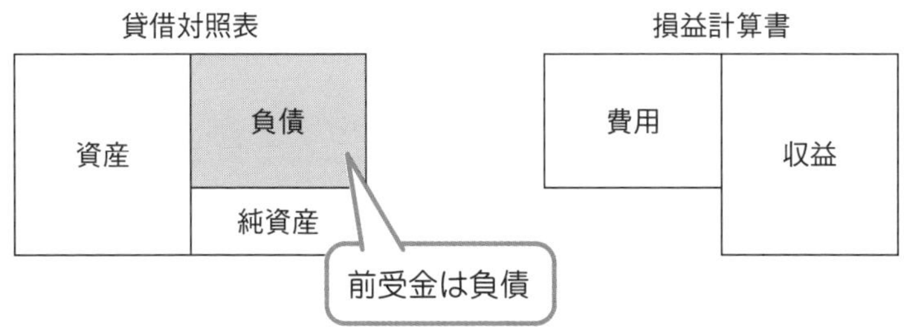

☆　仕訳をしてみよう！

問題　八百源は【例４－７】の商品2,500円を売上げ、手付金を差引いた残額を現金で受け取った。

【解答】

借方科目	金額	貸方科目	金額
現　　金	2,300	売　　上	2,500
前 受 金	200		

東京商会に商品を引き渡す義務

【考え方】

東京商会に商品を売上げた

＝ 商品を引き渡す義務が減少

⇒ 前受金（負債）の減少

3 受取商品券

イントロダクション

お客さんが、地域の自治体が発行した商品券を持ってきて、八百源で買い物をしています。

源さん「商品券を持ってきたお客さんがやってきたら、商品を渡さないといけないのか…」

従業員「何か損した気分ですね」

1 他のお店が発行した商品券で買い物をしてもらう…

デパートの共通商品券を思い浮かべてください。お客さんが他の会社の作った商品券を持ってきて当社で買い物をした場合、商品券と引き換えに商品を売ることができます。その後、お客さんから受け取った商品券を、それを作った会社に渡して、代わりにお金を受け取ります。

よって、他の会社が作った商品券を受け取った時点で、「他の会社が作った商品券と引き換えに、後でお金を受け取る権利」を持つことになり、これを「**受取商品券**(うけとりしょうひんけん)」という資産で表します。

【他の会社が発行した商品券を受け取ったとき】

借方科目	金額	貸方科目	金額
受取商品券	×××		

資産の増加

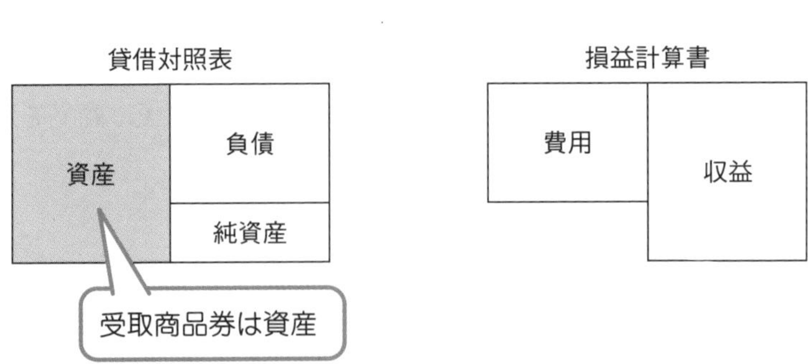

☆　仕訳をしてみよう！

問題　八百源は商品2,500円を売上げ、代金として神戸商会発行の商品券2,500円を受け取った。

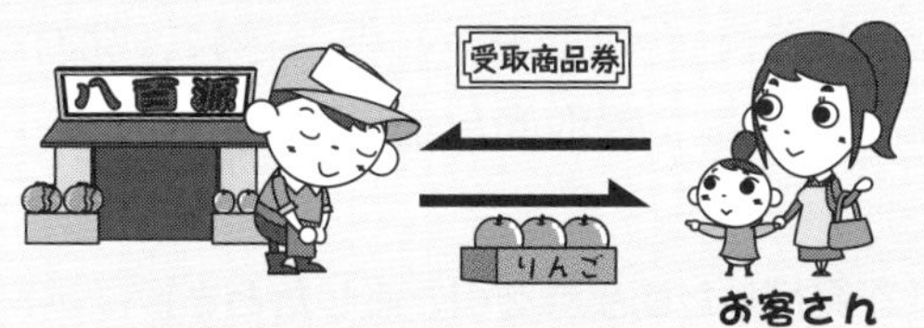

【解答】

借方科目	金額	貸方科目	金額
受取商品券	2,500	売上	2,500

神戸商会からお金をもらえる権利

【考え方】

神戸商会発行の商品券を受け取った

＝ 神戸商会からお金をもらうことのできる権利が発生

⇒ 受取商品券（資産）の増加

第4章

商品売買と債権・債務

さっくり 2日目

しっかり 3日目

じっくり 4日目

2 他の会社が発行した商品券と引き換えにお金をもらう!!

会社が商品を売ったときに、他の会社が発行した商品券をお客さんから受け取ることがあります。後でその商品券を発行した会社に持っていくと、お金に換えてくれます。このときに、発行した会社からお金を受け取る権利である「**受取商品券**」（資産）は減少します。

【他の会社が発行した商品券を引き渡したとき】

借方科目	金額	貸方科目	金額
現金	×××	受取商品券	×××

資産の減少

貸借対照表

資産	負債
	純資産

受取商品券は資産

損益計算書

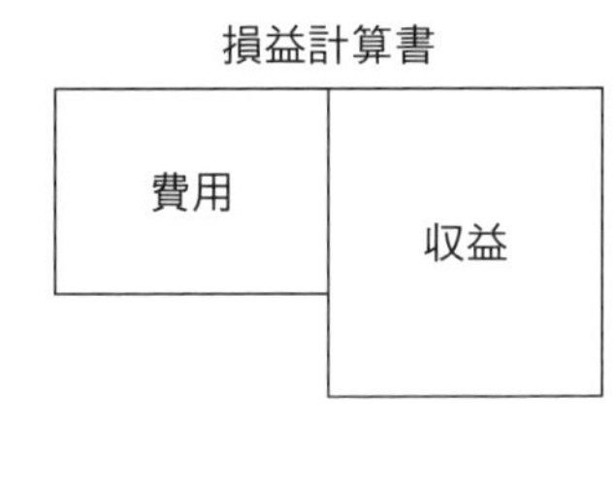

☆　仕訳をしてみよう！

問題　八百源は【例4－9】の商品券2,500円と引き換えに、神戸商会から現金を受け取った。

【解答】

借方科目	金額	貸方科目	金額
現　　金	2,500	受取商品券	2,500

神戸商会からお金をもらえる権利が減少

【考え方】

神戸商会発行の商品券と引き換えに現金を受け取った

＝ 神戸商会からお金をもらう権利が減少

⇒ 受取商品券（資産）の減少

さっくり 2日目
しっかり 3日目
じっくり 4日目

4 クレジット売掛金

イントロダクション

源さんは、いろいろなお客さんに商品を買ってもらいたいと考えたため、八百源でもクレジットカードを使って買い物ができるようにしました。
「確かにお客さんは増えたけど、手数料を払わないといけないのか…」

1 お客さんがクレジットカードで買い物をすると…

お客さんがクレジットカードで買い物をした場合、商品を販売する会社は通常の売掛金と区別するために、「**クレジット売掛金**（うりかけきん）」（資産）という勘定科目を使います。

また、この場合、商品を販売する会社は信販会社に手数料を支払わなければいけないので、その手数料を「**支払手数料**（しはらいてすうりょう）」（費用）として仕訳します。そのため、後日受け取るお金（クレジット売掛金）は信販会社への手数料を差し引いた金額となります。

お客さんがクレジットカードを使って買い物をすると、代金はすぐにもらえないから、売掛金と似ているね

【商品販売時】

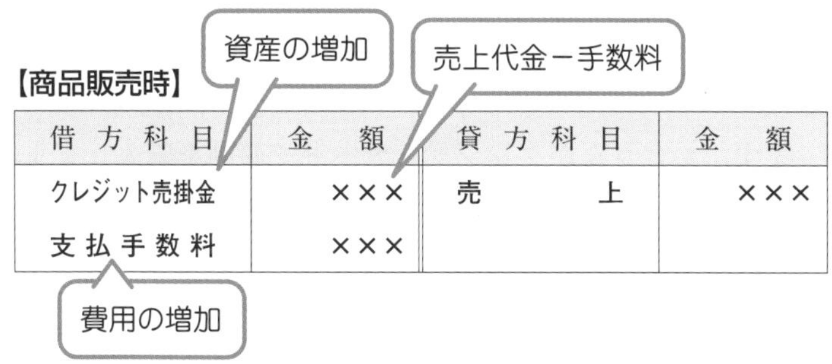

借方科目	金額	貸方科目	金額
クレジット売掛金	×××	売上	×××
支払手数料	×××		

後日、信販会社から手数料を差し引いた金額が振込まれたときに「**クレジット売掛金**」（資産）の減少を仕訳します。

【入金時】

借方科目	金額	貸方科目	金額
当座預金	×××	クレジット売掛金	×××

売上代金－手数料　　資産の減少

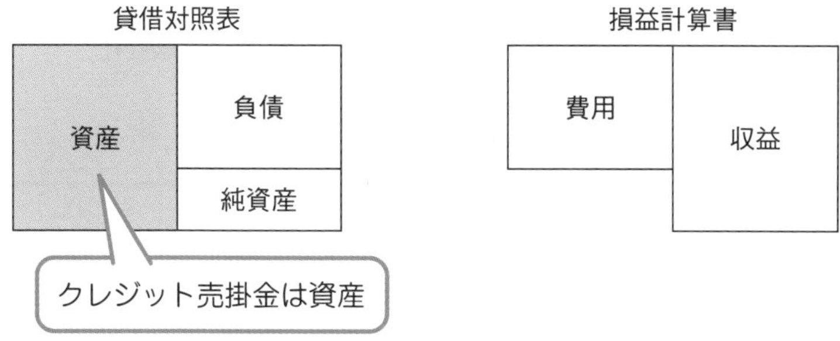

コトバ

信販会社：お客さんに代わって商品の代金を支払い、後日お客さんから代金を回収し、商品を販売した会社から手数料を受け取る会社

クレジット取引の仕組みは??

① まず、お客さんがクレジットカードで商品を購入します。

② 商品売買の代金は、とりあえず信販会社から八百源に支払われます。ただ、商品の引き渡しと同時に支払われるわけではないため、八百源は「クレジット売掛金」として仕訳します。

八百源は信販会社に手数料を支払うことになりますが、通常は商品代金から差し引かれることで支払ったことになります。

③ 後日、お客さんから信販会社に対して、商品代金の支払いが行われます。分割で支払われる場合もあります。

☆　仕訳をしてみよう！

例４－11

問題　①　八百源は商品7,000円をクレジット払いの条件で、横浜商会に商品を販売した。なお、販売代金の１％を信販会社へのクレジット手数料として販売時に費用処理する。

②　後日、信販会社から１％の手数料を差し引いた金額が当座預金口座に入金された。

【解答】

①

借方科目	金額	貸方科目	金額
クレジット売掛金	6,930	売上	7,000
支払手数料	70		

②

借方科目	金額	貸方科目	金額
当座預金	6,930	クレジット売掛金	6,930

【考え方】

①－1　クレジット払いの条件で商品を販売した
＝「クレジット売掛金」（資産）の増加

①－2　手数料：7,000円×１％＝70円

①－3　商品の代金7,000円－手数料70円＝入金額6,930円

5 電子記録による債権・債務

イントロダクション

手形を受け取って驚いていた源さんですが、なんと従業員がその手形を無くしてしまいました…。
源さん「手形は便利だけど、なくすこともあるから怖いな」
手形をなくした従業員さんは、社長である源さんの信頼を取り戻そうと、コンピューターで手形を管理する方法を発見し、源さんに伝えました。
源さん「これなら安心だ。」
源さんのご機嫌が戻りそうです。

1 コンピューターで債権を管理する!?

受取手形は、印紙税という税金がかかるなど手続が大変で費用もかかります。また、手形は紛失する危険もあります。そこで、受取手形の代わりに、債権をコンピューターに記録して管理する方法があります。このような債権を「**電子記録債権**（でんしきろくさいけん）」といいます。電子記録債権は、大変な手続きや余分な費用がかかりません。

電子記録債権は、債権者側からのお願いで発生する場合（**債権者請求方式**（さいけんしゃせいきゅうほうしき））もあれば、債務者側からのお願いで発生する場合（**債務者請求方式**（さいむしゃせいきゅうほうしき））もあります。このような、電子記録債権を発生させるお願いを「**発生記録の請求**（はっせいきろくのせいきゅう）」といいます。

コトバ

電子記録債権：コンピューターに記録し、管理する債権
発生記録の請求：電子記録債権を発生させる請求
債権者請求方式：債権者側が発生記録の請求を行い、債務者からの承諾を得ることによって発生記録が成立する方法
債務者請求方式：債務者側が発生記録の請求を行い、電子記録債権を発生させる方法

発生記録の請求により電子記録債権が発生したときは「**電子記録債権**」（資産）を増やし、もともとの債権である「売掛金」（資産）を減らします。

【発生記録の請求を行ったとき】

借 方 科 目	金 額	貸 方 科 目	金 額
電子記録債権	×××	売 掛 金	×××

資産の増加

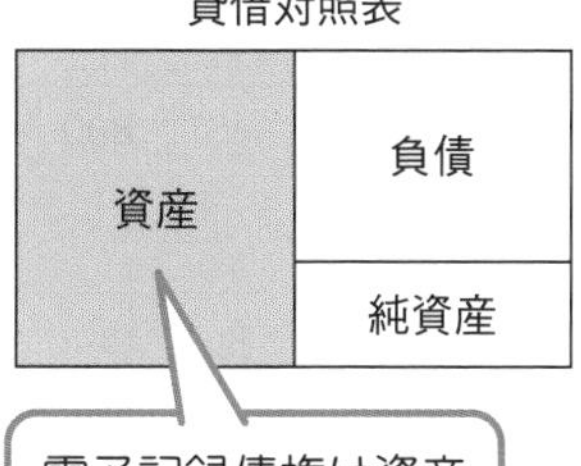

今時、債権・債務は、コンピュータで管理しなきゃね

第4章 商品売買と債権・債務

さっくり 2日目
しっかり 3日目
じっくり 4日目

☆ 仕訳をしてみよう！

例4－12

問題 ① 八百源は商品800円を横浜商会に売上げ、代金は掛けとした。

② 八百源は①の売掛金につき、発生記録の請求を行い、横浜商会の承諾を得て電子記録債権800円が生じた。

③ 支払期限が到来し、②の債権が当座預金口座に入金された。

【解答】

①

借方科目	金額	貸方科目	金額
売掛金	800	売上	800

②

借方科目	金額	貸方科目	金額
電子記録債権	800	売掛金	800

③

借方科目	金額	貸方科目	金額
当座預金	800	電子記録債権	800

【考え方】

② 発生記録の請求を行い、電子記録債権が発生した
　⇒「電子記録債権」（資産）の増加

③ 800円の電子記録債権が当座預金口座に入金された
　⇒「電子記録債権」（資産）の減少、「当座預金」（資産）の増加

2 コンピューターで債務を管理する!?

支払手形も、債権と同じようにコンピューターに記録して管理することができます。このような債務を「**電子記録債務**」といいます。電子記録債務も、電子記録債権と同じように債権者側からのお願いで発生する場合（**債権者請求方式**）もあれば、債務者側からのお願いで発生する場合（**債務者請求方式**）もあります。

発生記録の請求により電子記録債務が発生したときは「**電子記録債務**」（負債）を増やし、元々の債務である「買掛金」（負債）を減らします。

【発生記録の請求を行ったとき】

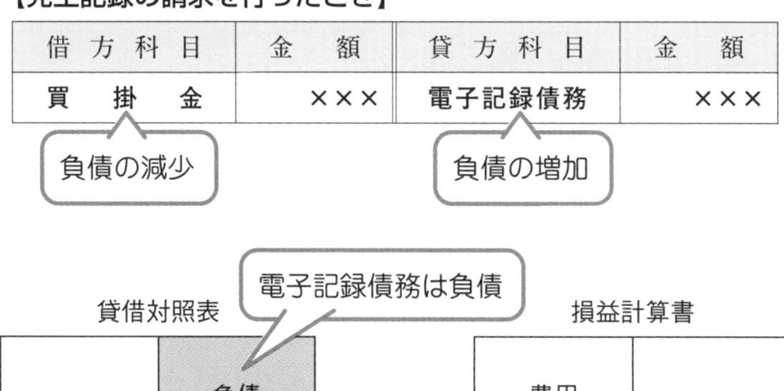

借方科目	金額	貸方科目	金額
買掛金	×××	電子記録債務	×××

コトバ
電子記録債務：コンピューターに記録し、管理する債務

☆　仕訳をしてみよう！

例4－13

問題　①　八百源は商品600円を青森商会より掛で仕入れた。

②　八百源は①の仕入代金につき、発生記録の請求を行い、電子記録債務600円が生じた。

③　支払期限が到来したので、②の債務が当座預金口座から引き落とされて決済した。

【解答】

①

借方科目	金額	貸方科目	金額
仕入	600	買掛金	600

②

借方科目	金額	貸方科目	金額
買掛金	600	電子記録債務	600

③

借方科目	金額	貸方科目	金額
電子記録債務	600	当座預金	600

【考え方】

②　発生記録の請求を行い、電子記録債務が生じた

⇒「電子記録債務」（負債）の増加

確認テスト

問題

次の取引を仕訳しなさい。

① 商品3,700円を注文し、内金として700円を現金で支払った。

② ①の商品を仕入れ、内金を差し引いた残額を現金で支払った。

③ 商品5,000円の注文を受け、内金として500円を現金で受け取った。

④ ③の商品を売上げ、内金を差し引いた残額を現金で受け取った。

(単位：円)

	借方科目	金額	貸方科目	金額
①				
②				
③				
④				

解答

（単位：円）

	借方科目	金額	貸方科目	金額
①	前払金	700	現金	700
②	仕入	3,700	前払金	700
			現金	3,000
③	現金	500	前受金	500
④	前受金	500	売上	5,000
	現金	4,500		

解説

① 内金を支払った
　＝先にお金を払った分だけ商品を受け取る権利が発生
　⇒前払金（資産）の増加

② 商品を仕入れた＝商品を受け取る権利が減少
　⇒前払金（資産）の減少

③ 内金を受け取った
　＝先にお金を受け取った分だけ商品を引き渡す義務が発生
　⇒前受金（負債）の増加

④ 商品を売上げた＝商品を引き渡す義務が減少
　⇒前受金（負債）の減少

第5章 その他の債権・債務

学習進度目安

さっくり 7日間	しっかり 10日間	じっくり 15日間
3日目	4日目	5日目

◉第5章で学習すること

① 貸付金・借入金

② 未払金・未収入金

③ 仮払金・仮受金

④ 立替金・預り金

1 貸付金・借入金

イントロダクション

八百源は、商品を仕入れてくるお金が足りなくなってしまったので、横浜商会からお金を借りることにしました。

横浜商会「利息も合わせて、しっかり返してもらうから！！」

1 他の人にお金を貸したら…

他の人にお金を貸してあげることを「**貸付け**」といいます。また、他の人にお金を貸すと、「貸したお金を返してもらえる権利」を持つことになります。これを「**貸付金**」という資産で表します。

【貸付時】

借方科目	金額	貸方科目	金額
貸付金	×××		

資産の増加　貸付金額

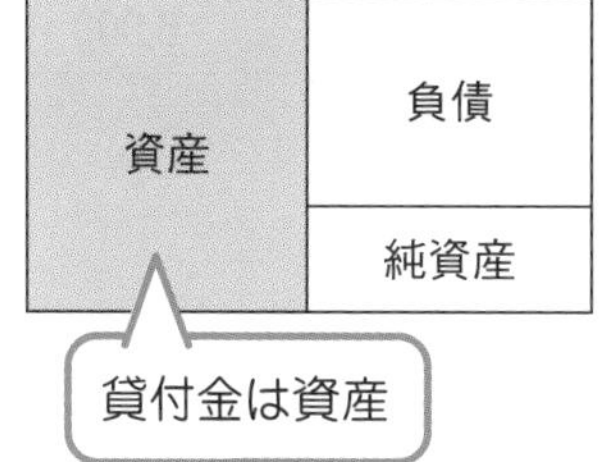

損益計算書

費用	収益

さっくり 3日目

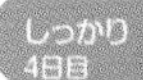

☆ 仕訳をしてみよう！

問題　八百源は、鳥取商会に現金6,000円を貸付けた。

【解答】

借方科目	金額	貸方科目	金額
貸付金	6,000	現金	6,000

鳥取商会から後でお金を返してもらえる権利

【考え方】

鳥取商会に現金を貸し付けた

＝ 返済日にお金を返してもらう権利を獲得

⇒ 貸付金（資産）の増加

2　貸したお金が返ってくるとき…

貸付けをすると、返済日に貸したお金を返してもらうことになります。お金を返してもらうので、貸したお金を返してもらう権利である「貸付金」（資産）が減少します。

【回収時】

借 方 科 目	金　額	貸 方 科 目	金　額
		貸　付　金	×××

資産の減少　　貸付金額

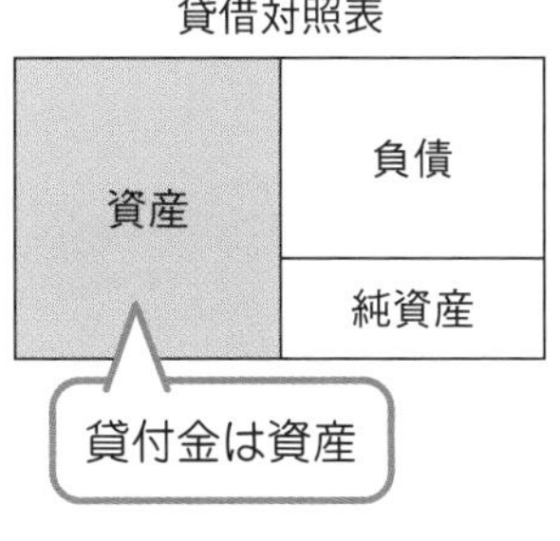

第5章 その他の債権・債務

さっくり 3日目
しっかり 4日目
じっくり 5日目

☆　仕訳をしてみよう！

例５－２

問題　【例５－１】の貸付金の返済日となり、八百源は現金を受け取った。

【解答】

借方科目	金額	貸方科目	金額
現　　金	6,000	貸　付　金	6,000

鳥取商会から後でお金を返してもらえる権利

【考え方】

貸付金の返済日となり、八百源は現金を受け取った

＝貸したお金を返してもらう権利が消滅

⇒貸付金（資産）の減少

3 利息をもらう!

貸付けをすると、返済日に貸したお金を返してもらうことになりますが、それだけではなく、お金を貸してから返してもらうまでの間の利息を受け取ることができます。これを「**受取利息**」という収益で表します。なお、1年分の利息は貸し付けた金額に年利率を掛けて計算します。また、1ヵ月分の利息を計算したい場合は、1年分の利息を12ヵ月で割ることにより求めます。

【利息受取時】

借 方 科 目	金　額	貸 方 科 目	金　額
		受 取 利 息	×××

受取利息：収益の増加　　×××：利息額

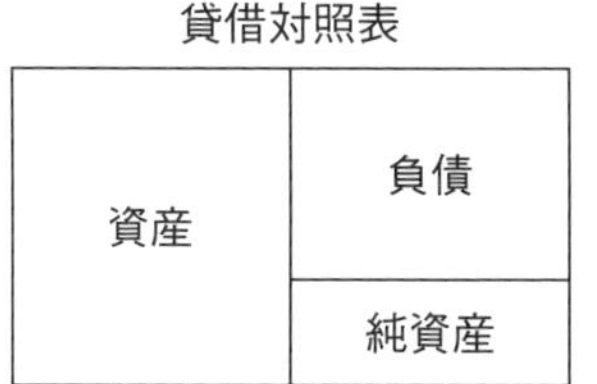

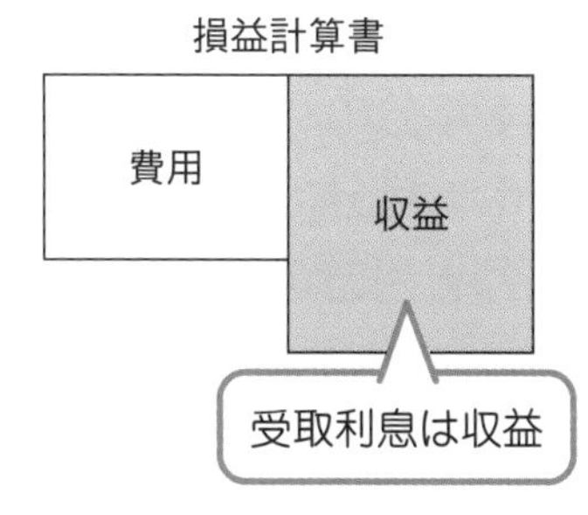

☆　利息をもらうときの仕訳をしてみよう！

問題　八百源は鳥取商会に対して期間４ヵ月、年利率３％という契約で6,000円を貸し付けていた。返済期限に利息を全額現金で受け取った。

【解答】

借方科目	金額	貸方科目	金額
現　　金	60	受取利息	60

4ヵ月分の利息

【考え方】

① 利息を受け取った⇒受取利息（収益）の増加

② ４ヵ月分の利息の金額

$$\Rightarrow 6{,}000\text{円} \times \text{年利率}3\% \times \frac{4\text{ヵ月（貸付期間）}}{12\text{ヵ月}} = 60\text{円}$$

重要　**利息の計算方法**

１年分の利息…貸し借りした金額×年利率

１ヵ月分の利息…貸し借りした金額×年利率÷12ヵ月

○ヵ月分の利息…貸し借りした金額×年利率×○ヵ月/12ヵ月

4 他の人からお金を借りたら…

一方、他の人からお金を借りることを「**借入れ**」といい、お金を借りると、「借りたお金を返す義務」を負うこととなります。これを「**借入金**」という負債で表します。

【借入時】

借方科目	金額	貸方科目	金額
		借入金	×××

負債の増加

借入金額

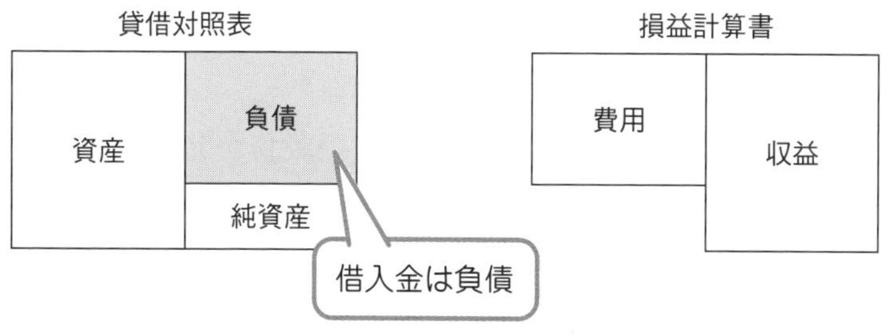

☆　仕訳をしてみよう！

問題　八百源は、銀行から現金2,000円を借入れた。

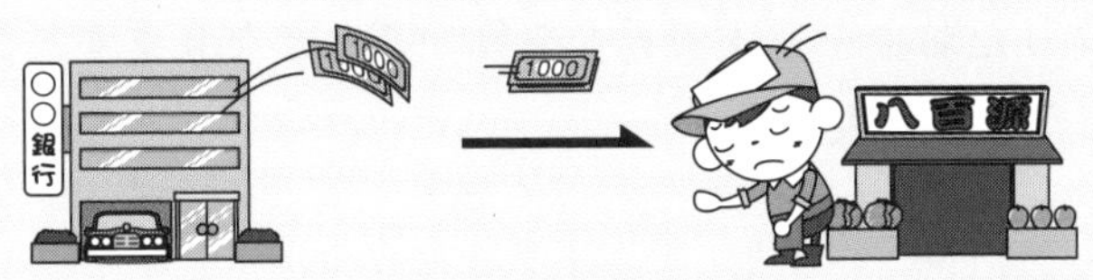

【解答】

借方科目	金額	貸方科目	金額
現　　金	2,000	借　入　金	2,000

銀行に対してお金を返さなければいけない義務

【考え方】

銀行から現金を借入れた

＝ 返済日にお金を返さなければいけない義務が発生

⇒ 借入金（負債）の増加

5 借りたお金を返すとき…

借入れをすると、返済日に借りたお金を返さなければなりません。お金を返したら、借りたお金を返す義務である「借入金」（負債）が減少します。

【返済時】

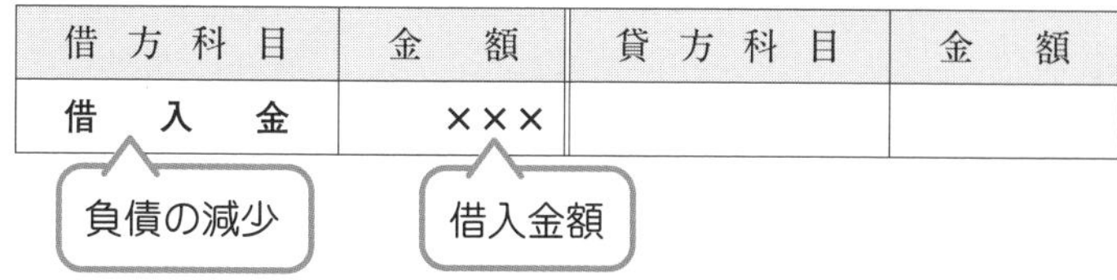

借方科目	金額	貸方科目	金額
借入金	×××		

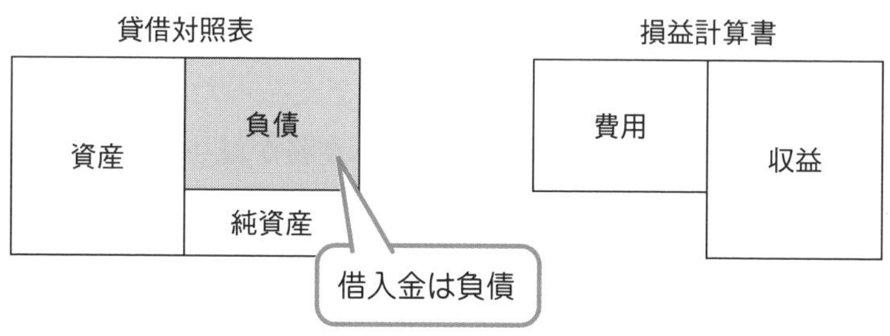

☆ 仕訳をしてみよう！

問題　【例5－4】の借入金の返済日となり、八百源は現金を支払った。

【解答】

借方科目	金額	貸方科目	金額
借入金	2,000	現金	2,000

銀行に対してお金を返さなければいけない義務

【考え方】

借入金の返済日となり、八百源は現金を支払った
＝借りたお金を返さなければいけない義務が減少
⇒借入金（負債）の減少

6 利息を払う!

借入れをすると、返済日に借りたお金を返すことになりますが、それだけではなく、借りてから返すまでの間の利息を支払わなければなりません。これを「**支払利息**(しはらいりそく)」という費用で表します。なお、受取利息の場合と同じように、1年分の利息は借入れた金額に年利率を掛けて計算します。1ヵ月分の利息を計算したい場合は、1年分の利息を12ヵ月で割ります。

【利息支払時】

借方科目	金額	貸方科目	金額
支払利息	×××		

費用の増加

利息額

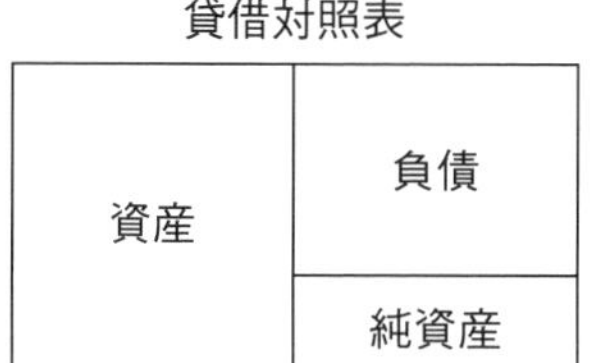

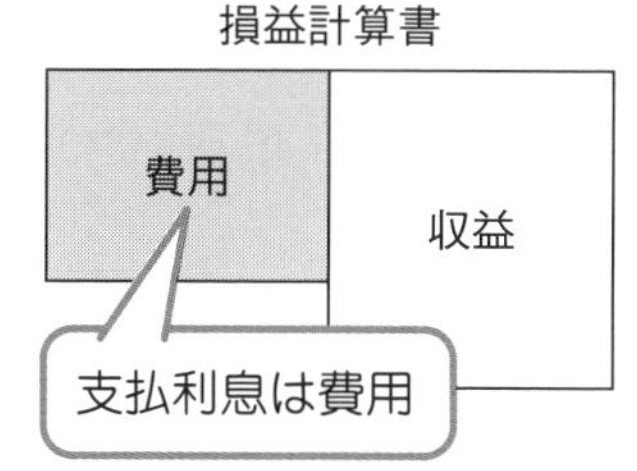

さっくり 3日目
しっかり 4日目
じっくり 5日目

☆　利息を払うときの仕訳をしてみよう！

問題　八百源は銀行から期間6ヵ月、年利率３％という契約で2,000円を借りていた。返済期限に利息を全額現金で支払った。

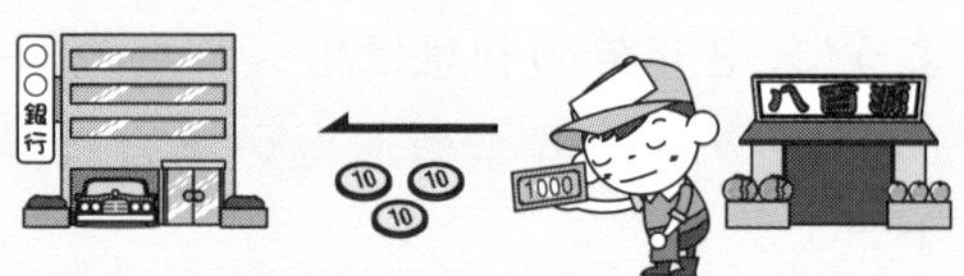

【解答】

借方科目	金額	貸方科目	金額
支払利息	30	現金	30

6ヵ月分の利息

【考え方】

①　利息を支払った ⇒ 支払利息（費用）の増加

②　6ヵ月分の利息の金額

$$\Rightarrow 2{,}000\text{円} \times \text{年利率}3\% \times \frac{6\text{ヵ月（借入期間）}}{12\text{ヵ月}} = 30\text{円}$$

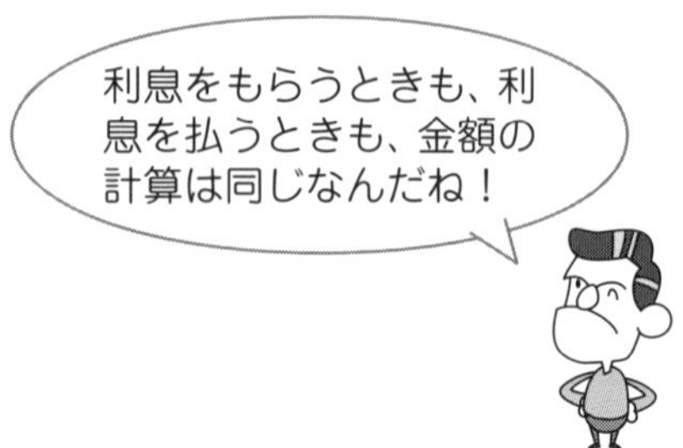

7 手形でお金を貸し付ける!?

お金を貸し借りするとき、通常は「**借用証書**(しゃくようしょうしょ)」と呼ばれるものを作りますが、借用証書の代わりに手形を作る場合もあります。相手に約束手形を振出してもらってお金を貸したときは、「**手形貸付金**(てがたかしつけきん)」という資産で表します。「**手形貸付金**」は、約束の日に貸したお金を返してもらう権利を意味します。

【手形でお金を貸し付けたとき】

借方科目	金額	貸方科目	金額
手形貸付金	×××		

資産の増加　　貸付金額

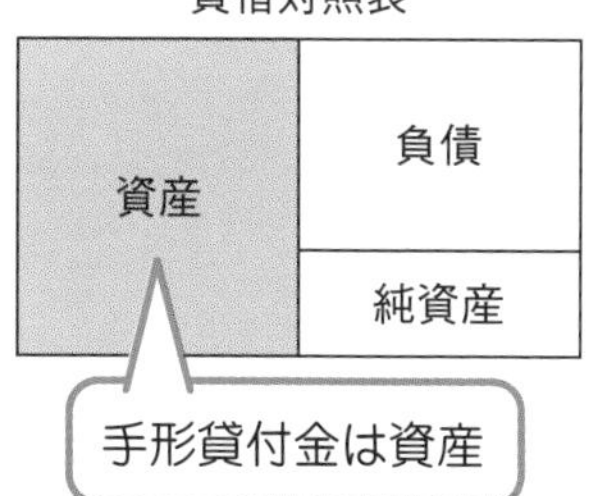

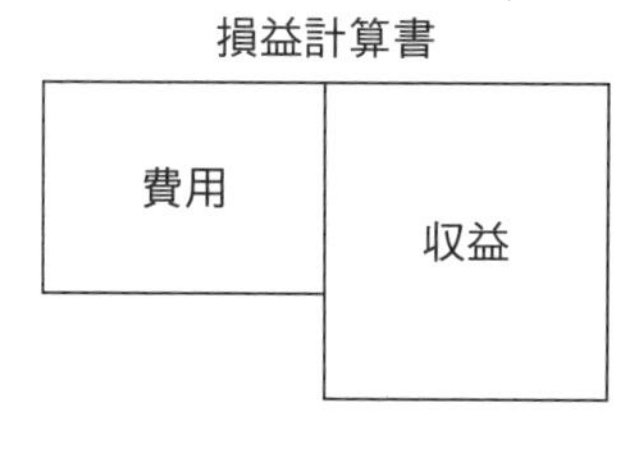

☆ 仕訳をしてみよう！

問題　八百源は、鳥取商会に現金5,000円を貸付け、約束手形を受け取った。

【解答】

借方科目	金額	貸方科目	金額
手形貸付金	5,000	現金	5,000

鳥取商会に対する債権

【考え方】

鳥取商会に現金を貸し付け、約束手形を受け取った

＝ 手形によって貸したお金を返してもらえる権利が発生

⇒ 手形による貸付け

⇒ 手形貸付金（資産）の増加

手形によるお金の貸し借り

借用証書の代わりに手形を振出してお金の貸し借りをした場合、お金を借りた側では、手形の満期日に借りたお金を返す義務が発生します。もし、満期日に返済することができなければ「不渡り」になってしまいます。そのため、お金を借りた側では、借用証書を取り交わした場合よりも「返さなければいけない」といった心理的な圧迫が強くはたらきます。また、お金を貸す側はより確実にお金を返してもらうことができるという安心感が生まれます。

8　手形でお金を借入れる!?

手形による貸付けと同じように、借用証書の代わりに約束手形を振出してお金を借りることもあります。このときは「**手形借入金**」という負債で表します。「**手形借入金**」は約束の日に借りたお金を返さなければならない義務を意味します。

【手形でお金を借入れたとき】

借方科目	金額	貸方科目	金額
		手形借入金	×××

負債の増加　　借入金額

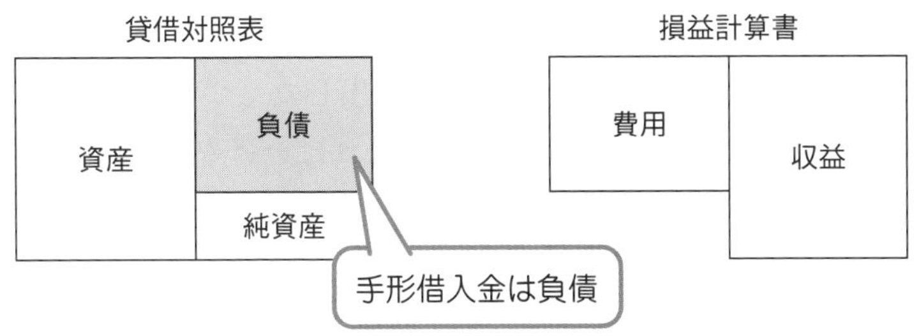

☆　仕訳をしてみよう！

問題　八百源は、銀行から現金3,000円を借入れ、約束手形を振出した。

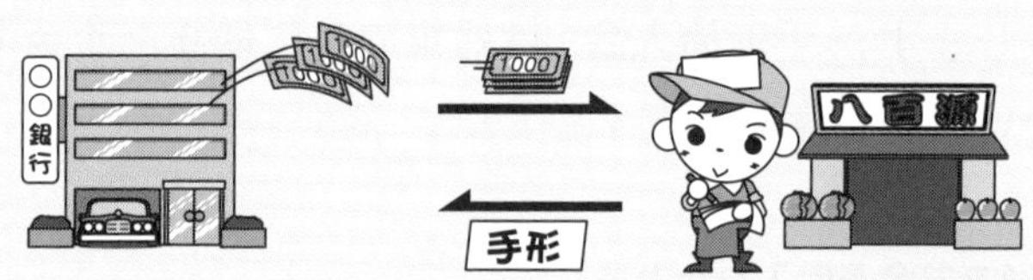

【解答】

借方科目	金額	貸方科目	金額
現　　　金	3,000	手形借入金	3,000

銀行に対する債務

【考え方】

銀行から現金を借入れ、約束手形を振出した

＝ 手形によって借りたお金を返さなければいけない義務が発生

⇒ 手形による借入れ

⇒ 手形借入金（負債）の増加

「手形借入金」＆「手形貸付金」

約束手形を振出してお金の貸し借りをした場合、原則として「借入金」や「貸付金」は使いません。「手形借入金」と「手形貸付金」を使って仕訳します。また、「受取手形」や「支払手形」を使うこともありません。ただ、利息については通常通り「支払利息」と「受取利息」を使います。

2 未払金・未収入金

イントロダクション

野菜や果物を運ぶためのトラックを買おうとした八百源ですが、月末にならないとお金が入ってきません。そこで、トラックの購入を掛けでおこなうことにしました。

源さん「また買掛金が増えちゃうよ…」

横浜商会「買掛金は使えないぜ！！」

源さん「えっ？？」

商品以外の代金の支払いを後回しにしたときは??

商品の代金の支払いを後回しにしたときに負う「商品の代金を後で支払う義務」は「買掛金」(負債) で表します。しかし、例えば、商品を保管しておくための倉庫、店頭で商品を並べておくための棚、お店の駐車場にするための土地などを購入し、代金の支払いを後回しにしたときに負う「商品**以外**の物の代金を後で支払う義務」は「**未払金**」という負債で表します。

しっかり 4日目

【商品以外のものの代金の支払いを後回しにしたとき】

借方科目	金額	貸方科目	金額
		未払金	×××

負債の増加

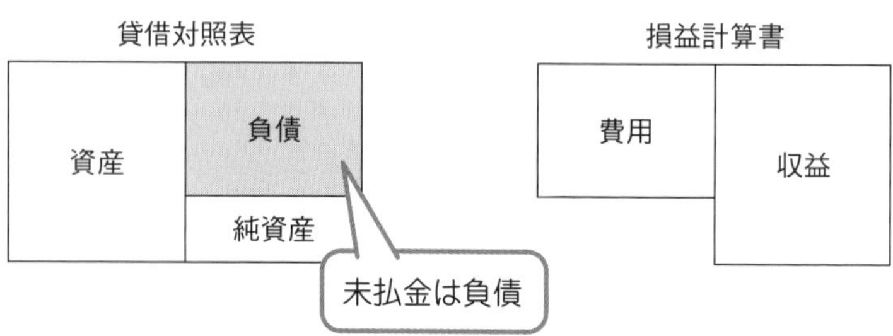

☆　仕訳をしてみよう！

例5－9

問題　八百源は横浜商会から土地5,000円を購入し、代金は翌月末に支払うこととした。

【解答】

借方科目	金額	貸方科目	金額
土　　地	5,000	未　払　金	5,000

横浜商会に対する債務

【考え方】

土地の購入代金の支払いを後回しにした

＝ 八百源にとって土地は商品ではない

＝ 商品以外の物の代金を後で支払う義務が発生

⇒ 未払金（負債）の増加

第5章 その他の債権・債務

2 お金を支払う約束の日がやってきたら…

後で支払うと約束していたお金は、約束の日までに支払わなければなりません。無事にお金を支払うと、「商品以外の代金を後で支払わなければならない義務」はなくなり、未払金（負債）は減少します。

【約束の支払期日】

借方科目	金額	貸方科目	金額
未払金	×××		

負債の減少

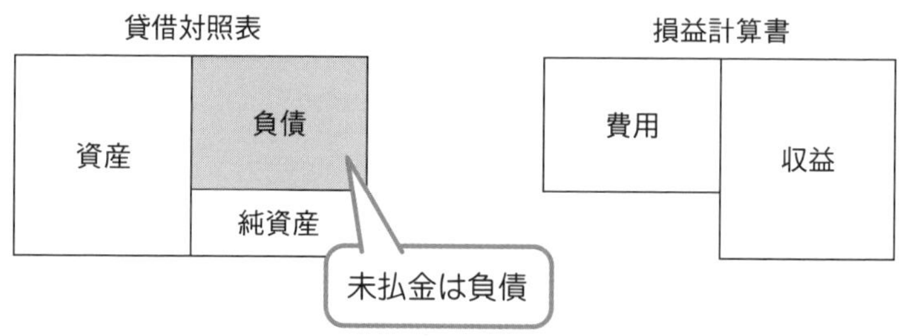

☆　仕訳をしてみよう！

問題　【例5－9】において、翌月末になったので、八百源は横浜商会に土地の代金5,000円を現金で支払った。

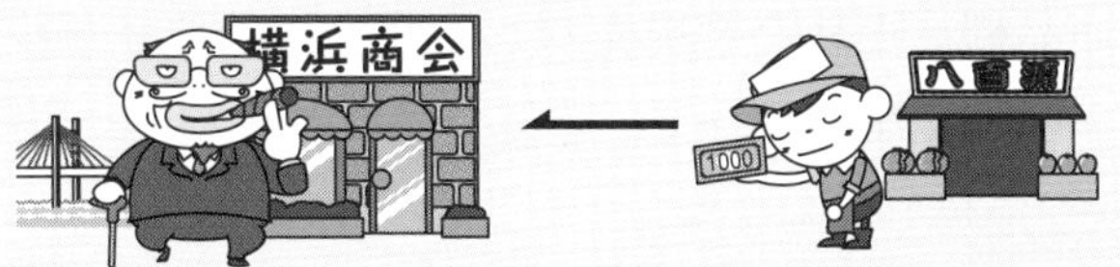

【解答】

借方科目	金額	貸方科目	金額
未払金	5,000	現金	5,000

横浜商会に対する債務

【考え方】

商品以外の物の代金を約束の日に支払った

＝ 商品以外の代金の支払い義務の減少

⇒ 未払金（負債）の減少

帳簿価額

例5－9の仕訳後、総勘定元帳の土地勘定に転記がされます。これにより、土地勘定には5,000円が記入されています。このように、帳簿に書いてある金額のことを帳簿価額といいます。資産の場合は、資産を取得したときの金額が帳簿価額になります。

3 商品以外の代金の受取りを後回しにしたときは??

商品を売上げ、代金の受取りを後回しにしたときに持つ「商品の代金を後で受取る権利」は「**売掛金**」（資産）で表します。しかし、例えば、倉庫、商品棚、土地などを売却し、代金の受取りを後回しにしたときに持つ「商品**以外**の物の代金を後で受取る権利」は「**未収入金**（**未収金**）」という資産で表します。

【受取りを後回しにしたとき】

借方科目	金額	貸方科目	金額
未収入金	×××		

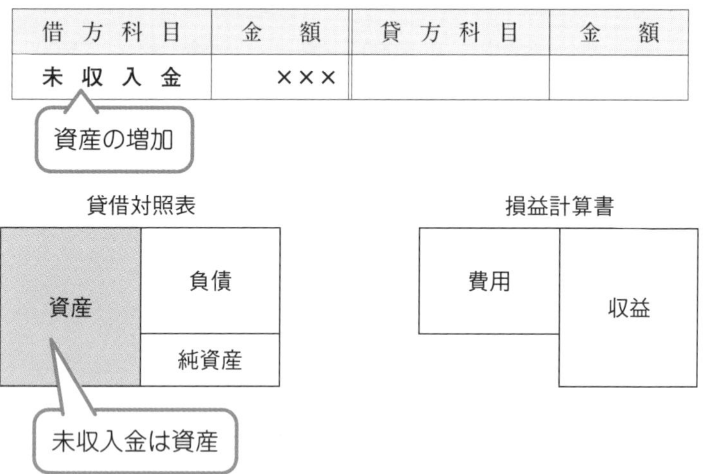

「商品以外の物」を売ったときの儲けは?

商品以外の物を売ったときは、売ったときの金額と買ったときの金額との差額を「○○売却益」（収益）または「○○売却損」（費用）で表します。

☆　仕訳をしてみよう！

例5－11

問題　八百源は以前5,000円で購入した土地を沖縄商会に5,200円で売却し、代金は翌月末に受け取ることとした。

【解答】

借方科目	金額	貸方科目	金額
未収入金	5,200	土地	5,000
		固定資産売却益	200

沖縄商会に対する債権

土地の売却による儲け

【考え方】

① 土地の売却代金の受取りを後回しにした
　＝ 八百源にとって土地は商品ではない
　＝ 商品以外の物の代金を後で受け取る権利が発生
　⇒ 未収入金（資産）の増加

② 5,000円で買ったものを5,200円で売った
　＝ 差額200円が儲かった
　⇒ 固定資産売却益（収益）の増加

第5章　その他の債権・債務

さっくり3日目　しっかり4日目　じっくり5日目

4 お金を受け取る約束の日がやってきたら…

後で受け取ると約束していたお金は、約束の日までに受け取ることができます。無事にお金を受け取ると、「商品以外の物の代金を後から受け取ることができる権利」はなくなり、未収入金（資産）が減少します。

【約束の受取期日】

借方科目	金額	貸方科目	金額
		未収入金	×××

資産の減少

貸借対照表

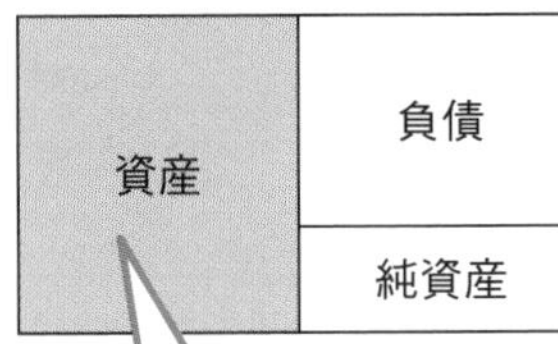

未収入金は資産

損益計算書

費用

収益

重要　売掛金・買掛金と未収入金・未払金

商品の販売…売掛金
商品以外の物を売却…未収入金（未収金）
買ったものがお店の売り物（商品）…買掛金
買ったものがお店の売り物ではない（商品以外）…未払金

☆　仕訳をしてみよう！

問題　【例5－11】において、翌月末になったので、八百源は沖縄商会から土地の代金5,200円を現金で受け取った。

【解答】

借方科目	金　額	貸方科目	金　額
現　　金	5,200	未収入金	5,200

沖縄商会に対する債権

【考え方】

商品以外の代金を約束の日に受け取った

＝ 商品以外の代金を受け取る権利が減少

⇒ 未収入金（資産）の減少

第5章
その他の債権・債務

さっくり3日目
しっかり4日目
じっくり5日目

3 仮払金・仮受金

イントロダクション

八百源の従業員が青森商会のりんごの視察に行くときに出張費用としてお金を渡しました。
源さん「いくらあれば足りるか分からないから、とりあえず500円渡すね。使い道は帰ってきてから報告してね」

八百源の従業員

1 内容や金額がはっきりしないうちに支払ったお金

お金を支払ったものの、その内容がはっきりしていなかったり、大体このくらいだと思うお金を支払っただけで金額がまだ確定していなかったりする場合は、とりあえず「**仮払金**(かりばらいきん)」という資産で表します。「**仮払金**」は、内容や金額が確定したときに費用や資産に変わるもので、資産に分類されます。なお、仮払金は「**仮勘定**」としての性質もあります。

【仮払時】

借 方 科 目	金 額	貸 方 科 目	金 額
仮 払 金	×××	現 金	×××

資産の増加

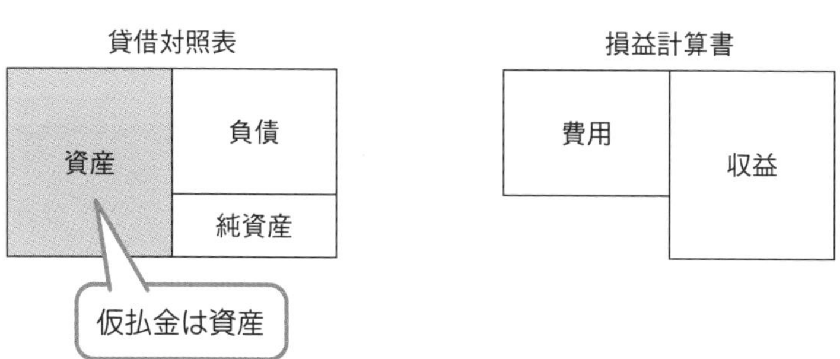

さっくり 3日目
しっかり 4日目
じっくり 5日目

☆　仕訳をしてみよう！

問題　八百源は従業員の出張の際に、旅費として現金1,000円を概算払いした。

【解答】

借方科目	金額	貸方科目	金額
仮払金	1,000	現金	1,000

金額が確定してないけど、とりあえず1,000円を支払った

【考え方】

旅費を概算払いした ＝ 金額が確定していない

⇒ 仮払金（資産）の増加

2 以前支払ったお金の金額がはっきりしたら

以前お金を支払ったもののその内容や金額がはっきりしていなかったため、一時的に「仮払金」として仕訳していましたが、後で支払ったお金の内容や金額が確定したら、その内容と金額の仕訳を行い、同時に「仮払金」を取り消します。

【内容や金額が確定したとき】

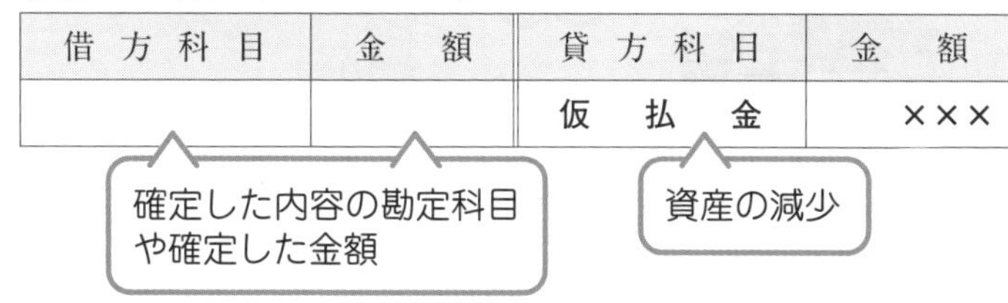

借方科目	金額	貸方科目	金額
		仮払金	×××

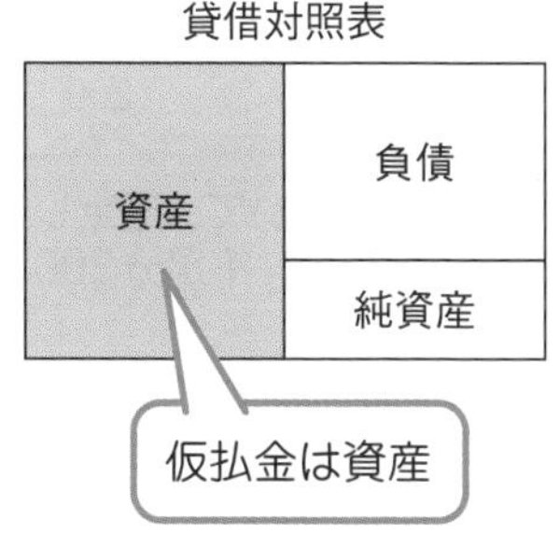

☆　仕訳をしてみよう！

問題　【例５－13】において従業員が帰社し、旅費1,200円との報告を受け、不足分は現金で従業員に渡した。

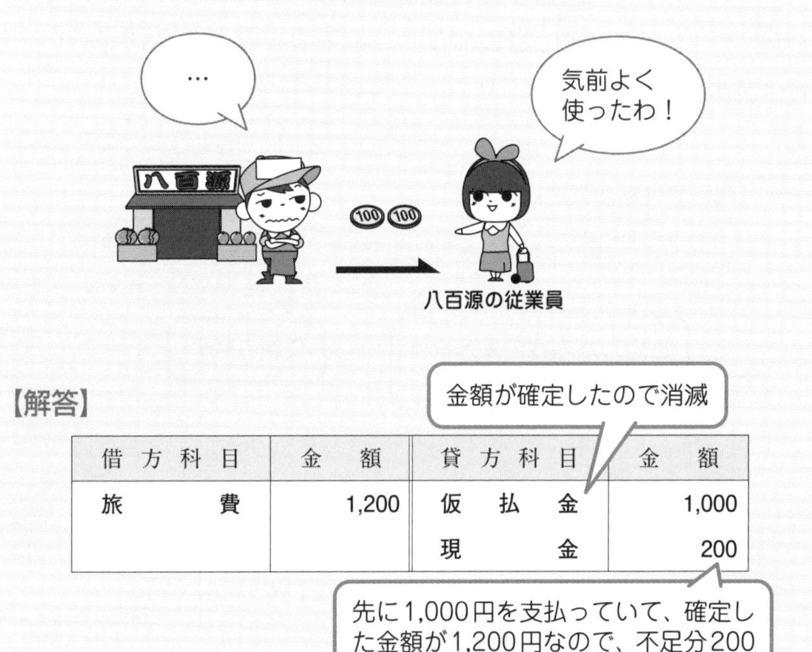

【解答】

金額が確定したので消滅

借方科目	金額	貸方科目	金額
旅費	1,200	仮払金	1,000
		現金	200

先に1,000円を支払っていて、確定した金額が1,200円なので、不足分200円を追加で支払う

【考え方】

①　旅費の報告を受けた ＝ 金額が確定した

⇒ 仮払金（資産）の減少

②　不足分の現金を支払った

＝ 仮払いは1,000円で、実際の旅費は1,200円なので、足りなかった200円を支払う

⇒ 現金（資産）の減少

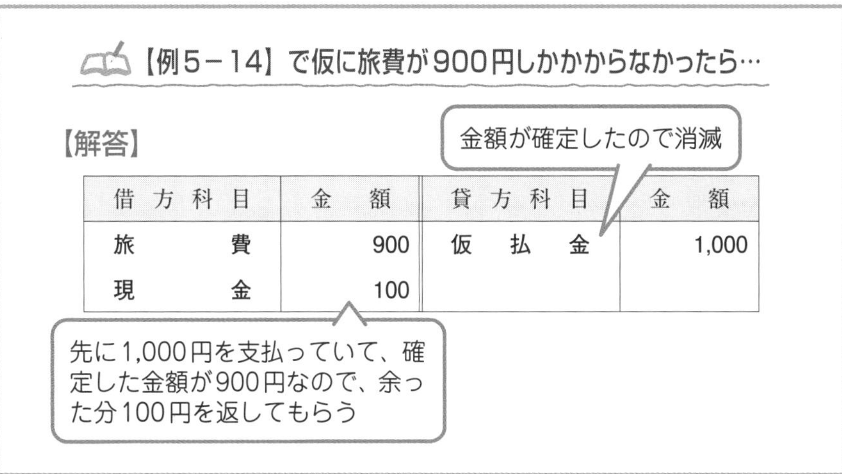

【例5－14】で仮に旅費が900円しかかからなかったら…

【解答】

借方科目	金額	貸方科目	金額
旅費	900	仮払金	1,000
現金	100		

【考え方】

① 旅費の報告を受けた ＝ 金額が確定した
⇒ 仮払金（資産）の減少

② 余った分をもらう
＝ 仮払いは1,000円で、実際の旅費は900円なので、余った分100円を返してもらう
⇒ 現金（資産）の増加

3 内容や金額がはっきりしないうちに受け取ったお金

お金を受取ったものの、その内容がはっきりしない場合は「**仮受金**」という負債で表します。なお、仮受金は「**仮勘定**」としての性質もあります。

【仮受時】

借 方 科 目	金 額	貸 方 科 目	金 額
現 金	×××	仮 受 金	×××

負債の増加

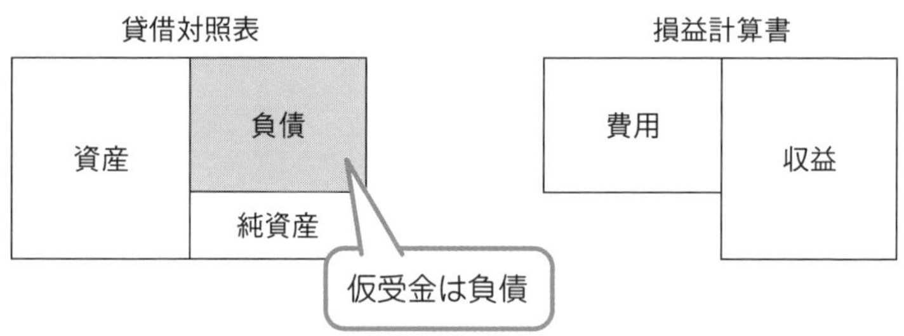

☆　仕訳をしてみよう！

問題　出張中の従業員から当座預金口座へ2,500円が入金されたが、その内容は不明である。

【解答】

借方科目	金　額	貸方科目	金　額
当座預金	2,500	仮受金	2,500

内容が確定してないけど、とりあえず、2,500円を受け取った

【考え方】

当座預金口座へ内容不明の金額が入金された

＝ 勘定科目と金額が確定していない

⇒ 仮受金（負債）の増加

4 以前受け取ったお金の内容がはっきりしたら…

以前にお金を受け取ったもののその内容がはっきりしていなかったため、一時的に「仮受金」として仕訳していましたが、後で受け取ったお金の内容が確定したら、その内容の仕訳を行い、同時に「仮受金」を取り消します。

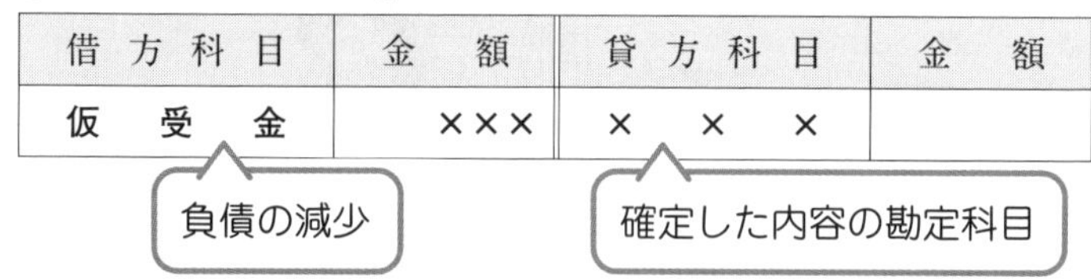

【内容が確定したとき】

借方科目	金額	貸方科目	金額
仮受金	×××	×××	

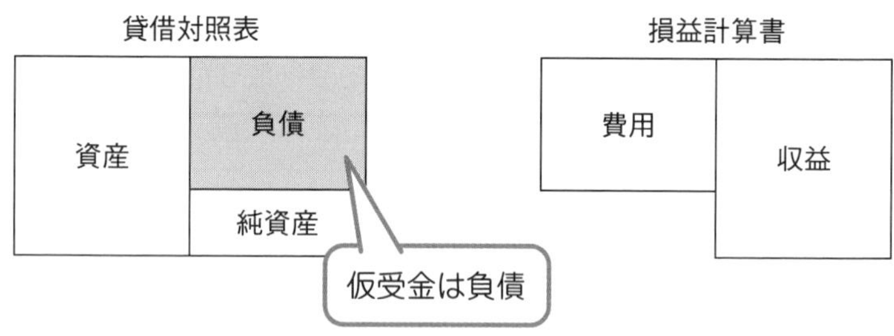

☆　仕訳をしてみよう！

問題　【例５－15】における入金は、全額、売掛金の回収分であることが判明した。

【解答】

借方科目	金額	貸方科目	金額
仮受金	2,500	売掛金	2,500

勘定科目と金額が確定したので消滅

売掛金の回収ということが判明したので売掛金を減少

【考え方】

①　売掛金の回収ということが判明した
　　＝勘定科目が確定した
　　⇒仮受金（負債）の減少

②　売掛金の回収ということが判明した
　　⇒判明した内容の仕訳を行う
　　⇒売掛金（資産）の減少

交通系ICカードのチャージは仮払い?

電車やバスに乗るときに、毎回切符を購入せずに交通系ＩＣカードで支払いを済ませることがあります。この交通系ＩＣカードは、あらかじめＩＣカードに一定額をチャージ（入金）して、電車やバスに乗るときにカードを差し出すことにより支払いが完了します。

ここで、ＩＣカードにチャージ（入金）するときは、一回当たりの交通費の金額が不明なため「仮払金」として処理します。

【チャージ（入金）時】

借方科目	金額	貸方科目	金額
仮払金	×××	現金	×××

チャージ（入金）額

そして、ＩＣカードにより支払いを済ませるたびに、「仮払金」を消滅させ、「旅費交通費」の勘定科目に替えていきます。

【ＩＣカード使用時】

借方科目	金額	貸方科目	金額
旅費交通費	×××	仮払金	×××

使用額

最近はいちいち切符を買うことが減ったね

文房具を買ったときは消耗品費にするのよ！

4 立替金・預り金

イントロダクション

八百源の従業員さんの生命保険料を、会社のお金で取りあえず支払っておいてあげました。従業員は大喜びです！！

従業員「ありがとうございます。社長！」

源さん「いや、あげたわけじゃないんだけど」

従業員「これからも頑張って働きます！」

源さん「いや、あげたわけじゃ…あのー…」

1 お金を立替えてあげる!

従業員が負担すべき支払いを、会社のお金で一時的に支払っておいてあげることがあります。このように、一時的にお金を支払ってあげた場合、「一時的に払ってあげただけで、後で返してもらえる権利」を持つことになります。これを「**立替金**（たてかえきん）」という資産で表します。

また、従業員に対する立替金は「**従業員立替金**（じゅうぎょういんたてかえきん）」（資産）という勘定科目で表すこともあります。

【立替時】

借方科目	金　額	貸方科目	金　額
立　替　金 又は 従業員立替金	×××		

資産の増加

貸借対照表

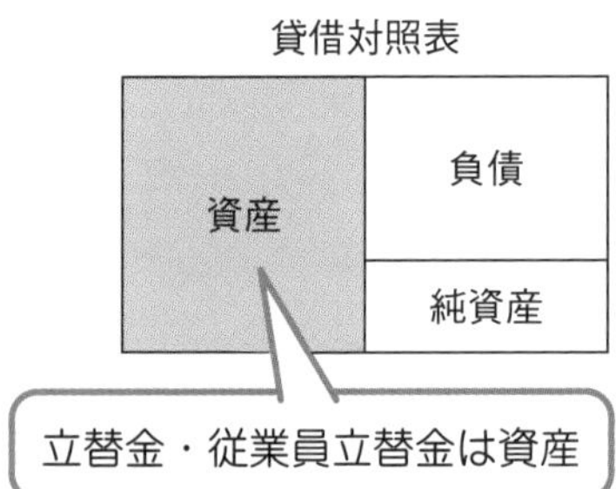

損益計算書

☆　仕訳をしてみよう！

問題　八百源は従業員が負担すべき生命保険料100円を現金で支払った。

【解答】

借方科目	金額	貸方科目	金額
従業員立替金	100	現　　　金	100

従業員に対する債権

保険会社に支払うお金

【考え方】

従業員が負担すべき保険料を支払った

＝ 本来は従業員が負担するものなので、後で返してもらえる権利が発生

⇒ 従業員立替金（資産）の増加

2 立替えてあげた分を給料から差し引く!

以前に従業員の保険料を立替えてあげていたり、給料の前倒しをしてあげたりしていた場合には、給料からその分を差し引いて従業員に渡します。こうすることで、立替えてあげていた分を返してもらいます。このときに、従業員立替金（資産）や立替金（資産）を減少させます。

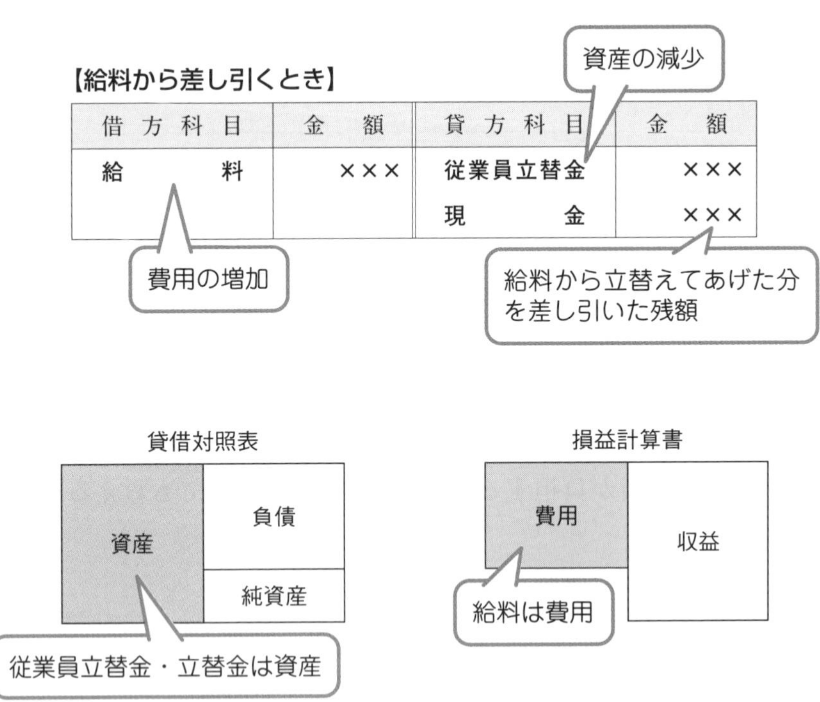

【給料から差し引くとき】

借方科目	金額	貸方科目	金額
給　　料	×××	従業員立替金	×××
		現　　金	×××

☆　仕訳をしてみよう！

例５－18

問題　給料日となり、八百源は給料1,500円から【例５－17】で立替えた100円を差引いた残額を従業員に現金で渡した。

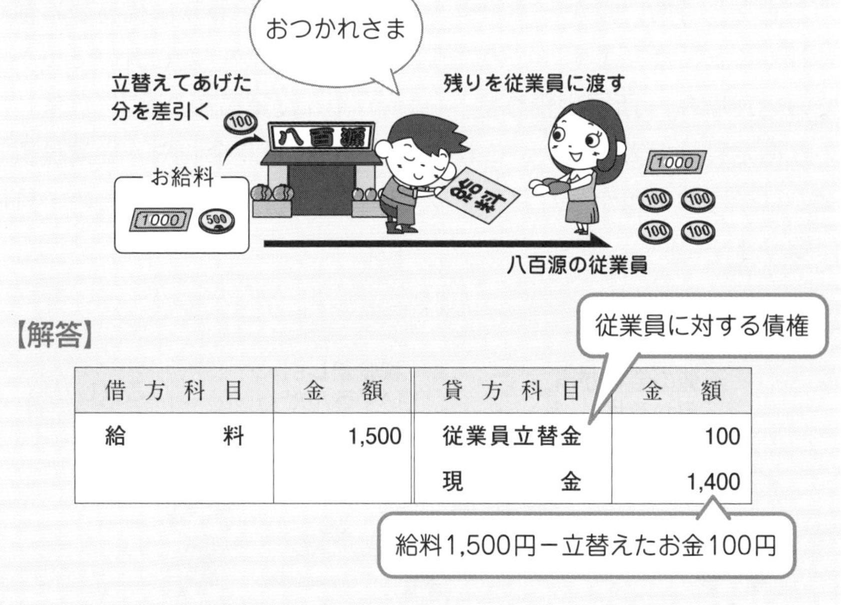

【解答】

借方科目	金額	貸方科目	金額
給　　料	1,500	従業員立替金	100
		現　　金	1,400

従業員に対する債権

給料1,500円－立替えたお金100円

【考え方】

①　給料の支払いに際して立替えていたお金を差し引いた残額を支払った

＝ 一時的に立替えていたお金を返してもらった

⇒ 立替えていたお金を後で返してもらう権利が消滅

⇒ 従業員立替金（資産）の減少

②　従業員に支払う金額は、本来支払うべき金額1,500円から以前立替えていたお金100円を差し引いた1,400円

⇒ 現金（資産）の減少

しっかり
4日目

3 所得税の分だけ給料から差し引く

従業員へ支払う給料から、従業員の所得税を差し引いて、所得税の分だけ少ない額のお金を渡すことがあります。この場合、所得税の分のお金を一時的に預かっておき、後で従業員の代わりに税務署に納めに行くことになります。このように給料の一部から差し引いて預かっておいた場合、「**所得税預り金**」（負債）や「**従業員預り金**」（負債）という勘定科目で表します。これらの「所得税預り金」や「従業員預り金」は一時的に預かったお金を後で支払う義務を意味するため、負債になります。

コトバ

源泉所得税：給料の金額に応じて支払う税金

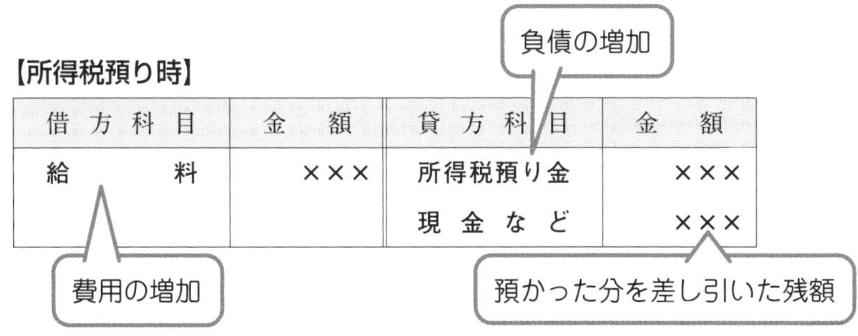

【所得税預り時】

借方科目	金額	貸方科目	金額
給料	×××	所得税預り金	×××
		現金など	×××

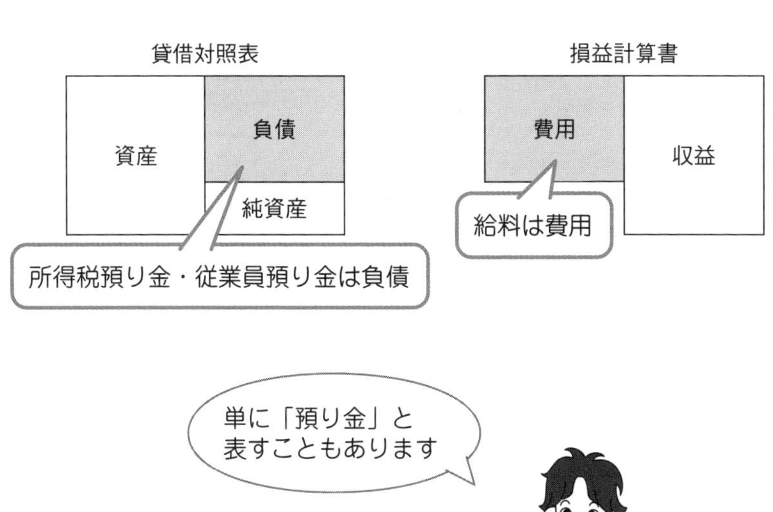

単に「預り金」と
表すこともあります

☆　仕訳をしてみよう！

問題　給料日となり、八百源は給料1,500円から源泉所得税150円を差引いた残額を従業員に普通預金口座から振り込んだ。

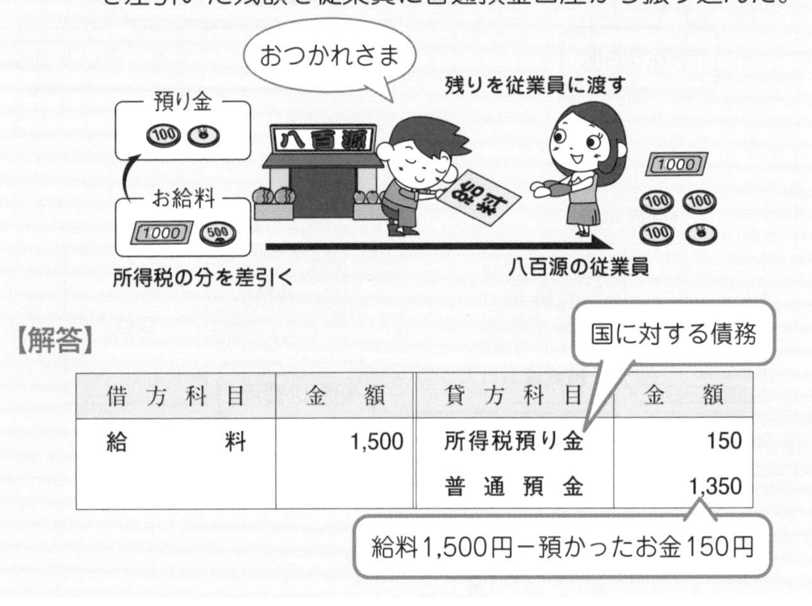

【解答】

国に対する債務

借 方 科 目	金 額	貸 方 科 目	金 額
給　　　料	1,500	所得税預り金	150
		普 通 預 金	1,350

給料1,500円－預かったお金150円

【考え方】

① 給料の支払時に預かったお金を差し引いた残額を振り込んだ
　＝ 一時的にお金を預かった
　⇒ 預かったお金は従業員の代わりに税務署へ払わなければいけない義務
　⇒ 所得税預り金（負債）の増加

② 従業員に支払うお金は本来払うべき金額1,500円から預かったお金150円を差し引いた1,350円
　⇒ 普通預金（資産）の減少

「税務署」に税金を納めるのよ

4 預かっていた所得税の分のお金を納める!

給料日に預かっていた所得税は、会社が後で従業員の代わりに税務署に納めます。これにより、預かったお金を後で支払う義務は消滅します。このとき、所得税預り金（負債）が減少します。

【納付時】

借方科目	金額	貸方科目	金額
所得税預り金	×××	現　　金	×××

負債の減少

税務署などに支払う
従業員の所得税

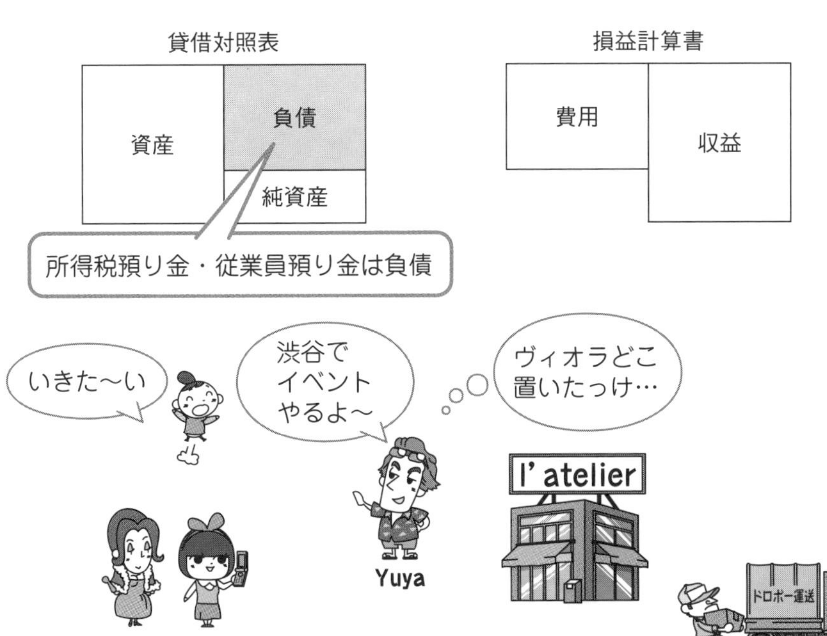

☆　仕訳をしてみよう！

例5－20

問題　八百源は預かった源泉所得税150円を普通預金口座から振り込んで納付した。

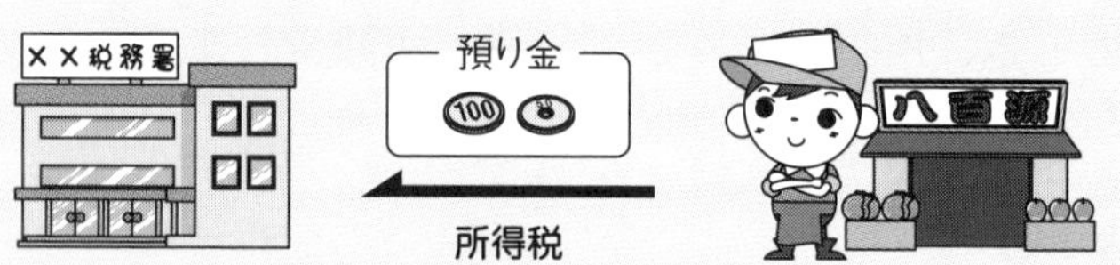

【解答】

借方科目	金額	貸方科目	金額
所得税預り金	150	普通預金	150

国に対する債務　　税務署に払うお金

【考え方】

① 預かった源泉所得税を支払った
　＝ 預かったお金を後で支払う義務は消滅
　⇒ 所得税預り金（負債）の減少

② 普通預金口座から振込んだ
　⇒ 普通預金（資産）の減少

5 社会保険料の分だけ給料から差し引く

所得税と同じように、従業員の社会保険料も給料から差し引いて、社会保険料の分だけ少ない額のお金を渡すことがあります。

この場合、社会保険料の分のお金を一時的に預かっておき、後で従業員の代わりに年金事務所に納めることになります。このように給料の一部から差し引いて預かっておいた場合、「**社会保険料預り金**（しゃかいほけんりょうあずかりきん）」（負債）という勘定科目で表します。「社会保険料預り金」は従業員から一時的に預かったお金を後で支払う義務を意味するため、負債になります。

コトバ

社会保険料：健康保険料や厚生年金保険料など、給料から毎月差し引かれるお金

第5章 その他の債権・債務

さっくり 3日目
しっかり 4日目
じっくり 5日目

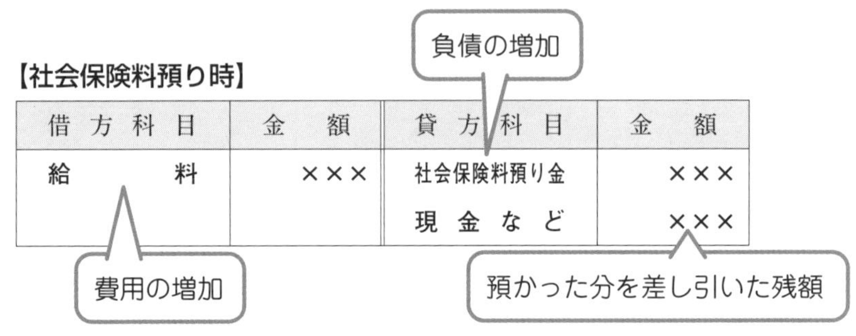

【社会保険料預り時】

借方科目	金額	貸方科目	金額
給料	×××	社会保険料預り金	×××
		現金など	×××

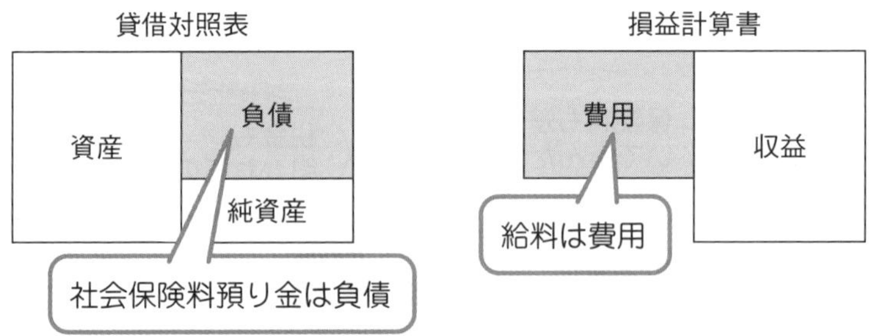

☆　仕訳をしてみよう！

例5－21

問題　給料日となり、八百源は給料5,000円から社会保険料600円を差し引いた残額を、従業員に普通預金口座から振り込んで支払った。

【解答】

借方科目	金額	貸方科目	金額
給　　料	5,000	社会保険料預り金	600
		普通預金	4,400

【考え方】

① 給料の支払時に従業員負担の社会保険料を差し引いた
　＝ 一時的にお金を預かった
　⇒ 預かったお金は従業員の代わりに年金事務所へ納付しなければいけない義務
　⇒ 社会保険料預り金（負債）の増加

② 従業員に支払うお金は、本来支払うべき金額5,000円から預かったお金600円を差し引いた4,400円
　⇒ 普通預金（資産）の減少

確認テスト

問 題

次の取引の仕訳をしなさい。

① 現金10,000円（年利率３%）を貸し付け，借用証書を取り交わした。

② ①の利払日が到来し、１年分の利息を現金で受け取った。

③ 現金8,000円（年利率２%）を借り入れ，手形を取り交わした。

④ ③の利払日が到来し、３ヵ月分の利息を現金で支払った。

（単位：円）

	借方科目	金額	貸方科目	金額
①				
②				
③				
④				

解答

（単位：円）

	借方科目	金額	貸方科目	金額
①	貸付金	10,000	現金	10,000
②	現金	300	受取利息	300
③	現金	8,000	手形借入金	8,000
④	支払利息	40	現金	40

解説

① 現金を貸し付けた
= 返済日にお金を返してもらう権利を獲得
⇒貸付金（資産）の増加

②−1 利息を受け取った ⇒ 受取利息（収益）の増加

②−2 １年分の利息の金額
⇒10,000円×年利率３％ = 300円

③ 現金を借入れ、手形を取り交わした
= 手形によって借りたお金を返す義務が発生
⇒手形による借入れ
⇒手形借入金（負債）の増加

④−1 利息を支払った ⇒ 支払利息（費用）の増加

④−2 ３ヵ月分の利息の金額

$$⇒8{,}000円×年利率2\%×\frac{3ヵ月}{12ヵ月} = 40円$$

第5章
その他の債権・債務

第6章 税金

学習進度目安

さっくり 7日間	しっかり 10日間	じっくり 15日間
3日目	4日目	6日目

◉第6章で学習すること

① 費用となる税金

② 消費税

③ 法人税、住民税及び事業税

1 費用となる税金

イントロダクション

八百源は土地や建物を持っていますが、土地や建物を持っていると、それだけで税金がかかります。また、お客さんから領収書などの発行をお願いされた場合、領収書の発行にも税金がかかったりします。
「会社にも色んな税金がかかるなぁ。大変だ！」

1 税金は費用なの?

土地や建物の固定資産をもっていると「**固定資産税**(こていしさんぜい)」という税金がかかります。固定資産税は納税通知書という書類を受け取り、納付します。また、契約書や領収書など一定の書面に対しては「**印紙税**(いんしぜい)」という税金がかかります。印紙税は、収入印紙(しゅうにゅういんし)という紙切れを書面に貼り、これに消印することにより納付します。

コトバ
固定資産税：土地や建物等固定資産の所有者に対して課税される税金
印紙税：契約書や領収書など一定の書面に対して課税される税金
収入印紙：印紙税を納付する際に使用する証票

固定資産税や印紙税は会社の費用として、「**租税公課**」（費用）という税金の費用を表す科目で仕訳します。固定資産税は納税通知書を受け取ったときに「租税公課」（費用）を増やします。

また、納税通知書を受取ってから実際に税金を納付するまでは、固定資産税を納付しなければいけない義務が発生するので、その義務を「**未払金**」（負債）または、「**未払税金**」（負債）で表します。

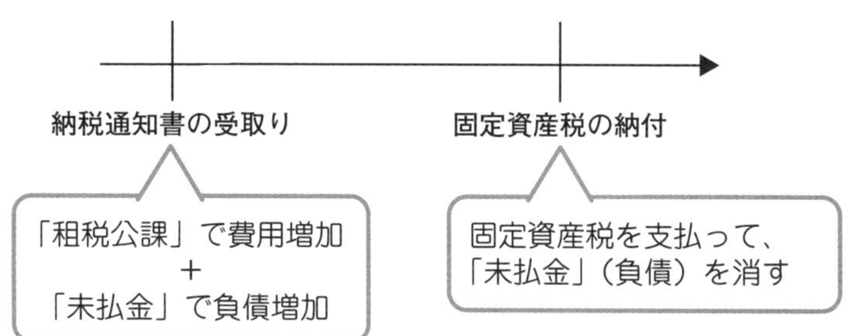

固定資産税の納税通知書受け取ったときは何もせず、納付したときに租税公課（費用）で処理する場合もあります。

第6章 税金

さっくり 3日目
しっかり 4日目
じっくり 6日目

【納税通知書受取時】

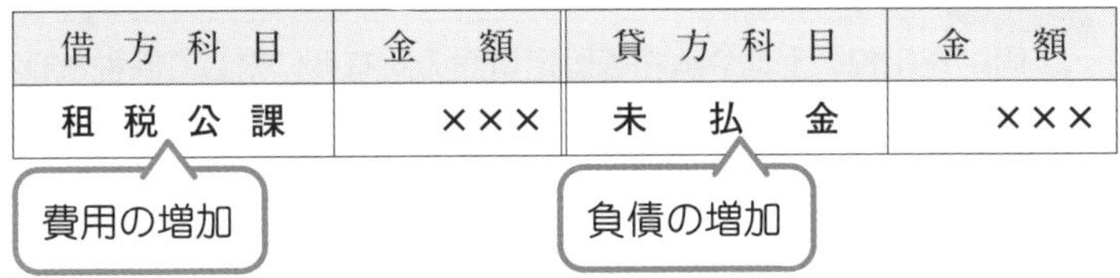

借方科目	金額	貸方科目	金額
租税公課	×××	未払金	×××

【固定資産税納付時】

借方科目	金額	貸方科目	金額
未払金	×××	現金預金など	×××

負債の減少

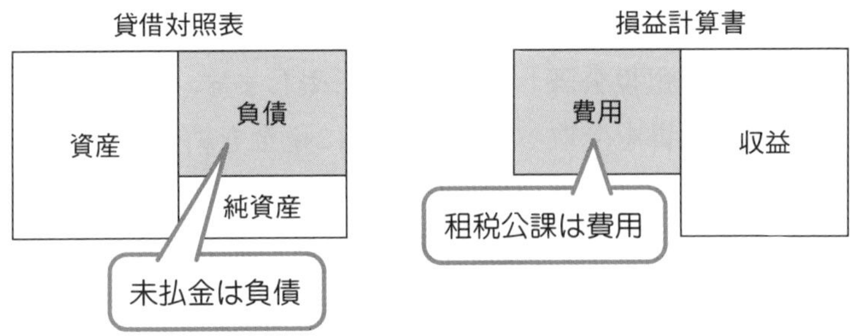

一方、印紙税は収入印紙を購入した時に「**租税公課**」（費用）を増やします。

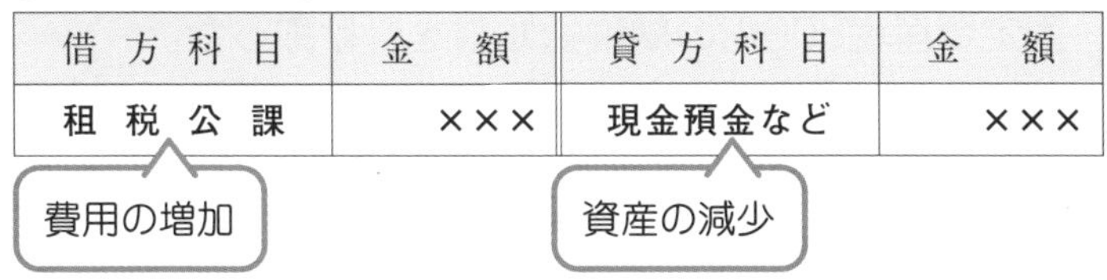

【収入印紙購入時】

借方科目	金額	貸方科目	金額
租税公課	×××	**現金預金など**	×××

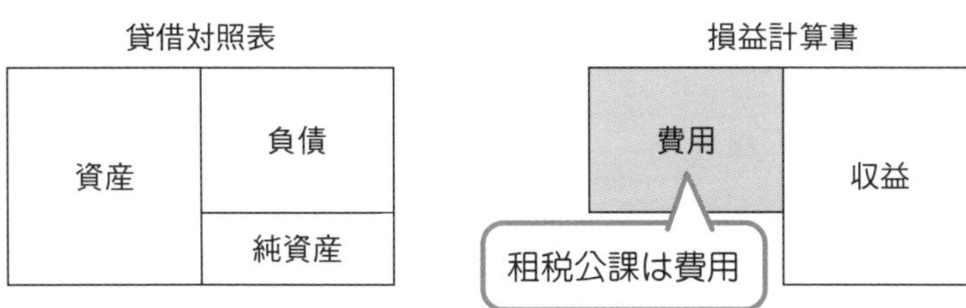

第6章
税金

さっくり 3日目
しっかり 4日目
じっくり 6日目

☆　仕訳をしてみよう！

問題　固定資産税800円の納税通知書を受け取った。

【解答】

借方科目	金額	貸方科目	金額
租税公課	800	未払金	800

【考え方】

①　固定資産税の納税通知書を受け取った
　⇒「租税公課」（費用）の増加

②　固定資産税の納税通知書を受け取った
　＝固定資産税を納付する義務が発生
　⇒「未払金」（負債）の増加

固定資産税の納付は？

固定資産税は、一般的に1年分の固定資産税を4回に分けて納付します。【例6－1】で受け取った納税通知書に書かれている1年分の固定資産税800円の$\frac{1}{4}$である200円をそれぞれの納期限までに納付することになります。

☆　仕訳をしてみよう！

問題　【例６－１】の固定資産税のうち第１期分200円を小切手を振出して納付した。

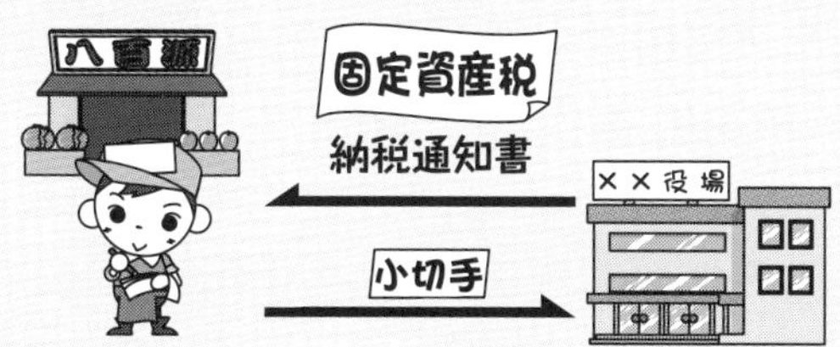

【解答】

借方科目	金額	貸方科目	金額
未払金	200	当座預金	200

【考え方】

固定資産税を納付した

＝固定資産税を納付する義務が減少

⇒「未払金」（負債）の減少

納付したら租税公課？

固定資産税の納税通知書を受け取ったときに何もしない場合は、納付時に租税公課（費用）で処理します。

借方科目	金額	貸方科目	金額
租税公課	200	当座預金	200

2 消費税

イントロダクション

八百源は、商品を仕入れるときに消費税を払いますが、商品を販売するときには消費税をもらう立場になります。消費税をもらって喜ぶ源さんですが、もらった消費税は八百源の儲けにはなりません。消費税の会計処理は、まず、消費税を納付する仕組みを押さえることがポイントになります。

消費税も、
ちんぷんかんぷん…
もうかったような
気がするけど…

1 消費税の仕組み

私たちは買い物をする時に、商品代金の支払いと一緒に消費税を支払います。それと同じように、会社も商品を仕入れるときに商品の代金と一緒に消費税を支払います。

また、会社が商品を売上げるときは、商品の代金と一緒に消費税を受取ります。

そして、1年間の取引が全て終わり、決算になったときに受け取った消費税と支払った消費税の差額を計算して、これを納めます。例えば、商品を仕入れるときに1,000円の消費税を支払い、商品を売上げたときに1,300円の消費税をもらった場合、差額の300円を納付することになります。

直接税と間接税

消費税は、国や地方自治体へ税金を納める「納税義務者」と、税金を実際に負担する「担税者(たんぜいしゃ)」が異なる「**間接税(かんせつぜい)**」になります。一方、法人税等（後で学習）や固定資産税は、「納税義務者」と「担税者」が同じなので「**直接税(ちょくせつぜい)**」になります。

2 消費税を支払ったとき

会社が商品を仕入れたときに消費税を支払います。支払った消費税は「**仮払消費税**」(資産)として仕訳します。

【消費税支払時】

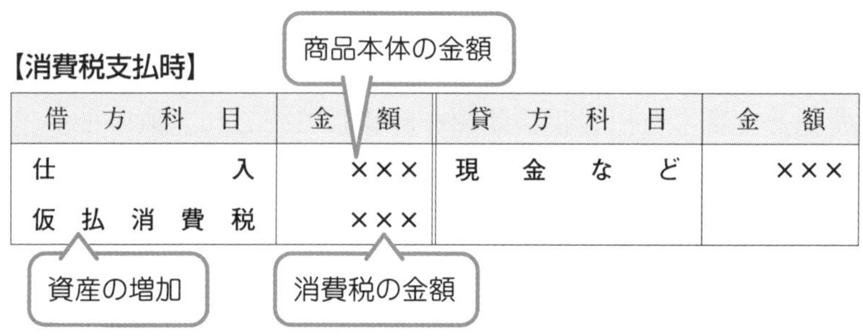

借方科目	金額	貸方科目	金額
仕入	×××	現金など	×××
仮払消費税	×××		

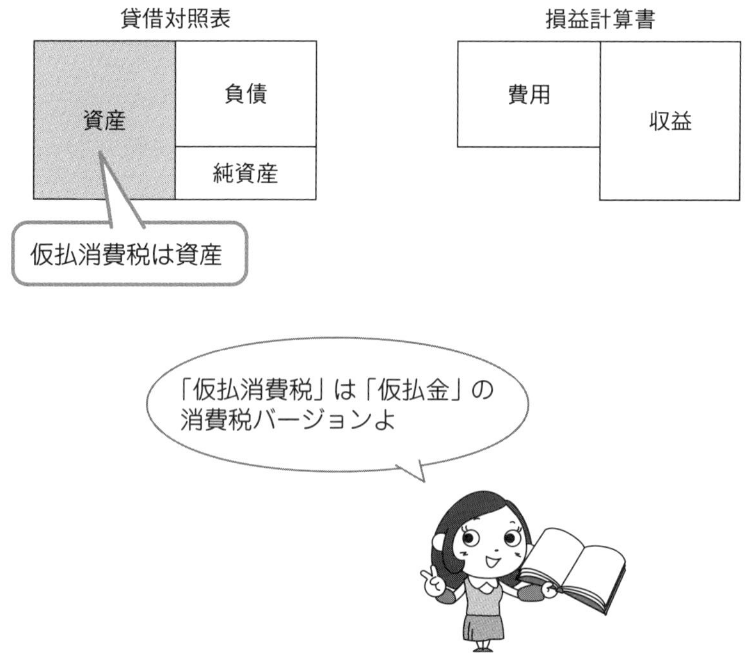

☆　仕訳をしてみよう！

例6－3

問題　商品3,000円を仕入れ、消費税240円とともに現金で支払った。

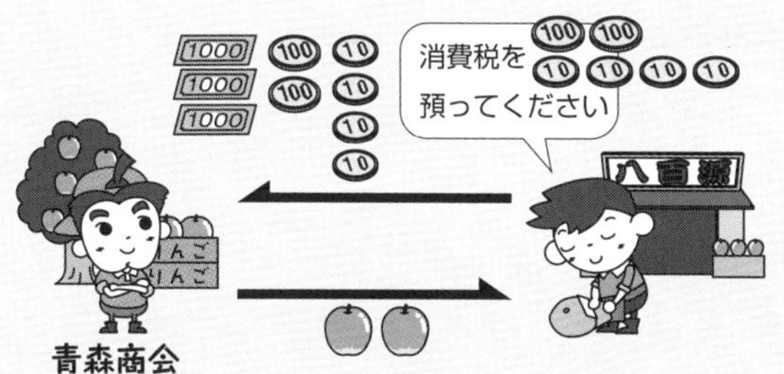

【解答】

借方科目	金額	貸方科目	金額
仕入	3,000	現金	3,240
仮払消費税	240		

【考え方】

① 消費税とともに現金で支払った
⇒「現金」（資産）の減少

② 消費税抜きの仕入れが増えた
⇒「仕入」（費用）の増加

③ 消費税を預かってもらった
⇒「仮払消費税」（資産）の増加

消費税の処理方法

消費税の処理方法には、税抜方式と税込方式がありますが、３級では、税抜方式だけを学習します。

第6章　税金

さっくり3日目　しっかり4日目　じっくり6日目

3 消費税を受け取ったとき

会社が商品を販売したときに消費税を受け取ります。受け取った消費税は「**仮受消費税**」(負債) として仕訳します。

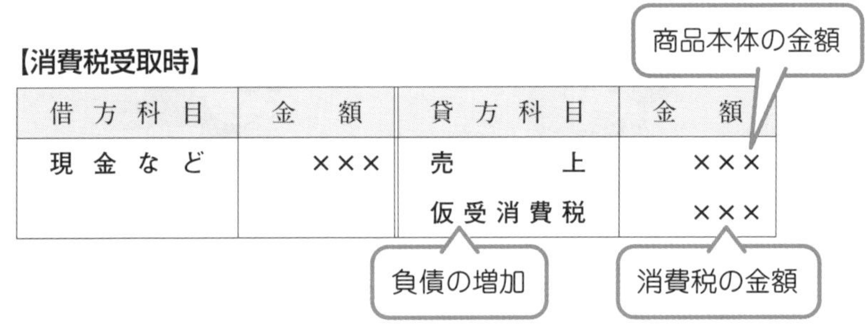

【消費税受取時】

借方科目	金額	貸方科目	金額
現金など	×××	売上	×××
		仮受消費税	×××

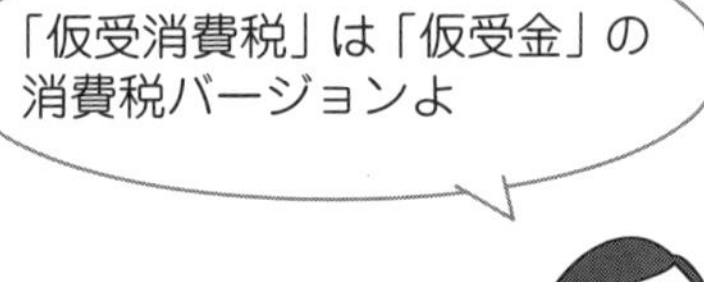

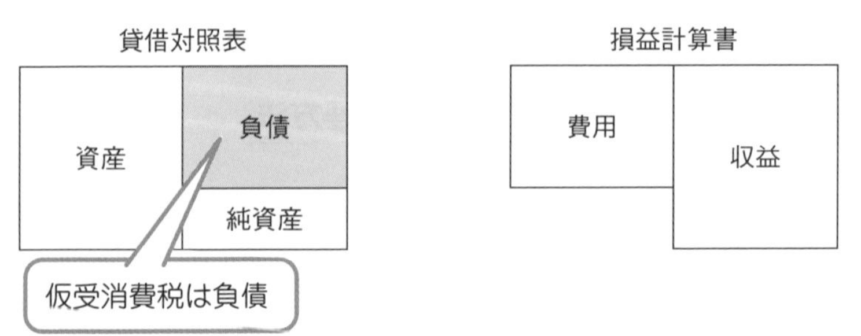

☆　仕訳をしてみよう！

例6－4

問題　商品5,000円を売上げ、消費税400円とともに現金で受け取った。

【解答】

借方科目	金額	貸方科目	金額
現　　金	5,400	売　　上	5,000
		仮受消費税	400

【考え方】

①　消費税とともに現金で受け取った
　⇒「現金」（資産）の増加

②　消費税抜きの売上が増えた
　⇒「売上」（収益)の増加

③　消費税を預かった
　⇒「仮受消費税」負債の増加

第6章　税金

さっくり 3日目
しっかり 4日目
じっくり 6日目

4 決算になると…

1年間の取引が全て終了し、決算になると、受け取った消費税が支払った消費税をいくら上回ったかを計算します。そして、上回った分だけ後日消費税を納めなければいけません。そこで、消費税を納付する義務である「**未払消費税**」(負債)を計上します。また、同時に「仮払消費税」(資産)と「仮受消費税」(負債)を取り崩します。

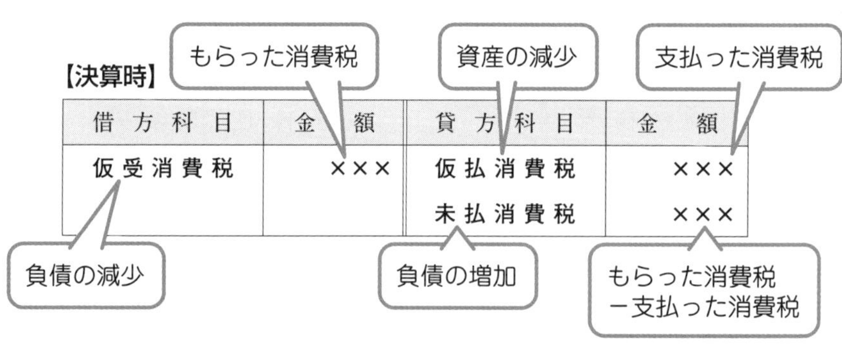
【決算時】

借方科目	金額	貸方科目	金額
仮受消費税	×××	仮払消費税	×××
		未払消費税	×××

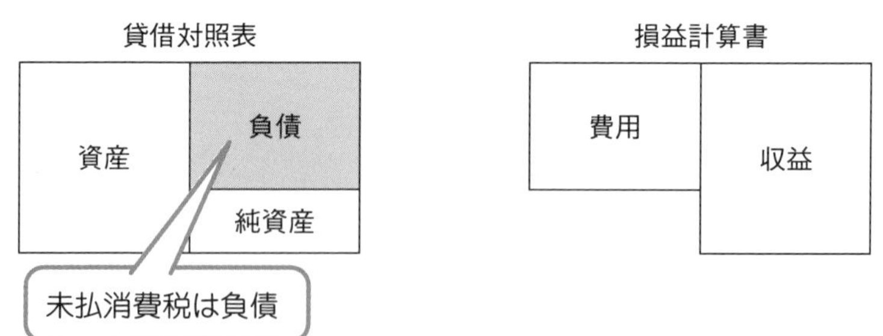

その後、消費税を納付すると、消費税を支払う義務はなくなるため、消費税を支払う義務である「未払消費税」(負債)を減少させます。

【消費税納付時】

借方科目	金額	貸方科目	金額
未払消費税	×××	現金など	×××

負債の減少

消費税の納付額

消費税納付額…もらった消費税－支払った消費税

☆　仕訳をしてみよう！

問題　【例6－3】、【例6－4】の後に決算をむかえたため、当期の消費税の未払分を計上する。

【解答】

借方科目	金額	貸方科目	金額
仮受消費税	400	仮払消費税	240
		未払消費税	160

【考え方】

①　決算において、当期の消費税の未払分を計上する
　＝ 支払った消費税240円の仮払分をなくす
　⇒「仮払消費税」（資産）の減少

②　決算において、当期の消費税の未払分を計上する
　＝ 受取った消費税400円の仮受分をなくす
　⇒「仮受消費税」（負債）の減少

③　決算において、当期の消費税の未払分を計上する
　＝「受取った消費税400円－支払った消費税240円 ＝ 160円」を納付する義務が発生
　⇒「未払消費税」（負債）の増加

☆ 仕訳をしてみよう！

問題　【例6－5】の後に消費税を小切手を振出して納付した。

【解答】

借方科目	金額	貸方科目	金額
未払消費税	160	当座預金	160

【考え方】

消費税を納付した

⇒「未払消費税」（負債）の減少

収益・費用と税抜方式

消費税部分を「仮払消費税」（資産）や「仮受消費税」（負債）を使って仕訳します。仮払消費税は仕入に限らず費用などについて、また、仮受消費税は売上に限らず収益について関わってきます。例えば、電話料金5,500円（うち消費税500円）が普通預金から引落されたときの仕訳は、次のようになります。

借方科目	金額	貸方科目	金額
通信費	5,000	普通預金	5,500
仮払消費税	500		

第6章
税金

さっくり 3日目
しっかり 4日目
じっくり 6日目

3 法人税、住民税及び事業税

イントロダクション

会社が納める税金の中でも、最も金額が大きくなる可能性の高い税金が、法人税、住民税及び事業税です。八百源でも、この税金を納めなければいけません。

「税金ってこんなに払わなければいけないのか…」

1 法人税、住民税、事業税ってどんな税金？

法人税、住民税、事業税という税金は、会社が儲かれば儲かるほどたくさん納めなければならない税金です。３つの税金をまとめて法人税等と呼んだりします。簿記では、法人税、住民税、事業税の３種類の税金を「**法人税、住民税及び事業税**」または「**法人税等**」という科目で表します。また、「法人税、住民税及び事業税」は会社の稼いだ利益に一定の割合をかけて計算され、「法人税、住民税及び事業税」の分だけ会社の利益が少なくなるため、**利益のマイナス項目**として考えます。

2 法人税、住民税及び事業税の計算

「法人税、住民税及び事業税」は、会社の儲け、つまり会社の利益に対して一定の税率を掛けることにより求めます。具体的には、「**税引前当期純利益**(ぜいびきまえとうきじゅんりえき)」と言って、「法人税、住民税及び事業税」を差し引く前の利益に対して税率を掛けます。なお、税引前当期純利益は、収益の総額から費用の総額を差し引いて求めます。

例えば、税引前当期純利益が10,000円で税率が30%であれば、法人税、住民税及び事業税は「10,000円×30%＝3,000円」となります。

コトバ

税引前当期純利益：法人税、住民税及び事業税を控除する前の当期純利益

重要 法人税、住民税及び事業税の計算

法人税、住民税及び事業税…税引前当期純利益×税率

儲かれば儲かるほど
「法人税等」の金額は
増えるのよ

「法人税等」の計算は決算の
ところでもでてきます！

第6章 税金

さっくり 3日目
しっかり 4日目
じっくり 6日目

3　法人税等の納付の仕組みと仕訳は?

会社は、1年間の「法人税、住民税及び事業税」をまとめて納付すると大変なので、２回に分けて納付します。

まず期中に、「法人税、住民税及び事業税」の一部を納めます。これを「**中間申告**(ちゅうかんしんこく)」といいます。その後、決算を行って法人税等がいくらか決まったら、期中に中間申告をして納めた額を差し引いて、まだ納めていない分を納めます。これを「**確定申告**(かくていしんこく)」といいます。

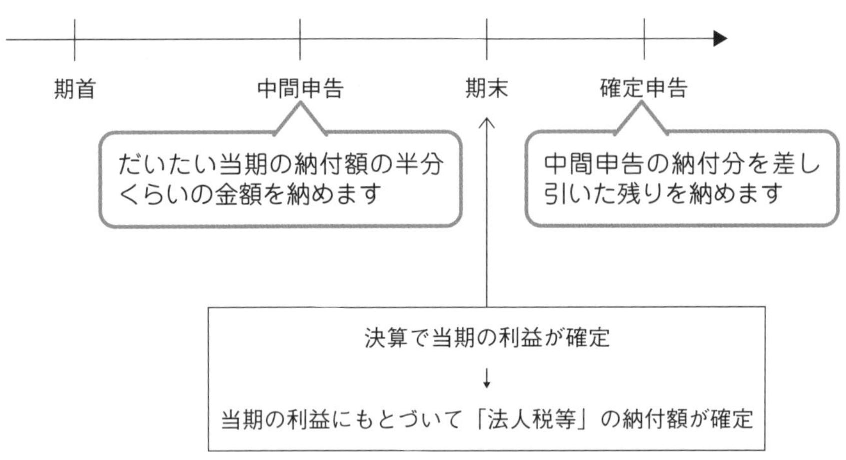

コトバ

中間申告：期中に前年度の法人税額等の半分を納付すること
確定申告：決算日よりも後に会社の確定した利益をもとに確定した税金を納付すること

期中に中間申告をして納めた分は「**仮払法人税等**」（資産）で仕訳します。

【中間申告時】

借方科目	金額	貸方科目	金額
仮払法人税等	×××	現金預金など	×××

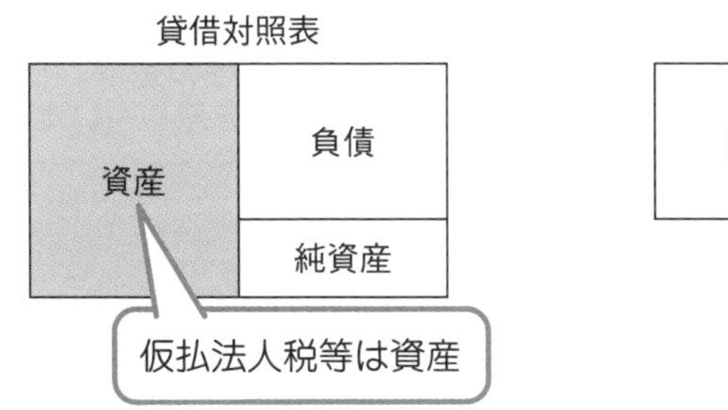

中間申告では、１年間に納めることになる税金の半分を見積もって納付するよ！

その後、決算を行って当期の利益が確定すると、それに基づいて当期の「法人税、住民税及び事業税」の金額が確定します。また、「法人税、住民税及び事業税」の一部は中間納付で納めているので「仮払法人税等」（資産）を減らし、後日納めなければならない残りの金額を「**未払法人税等**」（負債）で仕訳します。

【決算時】

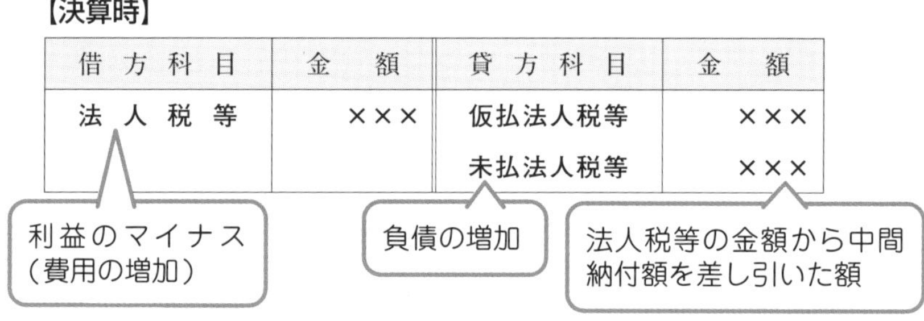

借方科目	金額	貸方科目	金額
法人税等	×××	仮払法人税等	×××
		未払法人税等	×××

後日、確定申告時に残りの「法人税、住民税及び事業税」をおさめます。その時に「未払法人税等」（負債）を減らします。

【確定申告時】

借方科目	金額	貸方科目	金額
未払法人税等	×××	現金預金など	×××

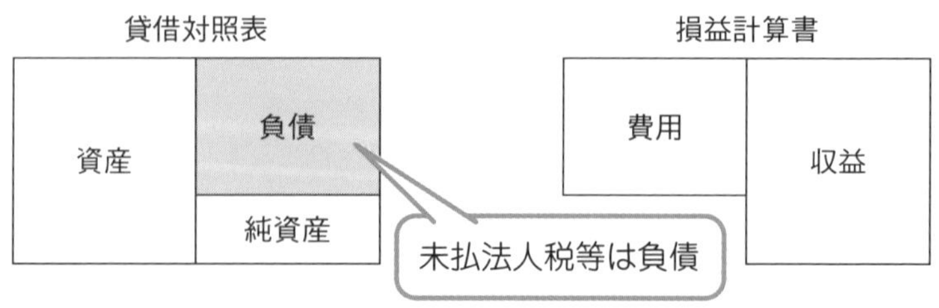

☆　仕訳をしてみよう！

問題　×1年11月25日に中間申告を行い、法人税等2,000円を小切手を振出して納付した。

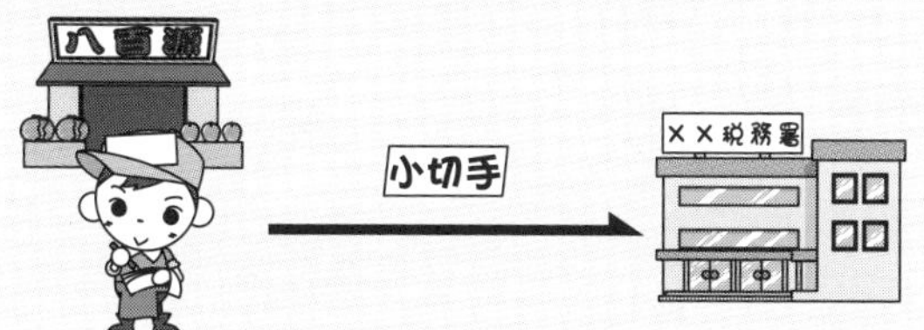

【解答】

借方科目	金額	貸方科目	金額
仮払法人税等	2,000	当座預金	2,000

【考え方】

中間申告を行い、納付した

⇒「仮払法人税等」（資産）の増加

第6章
税金

さっくり 3日目
しっかり 4日目
じっくり 6日目

☆　仕訳をしてみよう！

問題　【例6－7】の後、×1年度（×1年4月1日～×2年3月31日）の決算で、法人税等4,200円が計上された。

【解答】

借方科目	金額	貸方科目	金額
法人税、住民税及び事業税	4,200	仮払法人税等	2,000
		未払法人税等	2,200

【考え方】

①　決算で法人税等が計上された
　⇒「法人税、住民税及び事業税」（利益のマイナス）の計上
　　「仮払法人税等」（資産）の減少

②　決算で法人税等が計上された
　＝確定申告で法人税、住民税及び事業税を納める義務が発生
　⇒「未払法人税等」（負債）の増加

③　未払法人税等2,200円：法人税等4,200円－仮払法人税等2,000円

☆　仕訳をしてみよう！

問題　【例６－８】の後、×２年５月25日に確定申告を行い、中間申告額を差し引いた残額を小切手を振出して納付した。

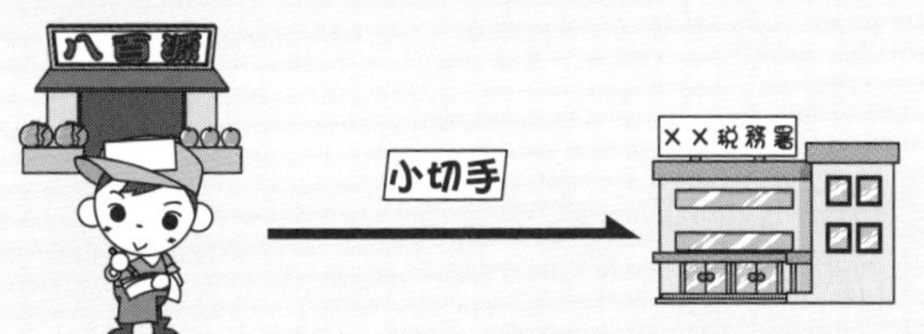

【解答】

借　方　科　目	金　額	貸　方　科　目	金　額
未払法人税等	2,200	当　座　預　金	2,200

【考え方】

確定申告を行い、納付した
＝確定申告で法人税、住民税及び事業税を納める義務が消滅
⇒「未払法人税等」（負債）の減少

第６章
税金

じっくり6日目

確認テスト

問題

次の取引の仕訳をしなさい。なお、①～④は一連の取引と考えること。

① ×1年度の期中に商品7,000円を仕入れ、消費税10%とともに現金で支払った。
② ×1年度の期中に商品10,000円を売上げ、消費税10%とともに現金で受け取った。
③ ×1年度の決算をむかえ、消費税の未払分を計上する。
④ 消費税の未払分を現金により納付した。

（単位：円）

	借方科目	金額	貸方科目	金額
①				
②				
③				
④				

解答

（単位：円）

	借方科目	金額	貸方科目	金額
①	仕入	7,000	現金	7,700
	仮払消費税	700		
②	現金	11,000	売上	10,000
			仮受消費税	1,000
③	仮受消費税	1,000	仮払消費税	700
			未払消費税	300
④	未払消費税	300	現金	300

解説

①−1　消費税とともに現金で支払った

⇒「**仮払消費税**」（資産）の増加

①−2　消費税10%分

＝商品7,000円×消費税10%＝700円

②−1　消費税とともに現金で受け取った

⇒「**仮受消費税**」（負債）の増加

②−2　消費税10%分

＝商品10,000円×消費税10%＝1,000円

③－1　消費税の未払分を計上する

＝ 支払った消費税700円の仮払分を減少

⇒ 「**仮払消費税**」（資産）の減少

③－2　消費税の未払分を計上する

＝ 受け取った消費税1,000円の仮受分を減少

⇒ 「**仮受消費税**」（負債）の減少

③－3　消費税の未払分を計上する

＝「受け取った消費税1,000円－支払った消費税700円

＝ 300円」を納付する義務が発生

⇒ 「**未払消費税**」（負債）の増加

④　消費税を納付した

⇒ 「**未払消費税**」（負債）の減少

第7章 その他の取引

学習進度目安

さっくり 7日間	しっかり 10日間	じっくり 15日間
3日目	5日目	7日目

◉第7章で学習すること

① 有形固定資産の取得

② 有形固定資産の修理

③ 消耗品費と通信費

④ 差入保証金

⑤ 法定福利費

⑥ 記入漏れ・訂正仕訳

1 有形固定資産の取得

イントロダクション

会社は、商品として販売するための資産を買ってくることもありますが、会社の事務などで使用する資産を買う場合もあります。同じ資産でも、購入する目的によって使用する勘定科目や会計処理が異なるようです。

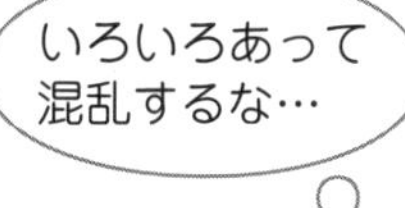

1 商売のために長く使っていく資産

商品を保管しておくための棚、会社の事務で使うパソコン、会社の駐車場にするための土地、商品をお客さんのところまで配達するためのトラックなど、売るための商品ではなく、商売のために長く使っていくもので、形のあるものは、資産の中でも特に「**有形固定資産**（ゆうけいこていしさん）」というグループに分類します。

「有形固定資産」の勘定科目の一例

例えば、以下のような勘定科目が使われます。

倉庫→「**建物**」

事務机→「**備品**」

トラック→「**車両**」または「**車両運搬具**」

有形固定資産

2 有形固定資産を買う!

有形固定資産を買うときに手数料、引取運賃、登記手数料（土地などを買ったときに行う法律上の手続きにかかる料金）などがかかることがあります。このとき、有形固定資産そのものの値段を「**購入代価**」、購入代価に手数料などをプラスした値段を「**取得原価**」といいます。有形固定資産を手に入れるためには手数料なども含めた金額が必要であると考えて、帳簿には**取得原価**で記入します。

商品の仕入れの場合は仕入原価ともいいます！

重要 有形固定資産の取得原価

有形固定資産の取得原価…購入代価＋手数料など

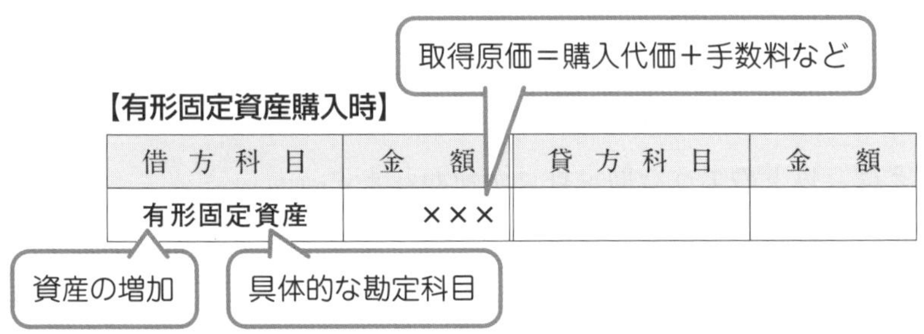
【有形固定資産購入時】

借方科目	金　額	貸方科目	金　額
有形固定資産	×××		

貸借対照表

資産	負債
	純資産

有形固定資産は資産

損益計算書

費用	収益

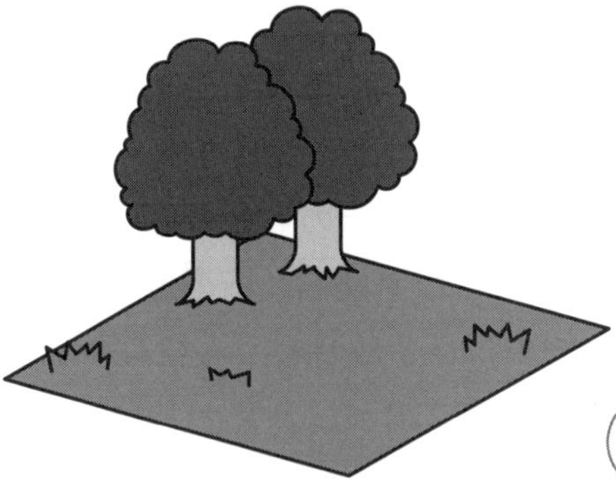

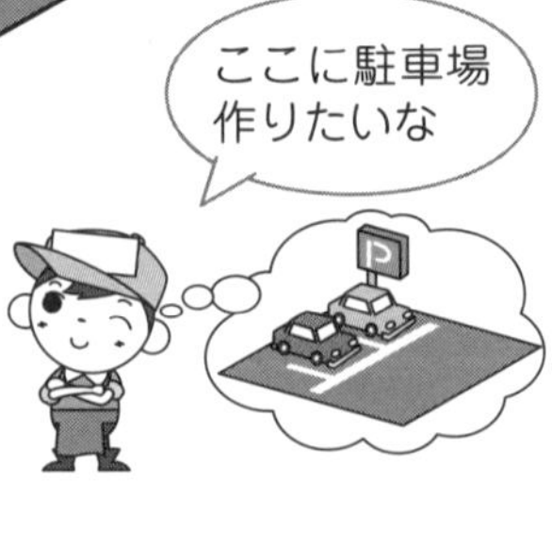

ここに駐車場
作りたいな

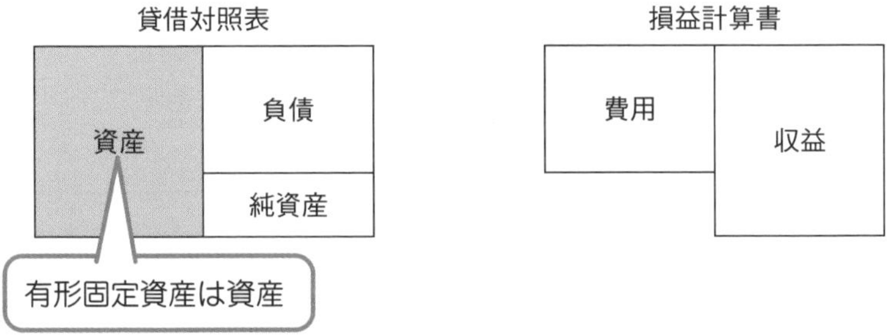

☆　仕訳をしてみよう！

問題　八百源は、横浜商会から倉庫5,000円を購入し、代金は手数料100円とともに現金で支払った。

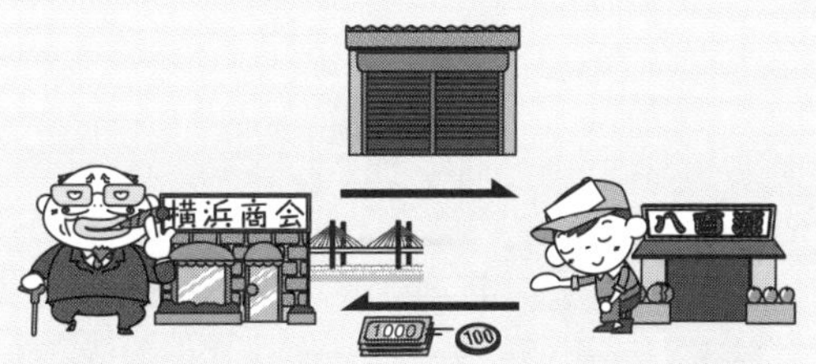

【解答】

借方科目	金額	貸方科目	金額
建物	5,100	現金	5,100

取得原価

【考え方】

① 倉庫を購入した ＝ 倉庫の勘定科目は「建物」
⇒ 建物（資産）の増加

② 取得原価 ＝ 購入代価5,000円＋手数料100円 ＝ 5,100円

第7章　その他の取引

さっくり 3日目
しっかり 5日目
じっくり 7日目

☆　仕訳をしてみよう！

例7－2

問題　八百源は、横浜商会から事務机900円を購入し、代金は小切手を振出して支払った。なお、引取運賃100円は現金で支払った。

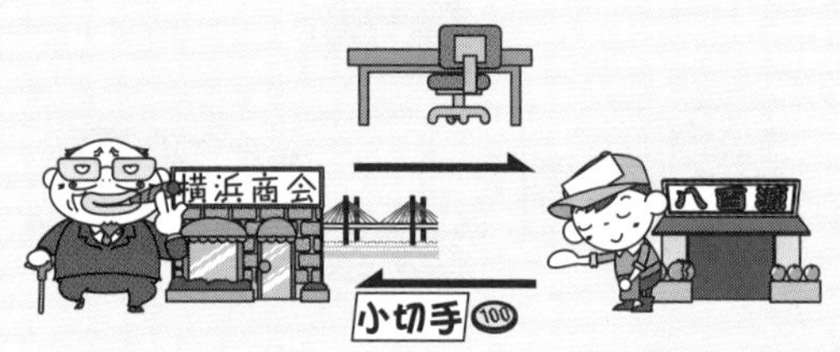

【解答】

借方科目	金額	貸方科目	金額
備品	1,000	当座預金	900
		現金	100

取得原価

【考え方】

① 事務机を購入した＝事務机の勘定科目は「備品」
⇒備品（資産）の増加

② 取得原価＝購入代価900円＋手数料100円＝1,000円

③ 小切手の振り出し⇒当座預金（資産）の減少
現金の支払い⇒現金（資産）の減少

2 有形固定資産の修理

イントロダクション

会社の建物や備品が古くなった場合、それらの有形固定資産を修理することもあります。源さんは、修理する時はいつも「修繕費」という費用で処理すればいいと考えていましたが、必ずしもそうではないようです。

第7章 その他の取引

1 建物などを修理するときは

建物や備品などの有形固定資産を修理する場合、修理に係るお金は会社の費用と考えます。そのため、修理をしたときには「**修繕費**(しゅうぜんひ)」(費用)を増加させます。

さっくり 3日目
しっかり 5日目
じっくり 7日目

【有形固定資産などの修理時】

借方科目	金　額	貸方科目	金　額
修　繕　費	×××	現金など	×××

費用の増加　　修理代

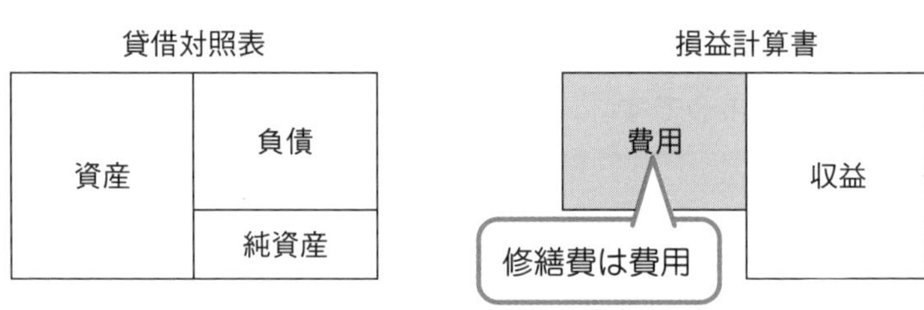

☆　仕訳をしてみよう！

問題　建物の修繕を行い、代金7,000円は現金で支払った。

【解答】

借方科目	金額	貸方科目	金額
修繕費	7,000	現金	7,000

【考え方】

①　建物の修繕を行った
　⇒「修繕費」（費用）の増加

②　現金で支払った
　⇒「現金」（資産）の減少

第7章 その他の取引

さっくり3日目 しっかり5日目 じっくり7日目

2 資本的支出&収益的支出とは…

建物などの有形固定資産を修理したり改装したりする場合、固定資産の価値をより高める改良のための支出を「**資本的支出**」、固定資産の現状を維持するための支出を「**収益的支出**」といいます。例えば、一般的に２階建ての建物を３階建てにしたり、エレベーターを設置したりするための支出は「**資本的支出**」にあたります。一方、単に壁の汚れを落とすための支出は「**収益的支出**」にあたります。

資本的支出の部分は「建物」などの資産を増加させますが、収益的支出の部分は「修繕費」（費用）の増加として処理します。

【資本的支出部分】

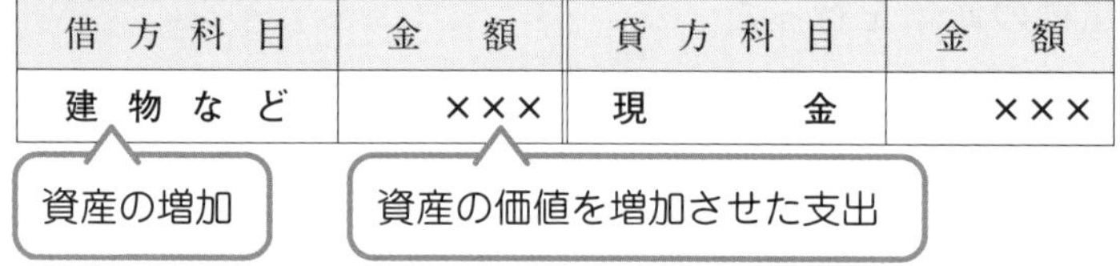

借方科目	金額	貸方科目	金額
建物など	×××	現金	×××

【収益的支出部分】

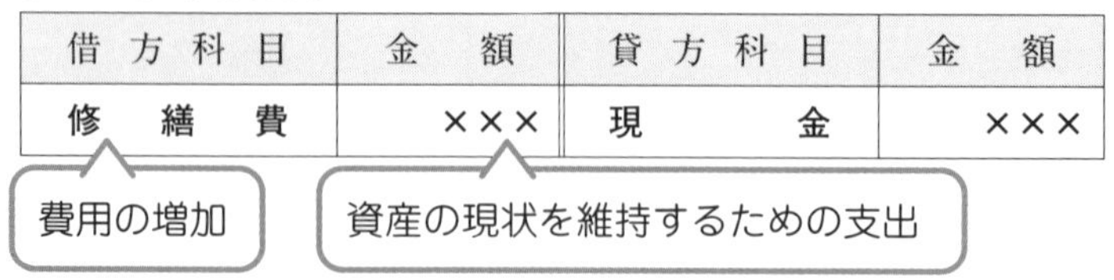

借方科目	金額	貸方科目	金額
修繕費	×××	現金	×××

通常の問題では、建物などの修繕を実施し、その支出を資本的支出と収益的支出に分けるので、以下のような仕訳になります。

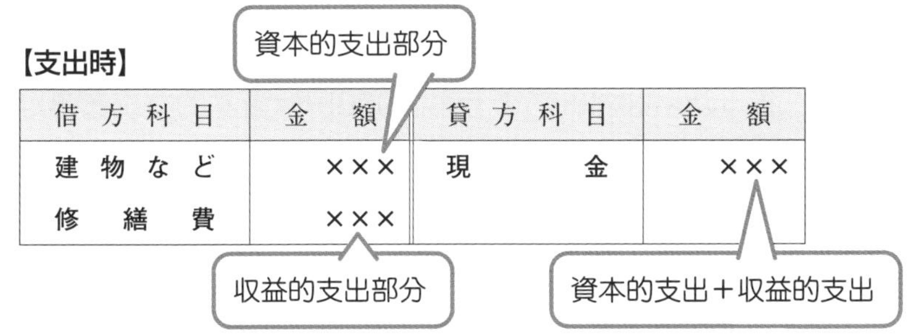

【支出時】

借方科目	金額	貸方科目	金額
建物など	×××	現金	×××
修繕費	×××		

コトバ

資本的支出：固定資産の価値をより高める改良のための支出
収益的支出：固定資産の現状を維持するための修繕支出

☆　仕訳をしてみよう！

問題　建物の修繕を行い、代金4,000円を小切手を振出して支払った。なお、このうち3,000円は資本的支出とみなされた。

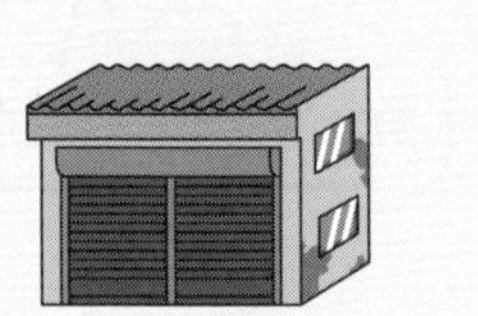

【解答】

借方科目	金額	貸方科目	金額
建物	3,000	当座預金	4,000
修繕費	1,000		

【考え方】

①　3,000円は資本的支出とみなされた
　＝3,000円分は建物の価値増加のための支出
　⇒「建物」（資産）の増加

②　3,000円は資本的支出とみなされた
　＝4,000円－3,000円＝1,000円は収益的支出
　＝1,000円分は建物の価値を維持するための支出
　⇒「修繕費」（費用）の増加

修繕費と保守費は異なるの??

「修繕費」と似たような勘定科目に「**保守費**（ほしゅひ）」という費用を表す勘定科目があります。修繕費は、資産を修繕することにより資産が修復されるような場合に使用します。一方、保守費は資産の保守サービスにかかった費用を示します。ただ、保守費は2級の試験範囲になりますので、今の段階では修繕費とは異なるということだけ知っていれば十分でしょう。

3 消耗品費と通信費

イントロダクション

ボールペンやコピー用紙のように、日々の事務で使用する細かなものを購入することがあります。このようなときは、消耗品を購入したと考えますが、資産が増えたとは考えません。費用が増えたと考えます。

買ってきた分￥500

1 文房具などを買ったときは…

ボールペンやコピー用紙などのように、金額がそれほど高くなく、すぐに使ってしまうような事務用品のことを「**消耗品**（しょうもうひん）」といいます。ボールペンやコピー用紙などを購入した時に、会社の費用が増加したと考え、「**消耗品費**（しょうもうひんひ）」（費用）の増加として仕訳します。

【消耗品購入時】

借方科目	金額	貸方科目	金額
消耗品費	×××	現金など	×××

費用の増加　　購入金額

貸借対照表

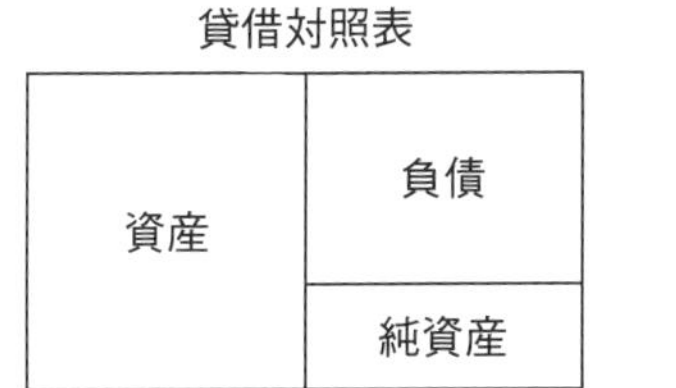

損益計算書

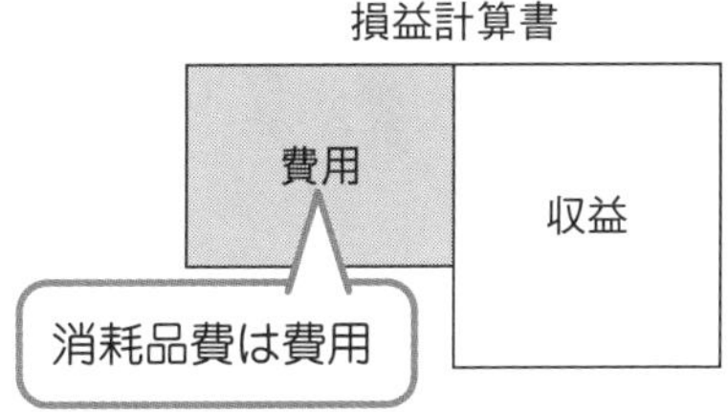

消耗品：会社の事務などで使用する少額の物品

例7－5

問題　ポールペン800円を購入し、代金は現金で支払った。

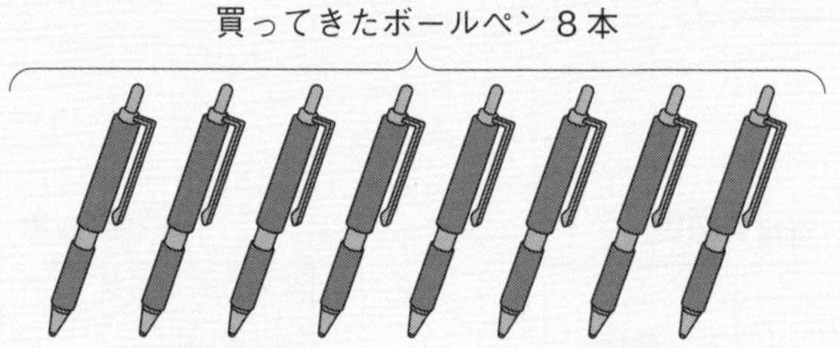

【解答】

借方科目	金額	貸方科目	金額
消耗品費	800	**現金**	800

【考え方】

消耗品を購入した = 会社の費用の増加

⇒ 消耗品費（費用）の増加

2 切手などを買ってきたときは…

郵便切手は会社の通信手段である郵便を利用する際に購入するため、郵便切手を購入したときに「**通信費**（つうしんひ）」（費用）の増加として仕訳します。

【郵便切手購入時】

借方科目	金額	貸方科目	金額
通信費	×××	**現金など**	×××

費用の増加　　購入金額

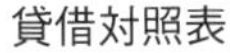

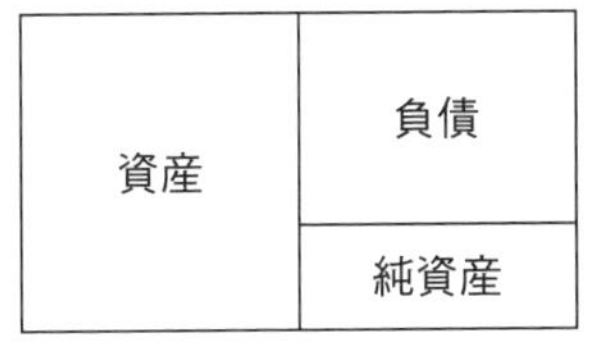

損益計算書

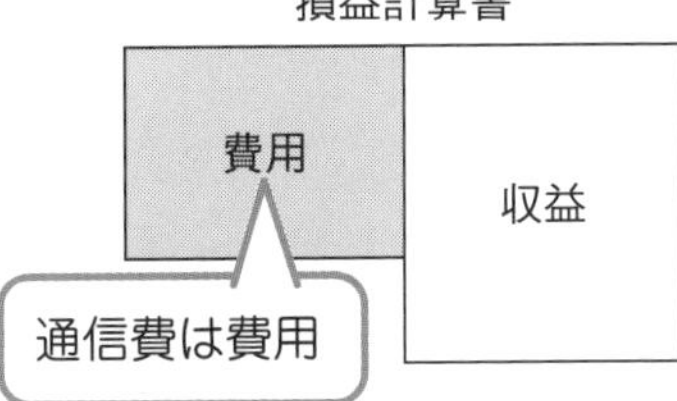

郵便切手の処理は決算で続きがあります！

収入印紙の処理と似ています！

例7－6

問題　郵便切手450円を購入し、代金は現金で支払った。

【解答】

借方科目	金額	貸方科目	金額
通信費	450	現金	450

【考え方】

郵便切手を購入した = 会社の費用の増加
⇒ 通信費（費用）の増加

4 差入保証金

イントロダクション

八百源は、経営を拡大するために新しい店舗を借りることにしました。しかし、店舗を借りるのは初めての源さん。家賃以外にも様々なお金がかかることに驚いています。
「敷金って何だ？？」

いろいろな費用がかかるんだなー

大変なんだよ

1 建物などを借りるときには…

会社は、お客さんに商品を販売するための店舗を借りる場合があります。そのとき、通常は「**敷金**」といって店舗を借りた会社が貸主に対して預けておく保証金を支払います。敷金は、契約の期間が終了し、店舗を貸主に返す時に、貸主から借主に返還されます。しかし、店舗などに破損があり、店舗を修繕しないといけない場合は、その修繕費用は敷金から支払われるため、当該修繕費用を差し引いて借主に返還されます。

店舗などを借りるときに敷金を支払った場合、「**差入保証金**（さしいれほしょうきん）」（資産）の増加として仕訳します。

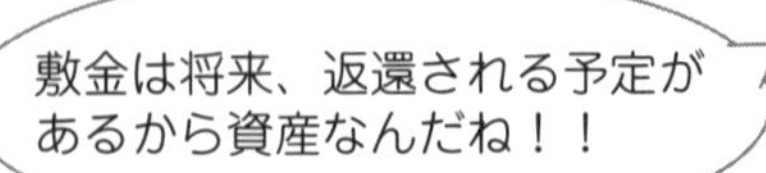

【敷金支払時】

借方科目	金　額	貸方科目	金　額
差入保証金	×××	現金など	×××

資産の増加

支払った敷金の金額

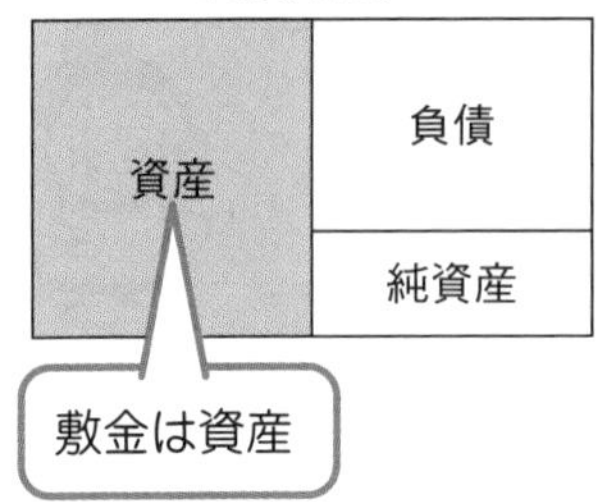

損益計算書

費用

収益

コトバ

敷金：建物などの借主が貸主に対して預けておく保証金であり、契約期間の終了時に返還されるお金

建物が壊れたりしたら、敷金を使って修繕するんだね！

家賃を滞納したりする場合も、敷金から支払われるよ！

また、通常は店舗等を借りるときには、①敷金の他に②不動産屋さんに対する手数料や③1ヵ月分の家賃を前払いして支払います。そのため、以下のような仕訳になります。

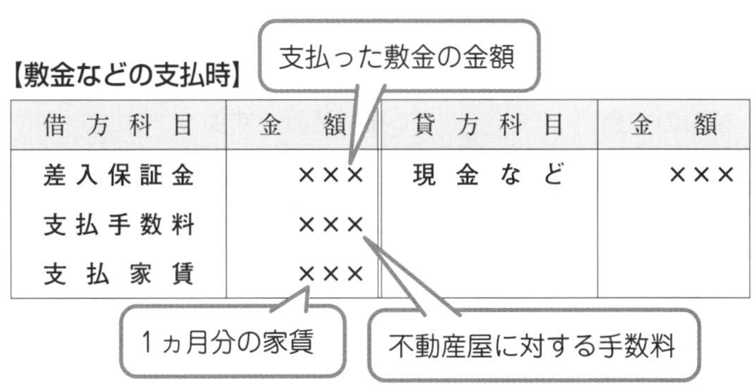

【敷金などの支払時】

借方科目	金額	貸方科目	金額
差入保証金	×××	現金など	×××
支払手数料	×××		
支払家賃	×××		

例7－7

問題　八百源が店舗を借りるにあたって、敷金40,000円、不動産屋への手数料4,000円、１ヵ月分の家賃8,000円を普通預金口座から振り込んだ。

【解答】

借方科目	金額	貸方科目	金額
差入保証金	40,000	普通預金	52,000
支払手数料	4,000		
支払家賃	8,000		

【考え方】

①　敷金を振り込んだ
　　⇒「差入保証金」（資産）の増加

②　不動産屋への手数料を振り込んだ
　　⇒「支払手数料」（費用）の増加

③　１ヵ月分の家賃を振り込んだ
　　⇒「支払家賃」（費用）の増加

④　普通預金口座から振り込んだ
　　⇒「普通預金」（資産）の減少

5 法定福利費

イントロダクション

会社が従業員に支払う給料や賞与には、健康保険や厚生年金の保険料がかかります。
保険料は、会社と従業員が半分ずつ負担しますが、会社がまとめて年金事務所に納付します。
会社が負担する分は、人件費として費用になります。
社会保険料を納めるときに着目して処理を確認してみましょう。

1 預かっていた社会保険料のお金を納める!

給料日に預かっていた社会保険料は、会社が後で従業員の代わりに年金事務所に納めます。これにより、預かったお金を後で支払う義務は消滅します。このとき、「**社会保険料預り金**」（負債）が減少します。

また、通常は従業員の社会保険料の一部を会社が負担します。例えば、本来従業員の支払うべき社会保険料が3,000円だとすると、その半分の1,500円を従業員の給料から差し引き、残りの1,500円は会社が支払ってあげることになります。

このように、会社が負担する社会保険料は会社にとっては人件費なので費用と考えます。これを「**法定福利費**」（費用）で表します。

「法定福利費」の代わりに
「社会保険料」（費用）を
使うこともあります

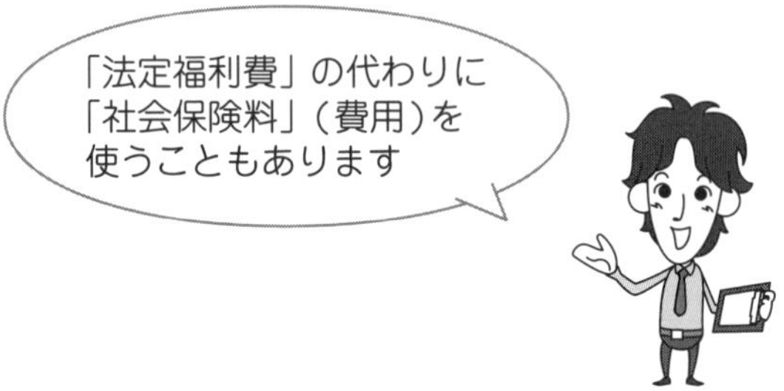

【社会保険料納付時】

借 方 科 目	金　額	貸 方 科 目	金　額
社会保険料預り金	×××	現　　金	×××
法 定 福 利 費	×××		

従業員負担分

会社負担分

負債の減少

費用の増加

支払う社会保険料の合計
（＝従業員負担分＋会社負担分）

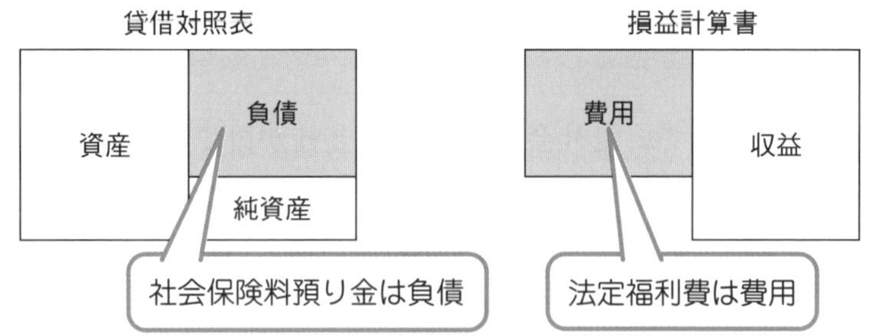

☆　仕訳をしてみよう！

問題　八百源は給料支給時に預かった社会保険料600円に、八百源負担分（会社負担分）600円を加えて普通預金口座から振り込んで納付した。

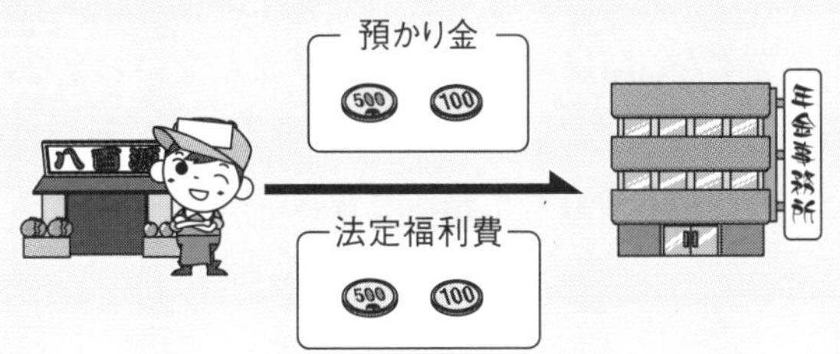

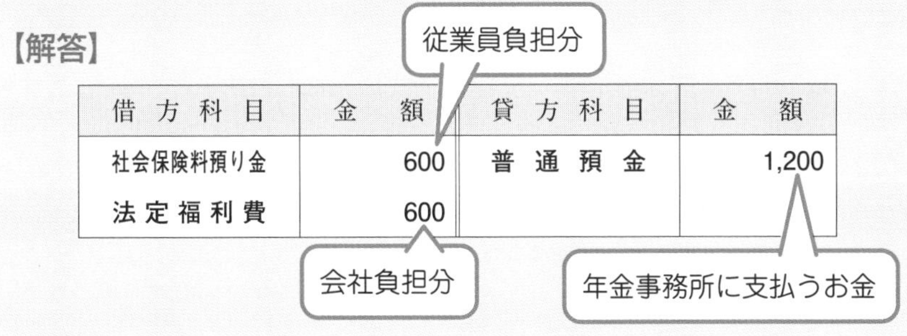

借方科目	金額	貸方科目	金額
社会保険料預り金	600	普通預金	1,200
法定福利費	600		

【考え方】

①　預かった社会保険料を納付した
　＝ 預かったお金を後で支払う義務は消滅
　⇒ 社会保険料預り金（負債）の減少

②　八百源負担分（会社負担分）を加えて振り込んで納付した
　＝ 八百源負担分（会社負担分）は人件費
　⇒ 法定福利費（費用）の増加

③　普通預金口座から振り込んだ
　⇒ 普通預金（資産）の減少

「預り金」の仕組み

会社の従業員が受けとる給料は、本来従業員自身が自分で納める所得税や社会保険料が控除されています。会社は、従業員の給料から差し引いた所得税や社会保険料を従業員の代わりに納付するのです。これにより、従業員が手取りとしてもらえる金額は少なくなりますが、結局納付しなければならないお金なので、会社に納めてもらった方が手間が省けますし、「払わなければ…」といった心の負担も少なくて済みます。

6 記入漏れ・訂正仕訳

イントロダクション

仕訳を間違えた八百源の経理担当者は、慌てて仕訳を消そうとしました。

源さん「間違えた仕訳は消さないでくれ！！」

経理担当者「でも、間違えちゃいましたよ！」

源さん「仕訳を消さずに訂正するんだよ！！」

1 帳簿に記入するのを忘れていたとき…

本来であれば、簿記上の取引があったその日に仕訳を記入するべきですが、忘れてしまうこともあります。このような場合は、仕訳をしていなかったことを後になって気が付いたときに仕訳をします。

2 帳簿の記入が間違っていたとき…

簿記上の取引があり、仕訳を記入したものの、後でその記入が間違っていたことに気付くこともあります。そのときは誤りを修正しなければなりません。

ただし、すでに書き込んでしまった仕訳を後から消しゴムで消すようなことはせず、別の仕訳を追加して書き込んで、結果的に最初から正しい仕訳を書き込んだのと同じ状態になるように工夫します。このような訂正のために追加して書き込む仕訳を「**訂正仕訳**（ていせいしわけ）」といいます。

訂正仕訳は、まず①誤った仕訳を反対仕訳で元に戻します。そして、次に②本来あるべき仕訳をします。この①と②の仕訳を同時におこなうことにより誤った仕訳が正しい仕訳に修正されます。

訂正仕訳

① 誤った仕訳の反対仕訳

② 本来あるべき正しい仕訳

③ ①＋②＝訂正仕訳

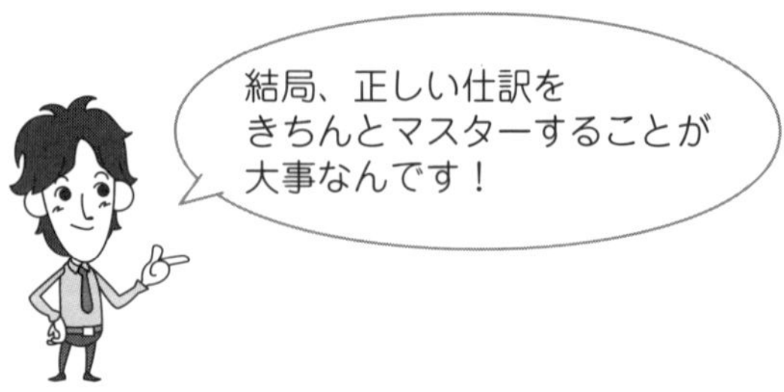

☆　訂正仕訳をしてみよう！

例7－9

問題　八百源は青森商会から商品2,000円を仕入れ、代金は現金で支払った。その際、誤って金額を200円として仕訳していた。

【解答】下の①と②の仕訳を合わせた仕訳（訂正仕訳）

借方科目	金額	貸方科目	金額
仕入	1,800	現金	1,800

【考え方】

誤った仕訳（もともと行われていた仕訳）

借方科目	金額	貸方科目	金額
仕入	200	現金	200

①　誤った仕訳の反対仕訳

借方科目	金額	貸方科目	金額
現金	200	仕入	200

②　本来あるべき正しい仕訳

借方科目	金額	貸方科目	金額
仕入	2,000	現金	2,000

①と②を合わせた仕訳が解答となります。

☆ 訂正仕訳をしてみよう！

例7－10

問題 八百源は東京商会に商品2,500円を売上げ、代金は掛けとした。その際、誤って借方と貸方を反対にして仕訳していた。

【解答】 下の①と②の仕訳を合わせた仕訳（訂正仕訳）

借方科目	金額	貸方科目	金額
売掛金	5,000	売上	5,000

【考え方】

誤った仕訳（もともと行われていた仕訳）

借方科目	金額	貸方科目	金額
売上	2,500	売掛金	2,500

① 誤った仕訳の反対仕訳

借方科目	金額	貸方科目	金額
売掛金	2,500	売上	2,500

② 本来あるべき正しい仕訳

借方科目	金額	貸方科目	金額
売掛金	2,500	売上	2,500

①と②を合わせた仕訳が解答となります。

確認テスト

問題

次の取引の仕訳をしなさい。

① 駐車場用の土地を1,000,000円で購入し、小切手を振出して支払った。なお、登記に関する費用150,000円を普通預金口座より振込んで支払った。

② 建物を改装し、代金は小切手300,000円を振出して支払った。なお、このうち50,000円は収益的支出と判断された。

③ 商品を保管するための倉庫を借りるに際して、敷金200,000円、賃料1ヵ月分100,000円を普通預金により振込んだ。なお、不動産屋への仲介手数料50,000円は、現金により支払った。

(単位：円)

	借方科目	金額	貸方科目	金額
①				
②				
③				

解答

（単位：円）

	借方科目	金額	貸方科目	金額
①	土地	1,150,000	当座預金	1,000,000
			普通預金	150,000
②	建物	250,000	当座預金	300,000
	修繕費	50,000		
③	差入保証金	200,000	普通預金	300,000
	支払家賃	100,000	現金	50,000
	支払手数料	50,000		

解説

①－1　土地を購入した
⇒土地（資産）の増加

①－2　取得原価
＝購入代価1,000,000円＋登記費用150,000円
＝1,150,000円

①－3　小切手の振り出し⇒当座預金（資産）の減少
普通預金口座より振込⇒普通預金（資産）の減少

②－1　50,000円は収益的支出とみなされた
＝ 50,000円分は建物の価値を維持するための支出
⇒「修繕費」（費用）の増加

②－2　50,000円は収益的支出とみなされた
⇒ 300,000円－50,000円 ＝ 250,000円は建物の価値増加のための支出
⇒「建物」（資産）の増加

③－1　敷金を振り込んだ
⇒「差入保証金」（資産）の増加

③－2　1ヵ月分の家賃を振り込んだ
⇒「支払家賃」（費用）の増加

③－3　不動産屋への仲介手数料を支払った
⇒「支払手数料」（費用）の増加

第8章 試算表

学習進度目安

さっくり 7日間	しっかり 10日間	じっくり 15日間
4日目	5日目	8日目

◉第8章で学習すること

① 試算表とは

② 試算表の作成

試算表は決算のときだけでなく、期中に月単位で作成することもあるよ

1 試算表とは

イントロダクション

1年間の取引が終了すると、1年間記帳してきた帳簿の金額をいったん集計することを教えてもらいました。色々な種類の集計表があるので、源さんはどのタイプの集計表を使うか模索しているようです…。
「それぞれのメリット、デメリットはあるのかな…」

1 試算表って何!?

ここまで取引があるたびに、その取引を仕訳帳に仕訳し、総勘定元帳に転記してきました。これを1年間繰り返し、集計がたまった総勘定元帳をもとに損益計算書と貸借対照表を作ることになります。しかし、正しい損益計算書と貸借対照表を作成するためには、総勘定元帳への転記が正しく行われていなければいけません。

そこで、総勘定元帳への転記が正しく行われているかを確かめるために「**試算表**」を作成します。試算表とは、総勘定元帳の各勘定の借方合計と貸方合計や各勘定の残高を一覧表にしたもので、試算表を作成することにより総勘定元帳への転記が正しくおこなわれているかを確かめることができます。

コトバ

試算表：総勘定元帳の各勘定の借方合計と貸方合計（または各勘定の残額）を一覧表にしたもの

また、試算表には、「**合計試算表**」、「**残高試算表**」、「**合計残高試算表**」の3種類があります。

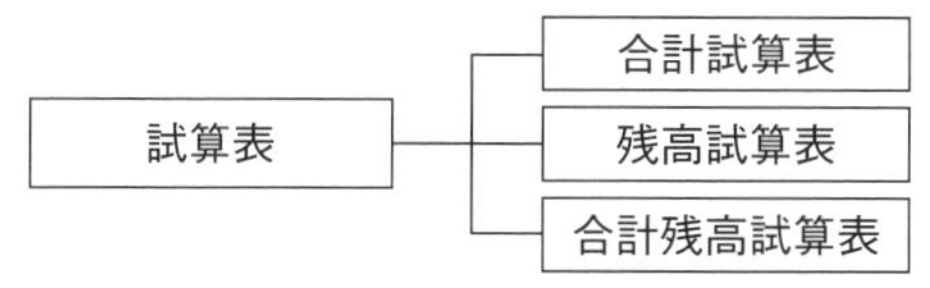

さっくり 4日目
しっかり 5日目
じっくり 8日目

2 試算表の作成

イントロダクション

ここでは、先に見た「合計試算表」、「残高試算表」、「合計残高試算表」の作成方法を学習します。仕訳や転記だけでなく集計も大事です。素早く、正確に試算表が作成できるようになりましょう。「面倒臭いなぁ～」

1 合計試算表って?

合計試算表には、勘定ごとに【借方に記入された金額の合計】と【貸方に記入された金額の合計】の両方を記載します。

例えば、次のような現金勘定の場合、借方に記入された金額の合計は1,000円＋2,000円＋3,000円＝6,000円になります。また、貸方に記入された金額の合計は1,500円です。これらを合計試算表の現金の欄に記載します。

現　　金
1,000
2,000
3,000
1,500
貸方合計＝1,500円
借方合計＝1,000円＋2,000円＋3,000円＝6,000円

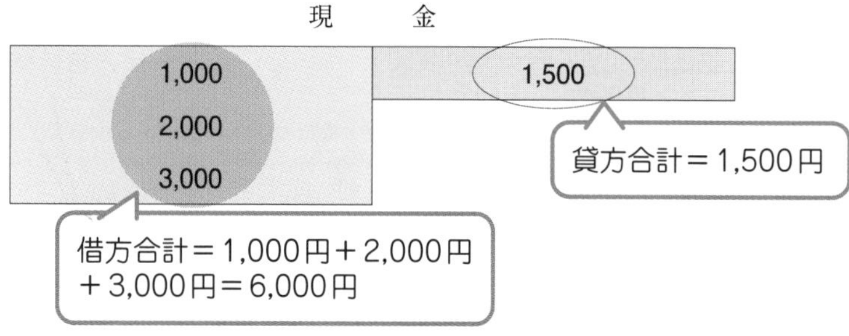

同じように、現金勘定以外の勘定についても、借方合計と貸方合計を記載していきます。

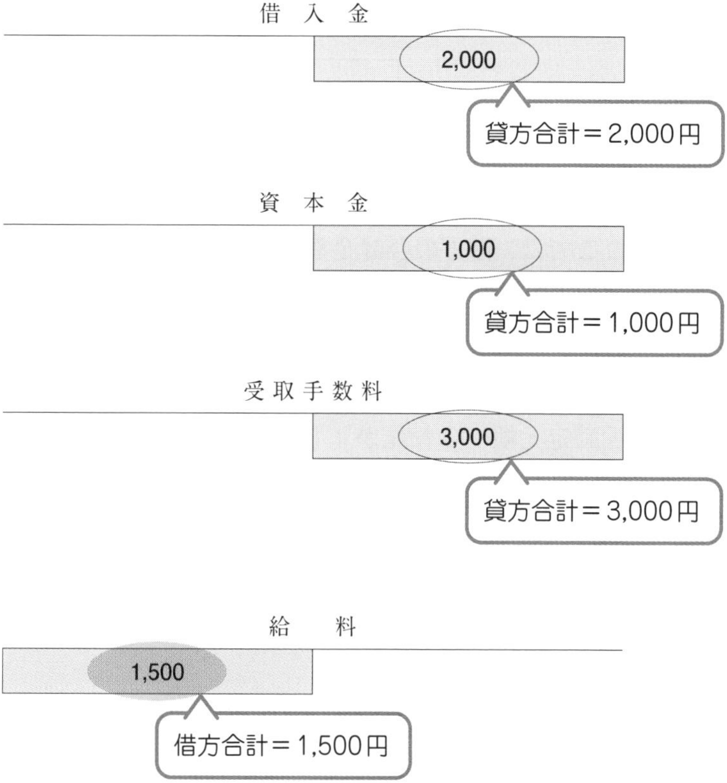

借 入 金
2,000
貸方合計＝2,000円
資 本 金
1,000
貸方合計＝1,000円
受取手数料
3,000
貸方合計＝3,000円
給　　料
1,500
借方合計＝1,500円

さっくり
4日目
しっかり
5日目
じっくり
8日目

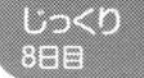

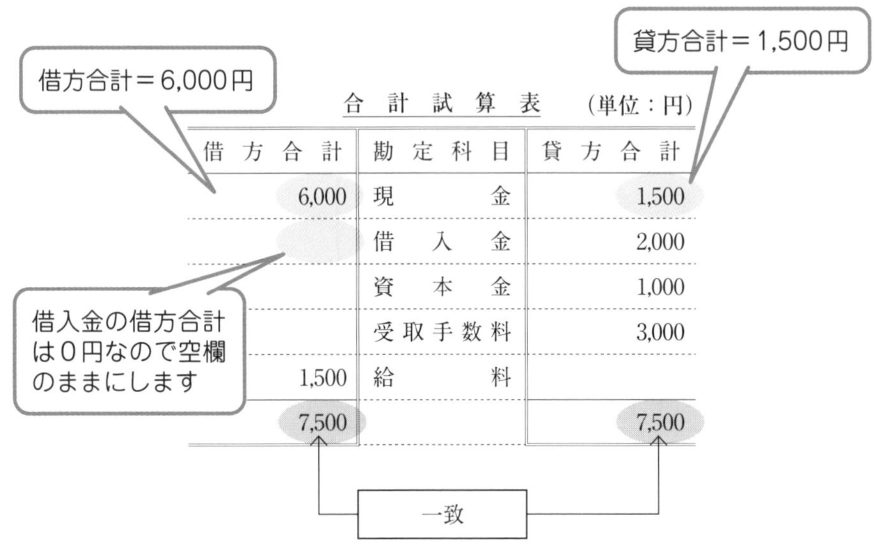

合　計　試　算　表　(単位：円)

借方合計	勘定科目	貸方合計
6,000	現　　金	1,500
	借 入 金	2,000
	資 本 金	1,000
	受取手数料	3,000
1,500	給　　料	
7,500		7,500

すると、合計試算表の借方の合計金額と貸方の合計金額は同じになります。ここでは、借方の合計金額は6,000円＋1,500円＝7,500円、貸方の合計金額も1,500円＋2,000円＋1,000円＋3,000円＝7,500円で同じになっています。

ここで借方合計と貸方合計が一致していることを確認することができたら、総勘定元帳への転記が正しく行われていることになります。

2 残高試算表って?

残高試算表には、勘定ごとに、【借方に記入された金額の合計】と【貸方に記入された金額の合計】の差額である残高を記載します。

例えば、先ほどの現金勘定の場合、借方合計は1,000円＋2,000円＋3,000円＝6,000円、貸方合計は1,500円なので、借方合計6,000円－貸方合計1,500円より借方合計の方が4,500円大きいことがわかります。つまり、現金勘定の残高は4,500円です。また、借方合計の方が大きいので、借方残高4,500円ともいいます。これを残高試算表の現金の借方の欄に記載します。

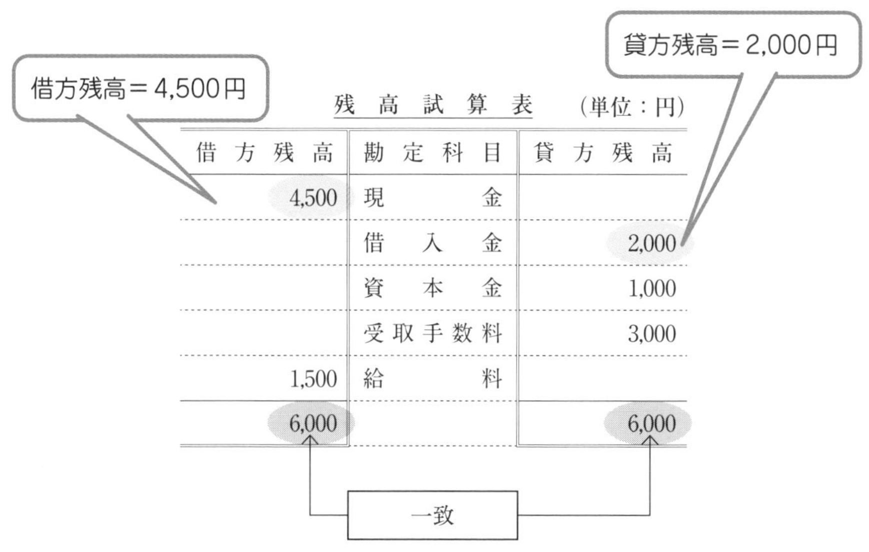

残　高　試　算　表　(単位：円)

借方残高	勘定科目	貸方残高
4,500	現　　金	
	借 入 金	2,000
	資 本 金	1,000
	受取手数料	3,000
1,500	給　　料	
6,000		6,000

同じように、現金勘定以外の勘定についても残高を記載していきます。すると、残高試算表の借方と貸方の合計金額は同じになります。ここでは、借方の合計金額が4,500円＋1,500円＝6,000円、貸方の合計金額も2,000円＋1,000円＋3,000円＝6,000円で同じになっています。

残高試算表についても、残高合計が一致していることを確認することができたら、総勘定元帳への転記が正しく行われていることになります。

3 合計残高試算表って?

合計残高試算表は、借方合計と貸方合計と残高を並べて記載します。つまり、合計試算表と残高試算表を両方作り、一つの表にまとめたものが合計残高試算表です。

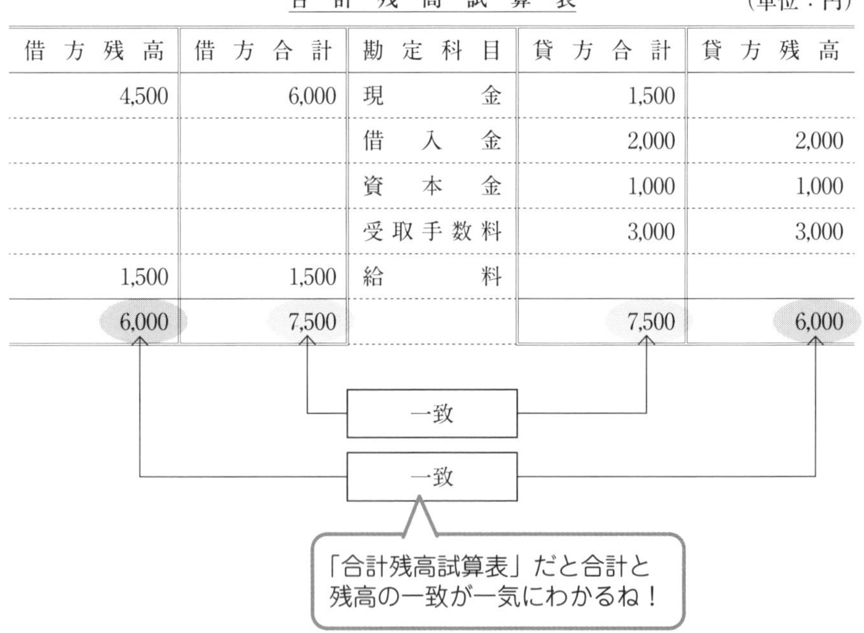

合 計 残 高 試 算 表　(単位：円)

借方残高	借方合計	勘定科目	貸方合計	貸方残高
4,500	6,000	現金	1,500	
		借入金	2,000	2,000
		資本金	1,000	1,000
		受取手数料	3,000	3,000
1,500	1,500	給料		
6,000	7,500		7,500	6,000

4 掛明細表って?

試算表だけでなく、「**掛明細表**（かけめいさいひょう）」を作成することもあります。

試算表を見て、買掛金勘定・売掛金勘定の残高を確かめれば、その時点でいくらの買掛金・売掛金があるのか分かります。しかし、それがどの仕入先・得意先に対するものなのか、内訳は分かりません。掛明細表には、会社ごとの残高を記載します。

すべての得意先に対する売掛金の増加額	すべての得意先に対する売掛金の減少額
	借方残高

どのお客さんに対する売掛金かわからない

試算表は決算のときだけでなく、期中に月単位で作成することもあるよ

掛明細表を作成するには、取引相手ごとに集計すればいいんだ！

☆　試算表と掛明細表を完成させよう！

例8－1

問題　×年12月中の取引は次のとおりである。解答用紙の（　　　）に適切な金額を記入し、試算表と掛明細表を完成させなさい。

(1)　現金1,300円を当座預金口座へ預け入れた。
(2)　現金1,100円を当座預金口座から引き出した。
(3)　商品1,200円を仕入れ、代金は現金で支払った。
(4)　商品1,700円を売上げ、代金は現金で受け取った。
(5)　商品1,800円を仕入れ、代金は小切手を振出して支払った。
(6)　青森商会から商品1,500円、群馬商会から商品1,400円を仕入れ、代金は掛けとした。
(7)　東京商会に商品2,100円、京都商会に商品1,900円を売上げ、代金は掛けとした。
(8)　青森商会に対する買掛金1,000円の決済のため、小切手を振出した。
(9)　東京商会に対する売掛金1,400円の回収として、東京商会振出の約束手形を受け取った。

【解答】

試算表　(単位：円)

12月31日の借方残高	11月30日の借方合計	勘定科目	11月30日の貸方合計	12月31日の貸方残高
(1,600)	2,500	現金	1,200	
(1,800)	5,800	当座預金	1,400	
(2,600)	1,200	受取手形		
(3,300)	5,600	売掛金	4,900	
	2,100	買掛金	3,000	(2,800)
		資本金	5,000	(5,000)
		売上	4,200	(9,900)
(8,400)	2,500	仕入		
(17,700)	19,700		19,700	(17,700)

売掛金明細表

	11月30日	12月31日
東京商会	300	(1,000)
京都商会	400	(2,300)
	700	(3,300)

買掛金明細表

	11月30日	12月31日
青森商会	600	(1,100)
群馬商会	300	(1,700)
	900	(2,800)

【考え方】

(1)〜(9)の仕訳をし、各勘定に転記します。

(1)

(借) 当座預金	1,300	(貸) 現金	1,300

(2)

(借) 現金	1,100	(貸) 当座預金	1,100

(3)

(借) 仕入	1,200	(貸) 現金	1,200

(4)

（借）	現金	1,700	（貸）	売上	1,700

(5)

（借）	仕入	1,800	（貸）	当座預金	1,800

(6)

（借）	仕入	1,500	（貸）	買掛金（青森）	1,500
（借）	仕入	1,400	（貸）	買掛金（群馬）	1,400

青森商会に対する買掛金が1,500円、群馬商会に対する買掛金が1,400円増加しています。

(7)

（借）	売掛金（東京）	2,100	（貸）	売上	2,100
（借）	売掛金（京都）	1,900	（貸）	売上	1,900

東京商会に対する売掛金が2,100円、京都商会に対する売掛金が1,900円増加しています。

(8)

（借）	買掛金（青森）	1,000	（貸）	当座預金	1,000

青森商会に対する買掛金が1,000円減少しています。

(9)

（借）	受取手形	1,400	（貸）	売掛金（東京）	1,400

東京商会に対する売掛金が1,400円減少しています。

売掛金や買掛金の明細表も作るから、仕訳するときにどの取引先に対する売掛金や買掛金なのかをメモしておかないとね

現　金

2,500	1,200

解答用紙から、11月30日時点の現金勘定の借方合計は2,500円、貸方合計は1,200円とわかります。ここに、上記12月中の仕訳を転記します。

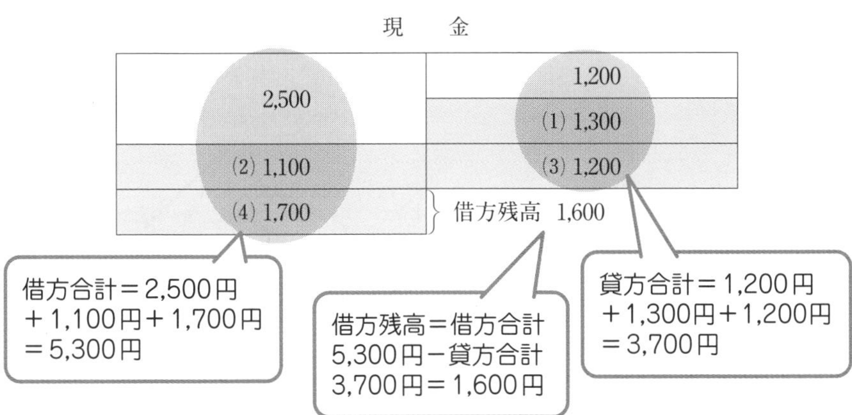

その他の勘定も、現金勘定同様に、解答用紙から11月30日時点の借方合計と貸方合計を読み取り、そこに(1)～(9)の仕訳を転記します。

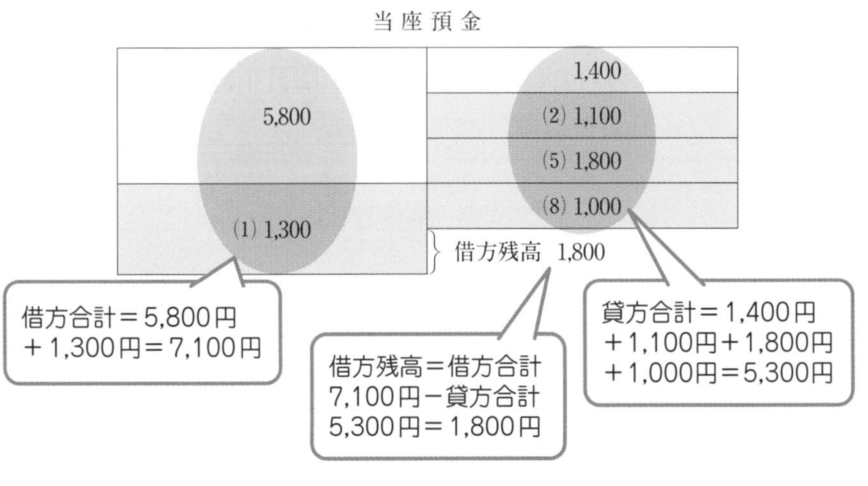

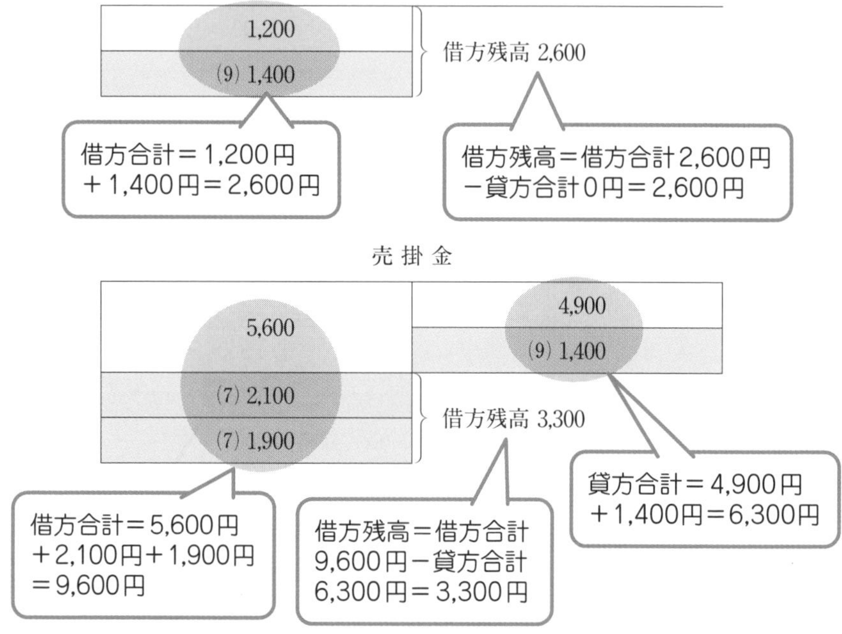

また、同時に売掛金明細表の金額も計算します。解答用紙から、11月30日時点の東京商会に対する売掛金は300円、京都商会に対する売掛金は400円であることがわかります。東京商会に対する売掛金は12月中に2,100円増加し1,400円減少しているため12月31日時点では1,000円です。また、京都商会に対する売掛金は12月中に1,900円増加しているため、12月31日時点では2,300円です。

売掛金明細表は…

売掛金勘定の残高から12月31日時点で売掛金が3,300円であることはわかります。ただ、その内訳はわかりません。売掛金明細表を見ると、このうち1,000円が東京商会に対するもので、2,300円が京都商会に対するものだとわかります。

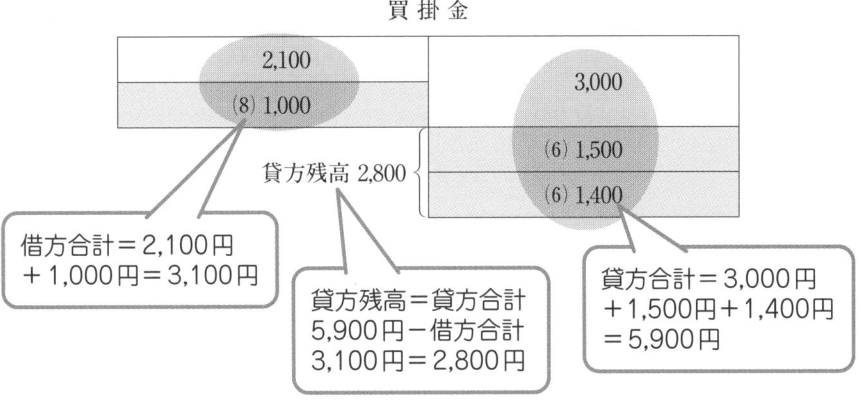

また、同時に買掛金明細表の金額も計算します。解答用紙から、11月30日時点の青森商会に対する買掛金は600円、群馬商会に対する買掛金は300円であることがわかります。青森商会に対する買掛金は12月中に1,500円増加し、1,000円減少しているため、12月31日時点では1,100円です。また、群馬商会に対する買掛金は12月中に1,400円増加しているため、12月31日時点では1,700円です。

買掛金明細表は…

買掛金勘定の残高から12月31日時点で買掛金が2,800円であることはわかります。ただ、その内訳はわかりません。買掛金明細表を見ると、このうち1,100円が青森商会に対するもので、1,700円が群馬商会に対するものだとわかります。

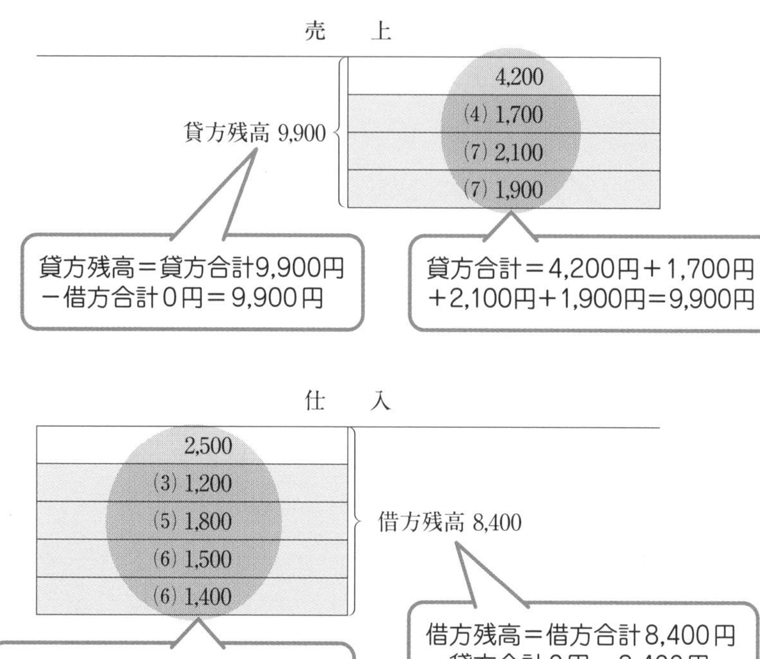

ワンポイント

「いちいち下書きでＴ勘定を書いてから集計していると時間がかかっちゃうよ」

「そうね。だから、Ｔ勘定を書かずに、仕訳を見ながら電卓で集計していけば効率的よ」

「なるほど～。ミスしないように注意しないと…」

☆　試算表を完成させよう！

例8－2

問題　【例8－1】の×１年12月中の取引に基づいて、解答用紙の（　　　）に適切な金額を記入し、試算表を完成させなさい。

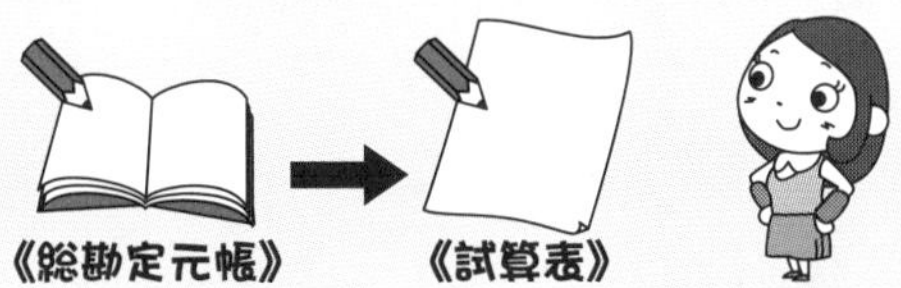

【解答】

試　算　表　(単位：円)

12月31日の合計	12月中の取引高	11月30日の合計	勘定科目	11月30日の合計	12月中の取引高	12月31日の合計
(5,300)	(2,800)	2,500	現　金	1,200	(2,500)	(3,700)
(7,100)	(1,300)	5,800	当座預金	1,400	(3,900)	(5,300)
(2,600)	(1,400)	1,200	受取手形			
(9,600)	(4,000)	5,600	売掛金	4,900	(1,400)	(6,300)
(3,100)	(1,000)	2,100	買掛金	3,000	(2,900)	(5,900)
			資本金	5,000		(5,000)
			売　上	4,200	(5,700)	(9,900)
(8,400)	(5,900)	2,500	仕　入			
(36,100)	(16,400)	19,700		19,700	(16,400)	(36,100)

12月中の借方に関する取引金額だけを集計します

12月中の貸方に関する取引金額だけを集計します

【考え方】

まず、仕訳をしますが、この問題では掛明細表を作成しないので、売掛金と買掛金の仕訳をするときに商会名をメモする必要はありません。ここでは【例８－１】の仕訳を見ながら集計していきましょう。

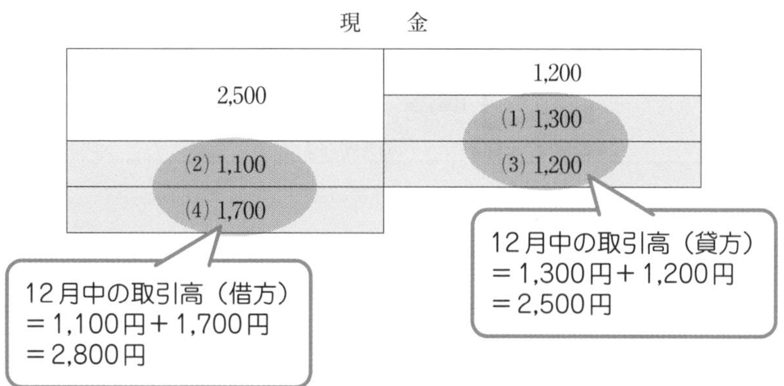

同様にその他の勘定も、解答用紙から11月30日時点の借方合計と貸方合計を読み取り、(1)～(9)の仕訳を転記して集計します。

☆　試算表を完成させよう！

例8－3

問題　×年12月中の取引は次のとおりである。解答用紙の（　　　　）に適切な金額を記入し、試算表を完成させなさい。

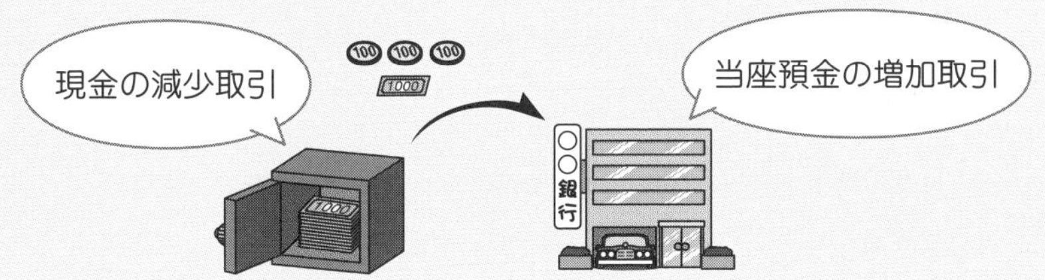

(1)　現金の増減に関する取引

ア　現金1,300円を当座預金口座へ預け入れた。

イ　現金1,100円を当座預金口座から引き出した。

ウ　商品1,200円を仕入れ、代金は現金で支払った。

エ　商品1,700円を売上げ、代金は現金で受け取った。

(2)　当座預金の増減に関する取引

ア　現金1,300円を当座預金口座へ預け入れた。

イ　現金1,100円を当座預金口座から引き出した。

ウ　商品1,800円を仕入れ、代金は小切手を振出して支払った。

エ　買掛金1,000円の決済のため、小切手を振出した。

(3)　商品の仕入に関する取引

ア　商品1,200円を仕入れ、代金は現金で支払った。

イ　商品1,800円を仕入れ、代金は小切手を振出して支払った。

ウ　商品2,900円を仕入れ、代金は掛けとした。

(4)　商品の売上に関する取引

ア　商品1,700円を売上げ、代金は現金で受け取った。

イ　商品4,000円を売上げ、代金は掛けとした。

(5) その他の取引

ア　売掛金1,400円の回収として、得意先振出の約束手形を受け取った。

【解答】

試　算　表　　(単位：円)

12月31日の借方残高	11月30日の借方合計	勘定科目	11月30日の貸方合計	12月31日の貸方残高
(1,600)	2,500	現金	1,200	
(1,800)	5,800	当座預金	1,400	
(2,600)	1,200	受取手形		
(3,300)	5,600	売掛金	4,900	
	2,100	買掛金	3,000	(2,800)
		資本金	5,000	(5,000)
		売上	4,200	(9,900)
(8,400)	2,500	仕入		
(17,700)	19,700		19,700	(17,700)

【考え方】

このような問題において、(1)〜(5)の取引をすべて仕訳すると、１つの取引を２回仕訳してしまう場合があります。例えば、現金を当座預金口座に預入れたという取引は、現金が減少する取引であるため(1)のアとして仕訳されますが、同時に、当座預金が増加する取引でもあるため(2)のアとしても仕訳されているのです。そのため、同じ仕訳が２つあった場合は、一方を取り消して片方だけを残し、残った仕訳だけを各勘定に転記します。

この問題のように、取引の種類ごとに問題が列挙されている場合は、二重の仕訳に注意しないといけないね

(1) 現金の増減に関する取引

ア

(借)	当座預金	1,300	(貸)	現金	1,300

イ

(借)	現金	1,100	(貸)	当座預金	1,100

ウ

(借)	仕入	1,200	(貸)	現金	1,200

エ

(借)	現金	1,700	(貸)	売上	1,700

(2) 当座預金の増減に関する取引

ア

~~(借)~~	~~当座預金~~	~~1,300~~	~~(貸)~~	~~現金~~	~~1,300~~

(1)のアと同じ取引であるため取り消します。

イ

~~(借)~~	~~現金~~	~~1,100~~	~~(貸)~~	~~当座預金~~	~~1,100~~

(1)のイと同じ取引であるため取り消します。

ウ

(借)	仕入	1,800	(貸)	当座預金	1,800

エ

(借)	買掛金	1,000	(貸)	当座預金	1,000

(3) 商品の仕入に関する取引

ア

~~(借)~~	~~仕入~~	~~1,200~~	~~(貸)~~	~~現金~~	~~1,200~~

(1)のウと同じ取引であるため取り消します。

イ

~~(借)~~	~~仕入~~	~~1,800~~	~~(貸)~~	~~当座預金~~	~~1,800~~

(2)のウと同じ取引であるため取り消します。

ウ

(借)	仕　　入	2,900	(貸)	買　掛　金	2,900

(4)　商品の売上に関する取引

ア

~~(借)~~	~~現　　金~~	~~1,700~~	~~(貸)~~	~~売　　上~~	~~1,700~~

(1)のエと同じ取引であるため取り消します。

イ

(借)	売　掛　金	4,000	(貸)	売　　上	4,000

(5)　その他の取引

ア

(借)	受　取　手　形	1,400	(貸)	売　掛　金	1,400

確認テスト

問題

次の【3月中の取引】にもとづいて、残高試算表を作成しなさい。

【3月中の取引】
3月3日：商品12,000円を仕入れ、代金は掛けとした
3月8日：商品20,000円を売上げ、得意先振出しの小切手を受取り、ただちに当座預金へ預け入れた。
3月16日：売掛金の決済代金6,000円を現金で受け取った。
3月23日：買掛金の決済代金4,500円を小切手を振出して支払った。
3月30日：従業員の給料8,000円を普通預金口座より振込んだ。

試算表　　　(単位：円)

3月31日の借方残高	2月28日の借方合計	勘定科目	2月28日の貸方合計	3月31日の貸方残高
	73,300	現金	12,000	
	98,000	当座預金	57,000	
	120,000	普通預金	31,000	
	149,000	売掛金	79,000	
	107,700	買掛金	155,000	
		資本金	170,000	
		売上	326,000	
	201,000	仕入		
	81,000	給料		
	830,000		830,000	

解答

試算表　(単位：円)

3月31日の借方残高	2月28日の借方合計	勘定科目	2月28日の貸方合計	3月31日の貸方残高
67,300	73,300	現金	12,000	
56,500	98,000	当座預金	57,000	
81,000	120,000	普通預金	31,000	
64,000	149,000	売掛金	79,000	
	107,700	買掛金	155,000	54,800
		資本金	170,000	170,000
		売上	326,000	346,000
213,000	201,000	仕入		
89,000	81,000	給料		
570,800	830,000		830,000	570,800

解説

(1) 各取引の仕訳

① 3月3日

(借) 仕入	12,000	(貸) 買掛金	12,000

② 3月8日

(借) 当座預金	20,000	(貸) 売上	20,000

③ 3月16日

(借) 現金	6,000	(貸) 売掛金	6,000

④　3月23日

(借) 買掛金	4,500	(貸) 当座預金	4,500

⑤　3月30日

(借) 給料	8,000	(貸) 普通預金	8,000

(2)　各勘定の残高

①　現　　金：借方合計73,300円＋(1)③6,000円
　　　　　　－貸方合計12,000円 ＝ 67,300円（借方残高）

②　当座預金：借方合計98,000円＋(1)②20,000円－(1)④4,500円
　　　　　　－貸方合計57,000円 ＝ 56,500円（借方残高）

③　普通預金：借方合計120,000円－(1)⑤8,000円
　　　　　　－貸方合計31,000円 ＝ 81,000円（借方残高）

④　売 掛 金：借方合計149,000円－(1)③6,000円
　　　　　　－貸方合計79,000円 ＝ 64,000（借方残高）

⑤　買 掛 金：貸方合計155,000円＋(1)①12,000円－(1)④4,500円
　　　　　　－借方合計107,700円 ＝ 54,800円（貸方残高）

⑥　資 本 金：貸方合計170,000円 ＝ 170,000円（貸方残高）

⑦　売　　上：貸方合計326,000円＋(1)②20,000円
　　　　　　＝ 346,000円（貸方残高）

⑧　仕　　入：借方合計201,000円＋(1)①12,000円
　　　　　　＝ 213,000円（借方残高）

⑨　給　　料：借方合計81,000円＋(1)⑤8,000円
　　　　　　＝ 89,000円（借方残高）

第9章 決算整理Ⅰ

学習進度目安

さっくり 7日間	しっかり 10日間	じっくり 15日間
4日目	6日目	9日目

◉第9章で学習すること

① 決算とは

② 決算整理と棚卸表

③ 収入印紙と郵便切手

④ 当座借越

⑤ 現金過不足の決算整理

1 決算とは

イントロダクション

会社を始めて1年経った源さんは、区切りがいいので1年間の八百源の成績をまとめることにしました。ただ、成績表をつくるのは大変ということをきいていたので、社長源さんと成績表を作成する経理の担当者は入念に下調べを始めました。

1 決算って!?

期首から期末まで、簿記上の取引があるたびに帳簿に記録をとっていき、ちょうど1年間がたって期末を迎えたところで「**決算**(けっさん)」という手続きを行います。期末は決算を行う日になるので、「**決算日**(けっさんび)」とも呼ばれます。

コトバ

決算：期末に1年間の成績をまとめるための一連の手続き
決算日：期末においての決算の手続きを行う日

2 決算手続きの流れは…？

まず1年間書きためてきた総勘定元帳の記録をもとにして、「**決算整理前残高試算表**」という表を作ります。

次に「**決算整理**」と呼ばれる手続きを行います。決算整理では、仕訳帳に「**決算整理仕訳**」と呼ばれる仕訳を記入し、その仕訳を総勘定元帳に転記します。決算整理が終わったあとの総勘定元帳の記録をもとにして「**決算整理後残高試算表**」という表を作ります。

その後「**帳簿の締切り**」を行い、次期からまた再び帳簿に記録をとっていくための準備を整えます。

そして、最後に「**貸借対照表**」と「**損益計算書**」を作ります。

重要 **決算手続きの流れ**

(1)	決算整理前残高試算表の作成
	↓
(2)	決　算　整　理
	↓
(3)	決算整理後残高試算表の作成
	↓
(4)	帳　簿　の　締　切　り
	↓
(5)	損益計算書・貸借対照表の作成

2 決算整理と棚卸表

イントロダクション

決算になると、1年間の帳簿の金額を集計し、集計した金額を、会社の成績を示すのにふさわしい金額に修正します。
日商簿記３級では、この修正に絡んだ問題が必ず出題されます。
今まで以上に重要性が高くなる分野なので、一つ一つ丁寧に確認するように心掛けてください。

1 決算整理をしよう!!

期末をむかえ、総勘定元帳の各勘定の残高を集計した「決算整理前残高試算表」を作成しました。

この決算整理前残高試算表の金額は、期末時点で会社にどれだけ資産や負債があるのか、あるいは１年間でどれだけの収益や費用が発生したのかを示します。しかし、これらの金額の中には、会社の成績を示すものとしてふさわしくない金額もあるため、「**決算整理仕訳**」を行って、各勘定の残高が適切な金額になるように修正します。

2 決算整理事項をまとめよう!!

決算整理が必要な事がらを「**決算整理事項**（けっさんせいりじこう）」といいます。日商簿記３級では、次の８つの決算整理事項について学習します。

① 収入印紙と郵便切手
② 当座借越
③ 現金過不足
④ 商品
⑤ 貸倒引当金
⑥ 費用の前払い・収益の前受け
⑦ 費用の未払い・収益の未収
⑧ 減価償却
⑨ 消費税
⑩ 法人税等

消費税と法人税等の決算の処理はすでに学習したね！

また、期末に会社が行わなければならない決算整理事項を一覧にした表を「**棚卸表**（たなおろしひょう）」といいます。

コトバ
決算整理事項：会社の成績としてふさわしい金額になるように、修正しなければいけない事項
決算整理仕訳：決算整理で行う仕訳
棚卸表：決算整理事項を一覧にした表

3 収入印紙と郵便切手

イントロダクション

決算までに使い切らなかった収入印紙や郵便切手は、会社で翌期まで保管され、近い将来使用されることになります。そのため、期中で処理した「租税公課」や「通信費」のままでは、処理が完結したとは言えません。
「余った分は決算で調整が必要なんだ…」

1 収入印紙や郵便切手が残ったら…

収入印紙や郵便切手を期中に購入した場合、租税公課や通信費といった費用を増やしましたが、購入した収入印紙や郵便切手を決算までに全て使用するとは限りません。もし、決算時に収入印紙や郵便切手が残っていたときは、残っている収入印紙や郵便切手を「**貯蔵品**（ちょぞうひん）」（資産）に移す処理をします。また、「貯蔵品」とは、速やかな使用が予定される資産を表す勘定科目です。

使用せずに残っている収入印紙や郵便切手は会社の資産として考えられるため、決算において、残っている収入印紙や郵便切手の金額だけ「貯蔵品」（資産）を増やし、その分だけ期中に仕訳した「租税公課」（費用）や「通信費」（費用）を減らします。これにより、租税公課勘定や通信費勘定から貯蔵品勘定へ残っている分を移すことができます。このように、ある勘定から別の勘定へ金額を移すことを振替えるといいます。

【決算時（収入印紙が残っていた場合）】

借方科目	金額	貸方科目	金額
貯蔵品	×××	租税公課	×××

資産の増加
期末に残っている分の金額
費用の減少

【決算時（郵便切手が残っていた場合）】

借方科目	金額	貸方科目	金額
貯蔵品	×××	通信費	×××

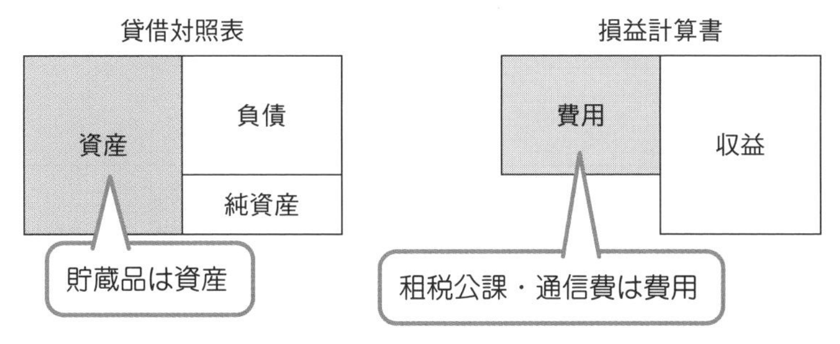

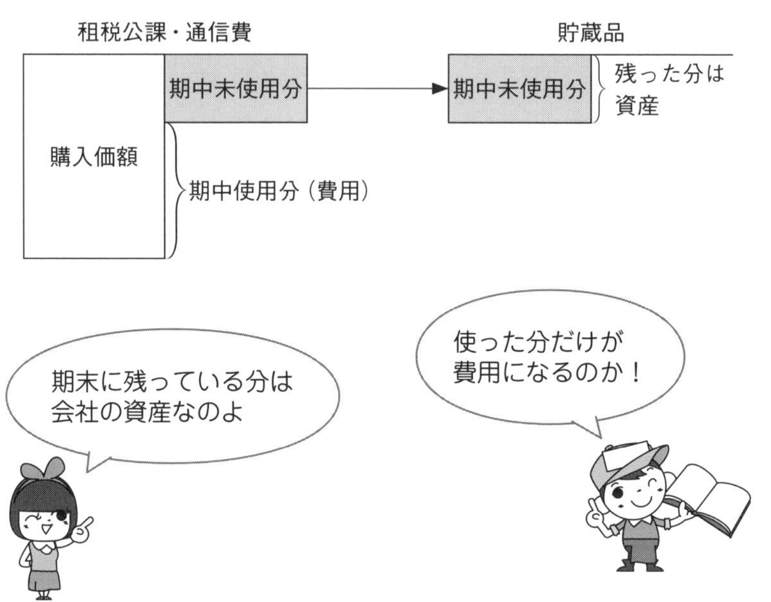

また、翌期には収入印紙や郵便切手を使用する予定なので、翌期の期首に決算整理仕訳の反対仕訳を行って、租税公課（費用）や通信費（費用）を元に戻します。これにより、再び費用が増加します。このような翌期の期首に行う反対仕訳のことを「**再振替仕訳**（さいふりかえしわけ）」といいます。

【翌期首（再振替仕訳）】

借方科目	金額	貸方科目	金額
租税公課・通信費	×××	貯蔵品	×××

費用の減少の取消　　資産の減少

コトバ
振り替える：ある勘定から別の勘定へ金額を移すこと
再振替仕訳：翌期の期首に行う、決算で行われた仕訳の反対仕訳

☆　決算整理仕訳をしてみよう！

問題　期中に800円分の収入印紙を購入したが、決算になりそのうち200円分の収入印紙が未使用であることが判明した。

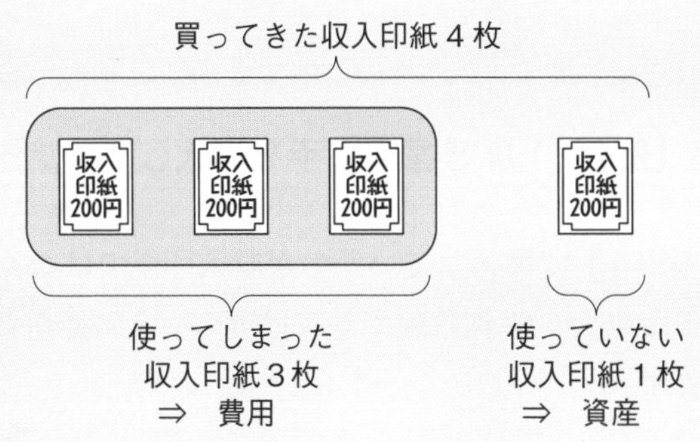

【解答（決算整理仕訳）】

借方科目	金額	貸方科目	金額
貯蔵品	200	租税公課	200

【考え方】

①　200円分の収入印紙が未使用であった
　＝残った分は当期の費用ではない
　⇒租税公課（費用）の減少

②　200円分の収入印紙が未使用であった
　＝200円分の収入印紙は資産
　⇒貯蔵品（資産）の増加

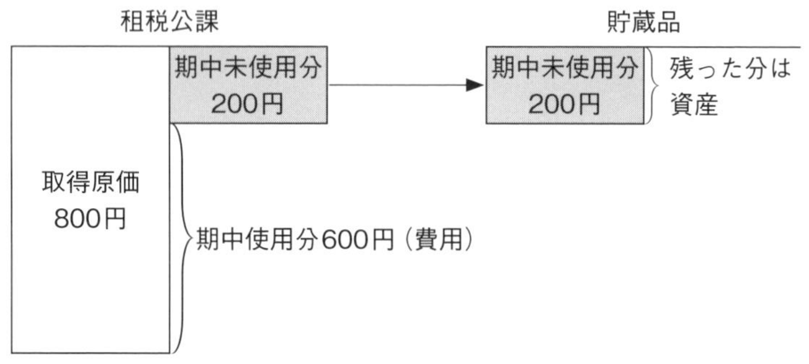

【例9−1】で郵便切手を購入していたら…

もし、【例９－１】で購入していたのが収入印紙ではなくて、郵便切手であった場合、決算整理では、以下のように通信費（費用）を減らします。

借方科目	金額	貸方科目	金額
貯蔵品	200	通信費	200

☆　再振替仕訳をしてみよう！

問題　【例9－1】のあと、翌期の期首をむかえた。

【解答（再振替仕訳）】

借方科目	金額	貸方科目	金額
租税公課	200	貯蔵品	200

【考え方】

翌期の期首をむかえた
＝ 再振替仕訳
⇒ 前期末の反対仕訳
⇒ 貯蔵品（資産）の減少・租税公課（費用）の増加

4 当座借越

イントロダクション

銀行に立替えてもらったお金を「当座借越」と言いましたが、実は、八百源も以前に銀行にお金を立替えてもらっていました。
源さん「当座借越はすぐに返済したいな…」
従業員「最近、売上げが悪いから中々返済できませんね。」
源さん「決算前には何とか返済したいんだよな。」

1 銀行からの借金を返さずに決算になりました…

当座預金口座の残高が足りない場合でも、銀行と当座借越契約を結んでおけば、足りない分を一時的に銀行が立替えてくれました。立替えてもらった分のお金は当然返さなければいけませんが、決算までにお金を返すことができない場合もあります。

そこで、決算までにお金を返すことができなかった場合は、貸借対照表に銀行からの借金があることを示すために、決算整理仕訳で「当座預金」の貸方残高分を「**当座借越**」(負債)に振替えます。これにより、「当座預金」(資産)の残高はゼロになり、「当座借越」が銀行からの借金を表すようになります。

【決算時(「当座預金」が貸方残高であった場合)】

借方科目	金額	貸方科目	金額
当座預金	×××	**当座借越**	×××

資産の減少の取消し　　負債の増加　　「当座預金」の貸方残高

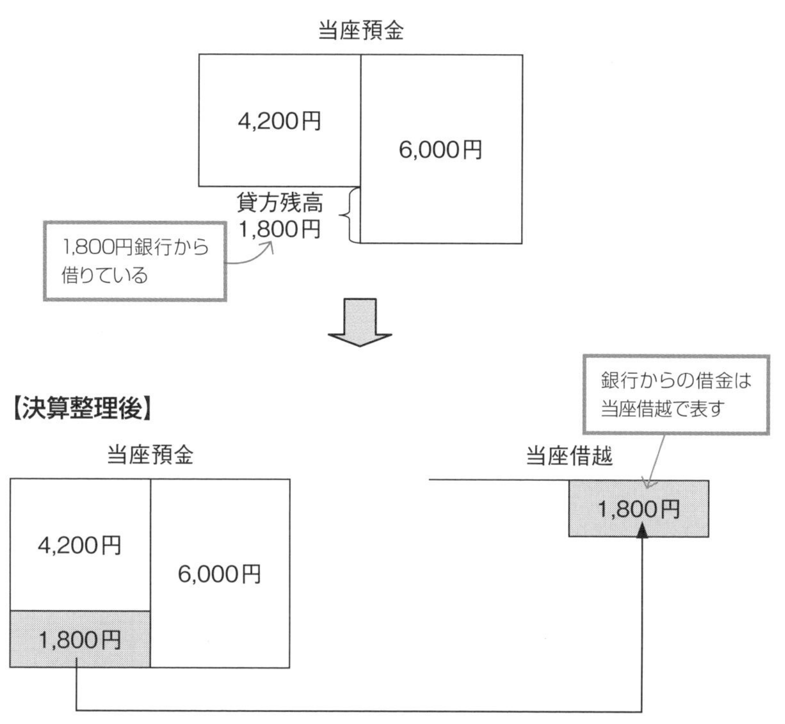

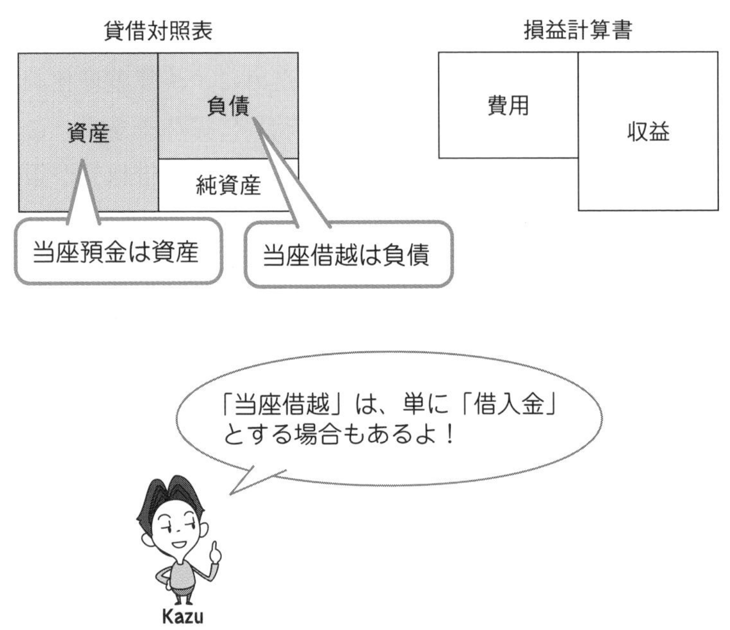

また、当座借越も収入印紙や郵便切手と同じように、翌期の期首に「再振替仕訳」を行います。これにより、翌期は再び当座預金の貸方残高からスタートさせることができます。

【再振替仕訳後】

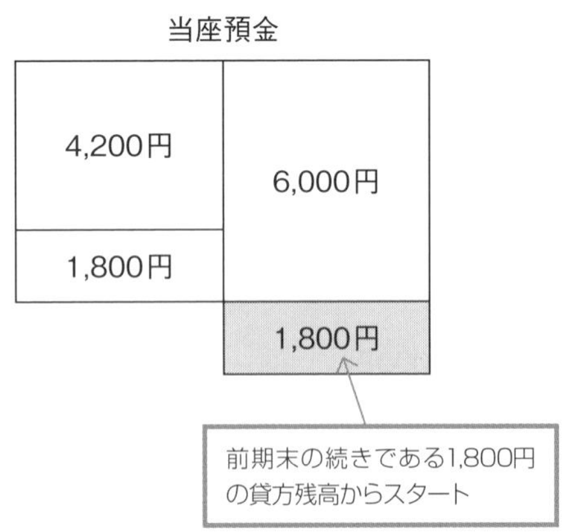

☆　決算整理仕訳をしてみよう！

問題　期中に行った当座借越により、当座預金勘定が2,000円の貸方残高になったまま決算をむかえた。

【解答（決算時）】

借方科目	金　額	貸方科目	金　額
当座預金	2,000	当座借越	2,000

【考え方】

① 当座預金勘定が2,000円の貸方残高になったまま決算をむかえた
　＝ 当座預金（資産）の貸方残高をゼロにする
　⇒ 当座預金（資産）の減少の取消し

② 当座預金勘定が2,000円の貸方残高になったまま決算をむかえた
　＝ 銀行から2,000円の借金をしている
　⇒ 当座借越（負債）の増加

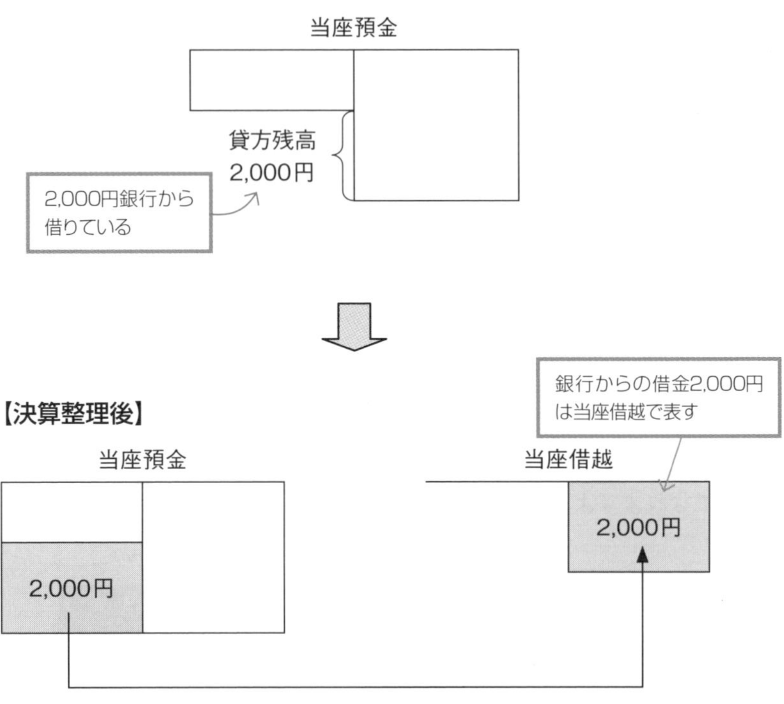
【決算整理前】
当座預金
貸方残高
2,000円
2,000円銀行から
借りている
【決算整理後】
銀行からの借金2,000円
は当座借越で表す
当座預金
当座借越
2,000円
2,000円

決算整理仕訳をすると、
当座預金勘定の残高は
ゼロになります！

☆　再振替仕訳をしてみよう！

問題　【例９－３】のあと、翌期の期首をむかえた。

【解答（再振替仕訳）】

借方科目	金額	貸方科目	金額
当座借越	2,000	当座預金	2,000

【考え方】

翌期の期首をむかえた
＝ 再振替仕訳
⇒ 前期末の反対仕訳
⇒ 当座預金（資産）の減少・当座借越（負債）の減少

5 現金過不足の決算整理

イントロダクション

以前、帳簿に記録してある金額よりも、実際の金庫のお金の方が少なかったことがありました。源さんは、その原因をずっと調査していましたが、期末になってもわかりませんでした。
「これ以上調べてもしょうがない。お金が減っていたんだから損したことにしよう…」

1 記録(帳簿)よりも実際のほうが多かったのに、期末までズレの原因が分からなかった

期中に現金の実際有高と帳簿残高がズレていることに気づいたときは、現金の帳簿残高を実際有高と同じになるようにし、ズレの原因が分からない場合には「**現金過不足**」という勘定を使っておきました。その後、原因が完全に分かれば現金過不足勘定の残高はゼロになります。しかし、期末になっても原因が分からない場合には、それより先の調査はあきらめます。そこで、決算整理を行って、現金過不足勘定の残高をゼロにし、期中に帳簿よりも実際の方が多かった分は「**雑益**」という収益で表します。

【ズレの原因が分からなかったとき（帳簿よりも実際の方が多かった場合）】

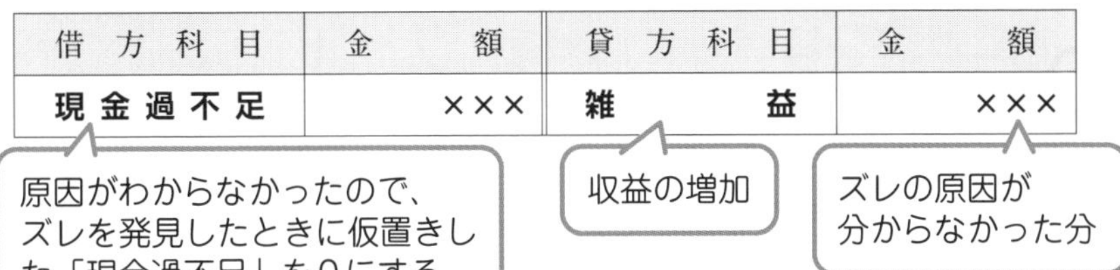

借方科目	金額	貸方科目	金額
現金過不足	×××	**雑益**	×××

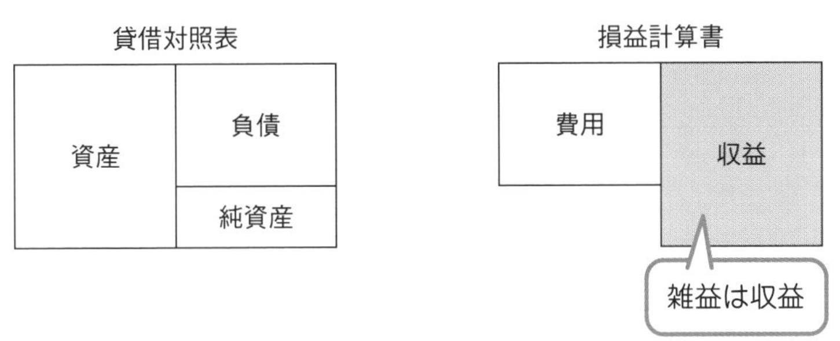

☆　仕訳をしてみよう！

例９－５（例３－２と同じ）

問題　期中において、現金勘定の残高が4,500円であるのに対し、実際有高は4,900円であったため、原因を調査することにした。

【解答（例３－２と同じ）】

借方科目	金額	貸方科目	金額
現　　金	400	現金過不足	400

仮勘定で仮置き

【考え方】

①　「現金」を実際の金額に合わせる
　⇒帳簿よりも実際の方が400円多い
　⇒現金（資産）の増加として処理

②　現金を調整した反対の勘定は「現金過不足」で仕訳

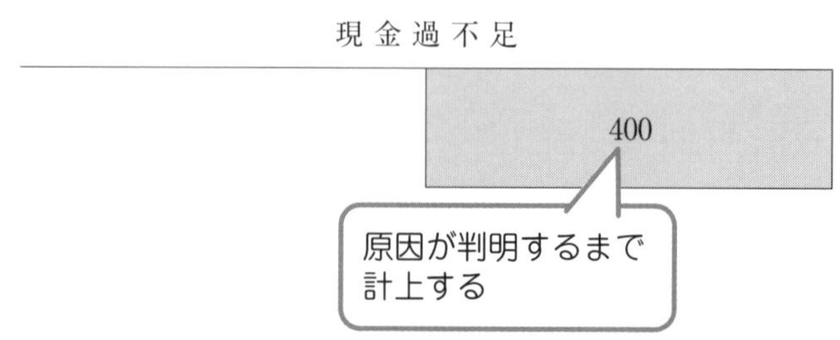

☆　仕訳をしてみよう！

例９－６（例３－４と同じ）

問題　【例９－５】の超過額のうち300円は、手数料を現金で受け取った際に未記帳であったことによるものと判明した。

【解答（例３－４と同じ）】

借方科目	金額	貸方科目	金額
現金過不足	300	受取手数料	300

原因判明分だけ仮勘定を取り消す

【考え方】

①　手数料の受け取りが未記帳と判明
　⇒受取手数料（収益）の増加処理

②　【例９－５】で計上した「現金過不足」のうち300円分は原因が判明したので取り消す
　⇒貸方に仕訳した400円のうち原因が判明した300円分を借方にもってくる

第9章　決算整理Ⅰ

さっくり4日目　しっかり6日目　じっくり9日目

例９－７

問題　【例９－５】、【例９－６】の後に期末を迎えた。残額については原因不明のため、雑損または雑益として処理することとした。

【解答】

借方科目	金額	貸方科目	金額
現金過不足	100	雑益	100

【考え方】

① 【例９－５】で計上した「現金過不足」のうち100円分は期末になっても原因が不明なので取り消す
⇒貸方に残っている現金過不足の残額100円を借方へもってくる

② 期末になっても、残額が原因不明
⇒雑損または雑益として処理
⇒現金が増えている（例９－５より）原因が分からなかった
⇒雑益（収益）の増加

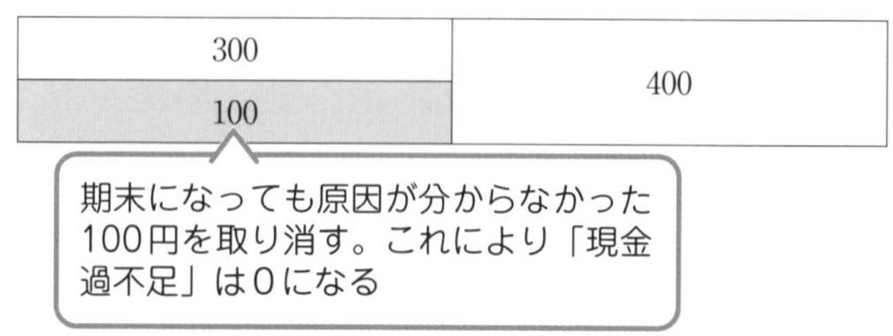

2 記録（帳簿）よりも実際のほうが少なかったのに、期末までズレの原因が分からなかった

先に見たように、期中に現金の実際有高と帳簿残高のズレに気づき、ズレの原因が分からないので「**現金過不足**」という勘定を使っておいたが、期末になっても原因が分からない場合には、それより先の調査はあきらめました。この場合、決算整理で現金過不足勘定の残高をゼロにしますが、期中に帳簿よりも実際の方が少なかった分は「**雑損**」という費用で表します。

【ズレの原因が分からなかったとき（帳簿よりも実際の方が少なかった場合）】

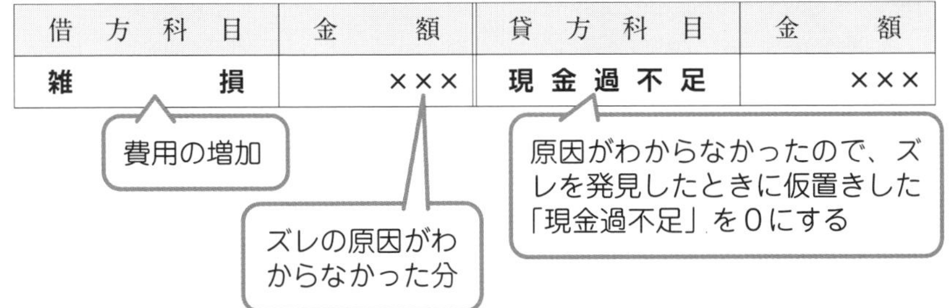

借方科目	金額	貸方科目	金額
雑損	×××	**現金過不足**	×××

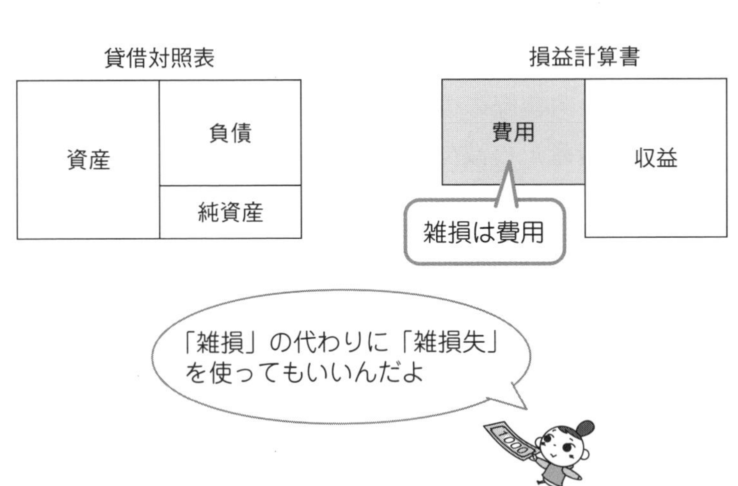

☆　仕訳をしてみよう！

例9－8（例3－3と同じ）

問題　期中において、現金勘定の残高が4,500円であるのに対し、実際有高は4,200円であったため、原因を調査することにした。

【解答（例3－3と同じ）】

借方科目	金額	貸方科目	金額
現金過不足	300	現　　金	300

仮勘定で仮置き

【考え方】

①　「現金」を実際の金額に合わせる

⇒帳簿よりも実際の方が300円少ない

⇒現金（資産）の減少として処理

②　現金を調整した反対の勘定は「現金過不足」で仕訳

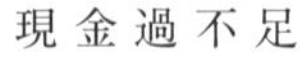

☆　仕訳をしてみよう！

例9－9（例3－5と同じ）

問題　【例9－8】の不足額のうち100円は、交通費を現金で支払った際に未記帳であったことによるものと判明した。

【解答（例3－5と同じ）】

借方科目	金額	貸方科目	金額
交通費	100	現金過不足	100

原因判明分だけ仮勘定を取り消す

【考え方】

① 交通費の支払いが未記帳と判明
⇒交通費（費用）の増加処理

② 【例9－8】で計上した「現金過不足」のうち100円分は原因が判明したので取り消す
⇒借方に仕訳した300円のうち原因が判明した100円分を貸方にもってくる

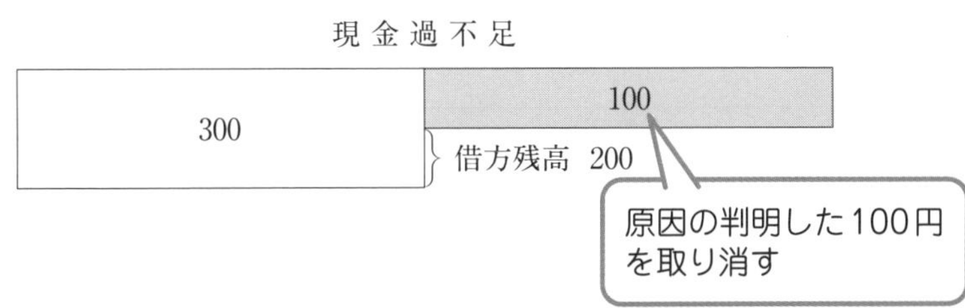

☆　仕訳をしてみよう！

問題　【例9－8】、【例9－9】の後に期末を迎えた。残額については原因不明のため、雑損または雑益として処理することとした。

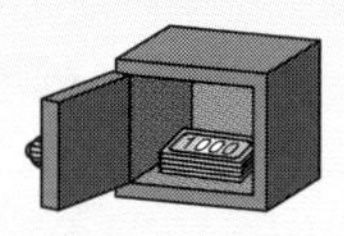

【解答】

借方科目	金額	貸方科目	金額
雑損	200	現金過不足	200

【考え方】

① 【例9－8】で計上した「現金過不足」のうち200円分は期末になっても原因が不明なので取り消す
⇒借方に残っている現金過不足の残額200円を貸方へもってくる

② 期末になっても、残額が原因不明
⇒雑損または雑益として処理
⇒現金が減っている（例9－8より）原因が分からなかった
⇒雑損（費用）の増加

現金過不足

3 決算で帳簿に書いてある現金の金額が増えていることに気づいたら

決算手続きを行っているときに、現金の実際有高と帳簿残高がズレていることに気づくときもあります。このときも、現金の帳簿残高を実際有高と同じになるようにします。原因の調査はしますが、すでに期末を迎えているので、原因の調査はすぐにあきらめ、帳簿に書いてある現金の金額が増えていたら、「雑益」という収益で表します。

【決算中にズレに気づいたとき（帳簿よりも実際の方が多かった場合）】

借方科目	金額	貸方科目	金額
現　　　金	×××	**雑　　　益**	×××

すでに期末なので「現金過不足」は使わず、雑益とする

ズレの原因がわからなかった分

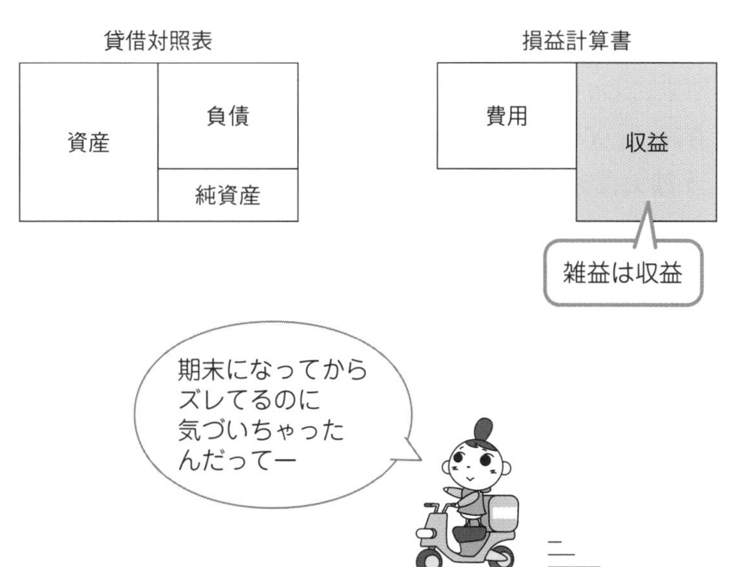

☆　仕訳をしてみよう！

問題　期末において、現金勘定の残高が4,500円であるのに対し、実際有高は4,900円であった。原因不明のため、雑損または雑益として処理することとした。

【解答】

借方科目	金額	貸方科目	金額
現　　金	400	雑　　益	400

【考え方】

① 期末において、現金勘定の残高が4,500円であるのに対し、実際有高は4,900円であった
⇒ 期末において原因不明
⇒ 現金の帳簿残高が実際有高と同じになるように現金を増やす
⇒ 現金（資産）の増加

② 期末をおいて、ズレの原因不明
⇒ 雑損または雑益として処理
⇒ 現金が増えている原因が分からなかった
⇒ 「現金過不足」は使わず、雑益（収益）の増加

4 決算で帳簿に書いてある現金の金額が減っていることに気づいたら

決算手続きを行っているときに現金のズレに気づいた場合、現金の帳簿残高を実際有高と同じになるようにします。原因の調査はしますが、すでに期末を迎えているので、原因の調査はすぐにあきらめ、帳簿に書いてある現金の金額が減っていたら、「雑損」という費用で表します。

【決算中にズレに気づいたとき(帳簿よりも実際の方が少なかった場合)】

借方科目	金額	貸方科目	金額
雑損	×××	**現金**	×××

すでに期末なので「現金過不足」は使わず、雑損とする

ズレの原因が分からなかった分

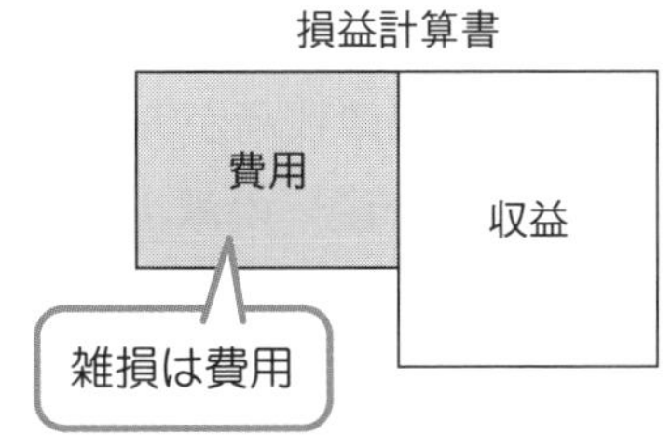

☆ 仕訳をしてみよう！

例9－12

問題　期末において、現金勘定の残高が4,500円であるのに対し、実際有高は4,200円であった。原因不明のため、雑損または雑益として処理することとした。

【解答】

借方科目	金額	貸方科目	金額
雑損	300	現金	300

【考え方】

① 期末において、現金勘定の残高が4,500円であるのに対し、実際有高は4,200円であった
⇒ 期末において原因不明
⇒ 現金の帳簿残高が実際有高と同じになるように、現金を減らす
⇒ 現金（資産）の減少

② 期末において、ズレの原因不明
⇒ 雑損または雑益として処理
⇒ 現金が減っている原因が分からなかった
⇒ 「現金過不足」は使わず、雑損（費用）の増加

確認テスト

問題

次の取引の仕訳をしなさい。なお、①〜③は一連の取引と考えること。

① ×1年度の期中に郵便切手4,000円を購入し、代金は現金で支払った。

② ×1年度の決算をむかえ、①で購入した郵便切手のうち1,100円分は未使用であることが判明した。

③ ×２年度の期首をむかえた。

	借方科目	金額	貸方科目	金額
①				
②				
③				

解答

	借方科目	金額	貸方科目	金額
①	**通信費**	4,000	**現金**	4,000
②	**貯蔵品**	1,100	**通信費**	1,100
③	**通信費**	1,100	**貯蔵品**	1,100

解説

① 郵便切手を購入した
　＝会社の費用の増加
　⇒通信費（費用）の増加

②－1 1,100円分の郵便切手が未使用であった
　＝残った分は当期の費用ではない
　⇒通信費（費用）の減少

②－2 1,100円分の郵便切手が未使用であった
　＝1,100円分の郵便切手は資産
　⇒貯蔵品（資産）の増加

③ 翌期の期首をむかえた
　＝再振替仕訳
　⇒前期末の反対仕訳
　⇒貯蔵品（資産）の減少・通信費（費用）の増加

第10章 決算整理Ⅱ

学習進度目安

さっくり 7日間	しっかり 10日間	じっくり 15日間
5日目	6日目	10日目
	7日目	

◉第10章で学習すること

① 商品の決算整理

② 貸倒れと貸倒引当金

1 商品の決算整理

イントロダクション

源さんは、株式会社八百源を設立して、1年間で野菜と果物をたくさん売りました！しかし、野菜や果物を仕入れてきたときにもお金がかかっているので、八百源が1年間にどれくらい稼いだのかはすぐには分かりません。

「金額を集計しただけだと、どれくらい儲かったのかが分からないな…」

1 商品売買の儲けは…

商品を販売する会社は、野菜や果物などの商品を安い値段で仕入れてきて、仕入れてきたときよりも高い値段で売ることによって儲けを出しています。

このような、商品売買による儲けを「**売上総利益**（うりあげそうりえき）」といいます。

コトバ

売上総利益：商品売買による儲け（粗利（あらり））

重要　**売上総利益**

売上総利益＝売上高－売上原価

2　期首商品がない場合の売上原価はいくら??

売上総利益を計算するためには、売上高と売上原価がそれぞれいくらかを知る必要があります。

当期に持っていた商品のうち、期末に残っていた商品は、期末の在庫です。期末に残っていなかった商品は、売れてしまったので、なくなったと考えます。この売れてなくなってしまった商品の原価が売上原価です。

三分法では、「**売上**」、「**仕入**」、「**繰越商品（くりこししょうひん）（資産）**」という３つの勘定を使いますが、期末に「仕入」と「繰越商品」を使った特別な仕訳をして、売上原価を求めます。

２章で三分法を習ったときは「繰越商品」勘定はでてこなかったなぁ

第10章　決算整理Ⅱ

仮に、１個500円で20個買ってきた商品が期末に８個売れ残っている場合の売上原価を考えてみましょう。商品を買ってきたときは、三分法によると以下のような仕訳になります。買ってきた20個分がすべていったん費用として仕訳されます。

【商品購入時】

借方科目	金額	貸方科目	金額
仕入	10,000	現金	10,000

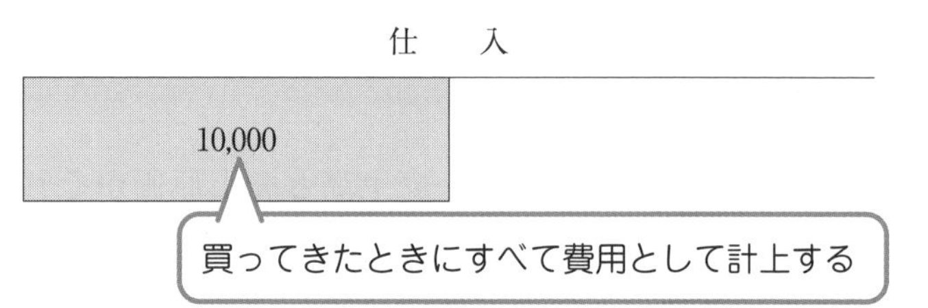

しかし、買ってきた商品のうち８個分は売れ残っているので、売れていない分の原価まで費用にしておくわけにはいきません。当期に売れた分の原価だけが当期の費用（売上原価）になるように、決算で調整します。同時に売れ残っている分は、「繰越商品」（資産）として次期に持ち越すための調整もします。

【決算時】

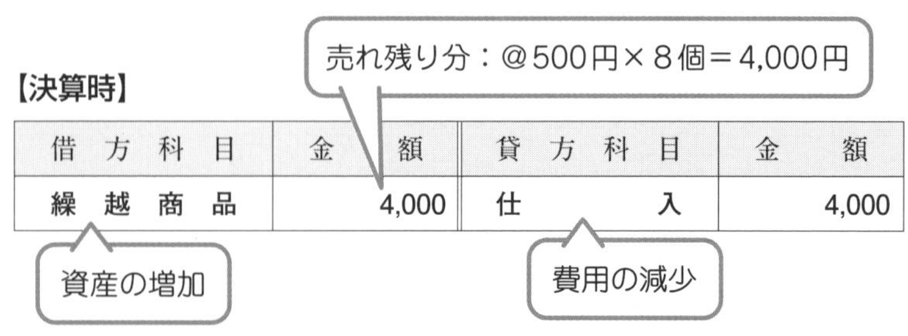

借方科目	金額	貸方科目	金額
繰越商品	4,000	仕入	4,000

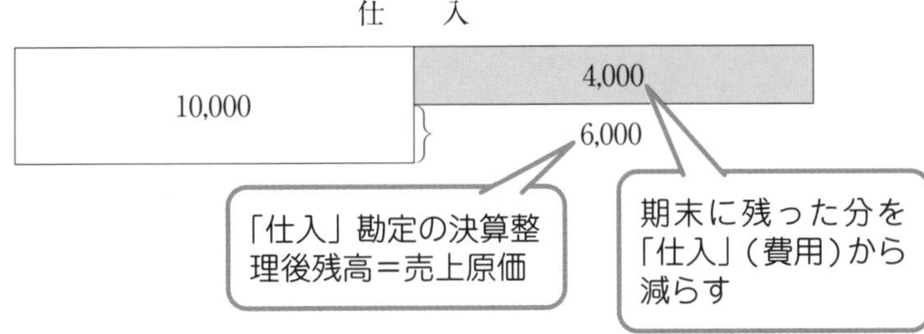

上記のような仕訳により、決算整理の後の「仕入」勘定の残高は売上原価を示します。つまり、売れた商品の分の原価500円×12個＝6,000円が、仕入勘定の決算整理後残高になります。また、以下のように「繰越商品」勘定は、期末に会社に残っている商品の金額を表すことになります。このように、決算整理によって、あるべき費用とあるべき資産の金額が算定されます。

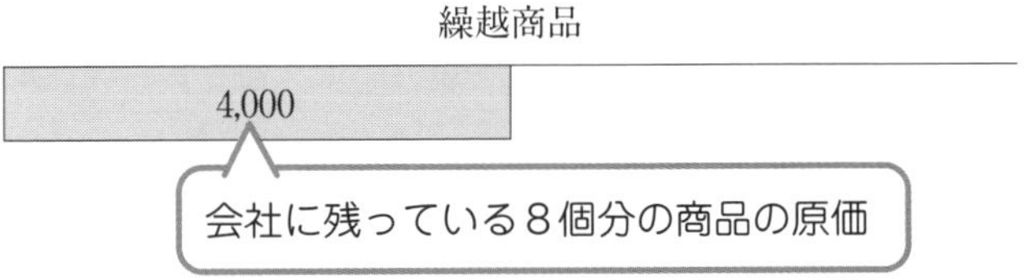

繰越商品

4,000

会社に残っている８個分の商品の原価

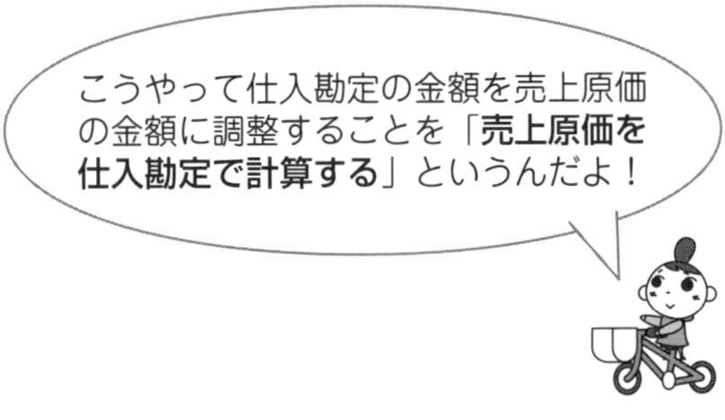

こうやって仕入勘定の金額を売上原価の金額に調整することを「**売上原価を仕入勘定で計算する**」というんだよ！

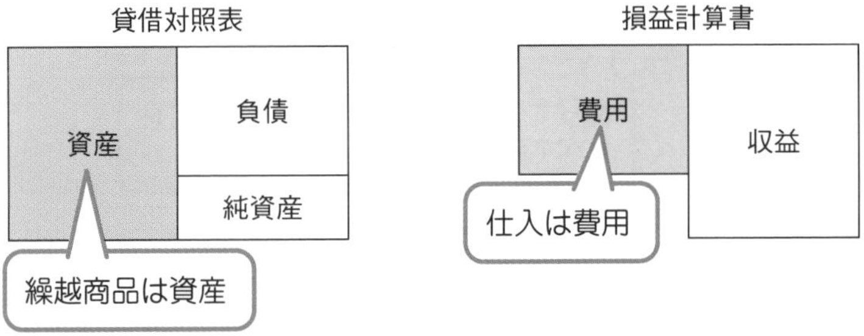

貸借対照表

資産	負債
	純資産

繰越商品は資産

損益計算書

費用	収益

仕入は費用

☆　仕訳をしてみよう！

例10－1

問題　期中において、八百源は商品４個を＠100円で仕入れ、代金は現金で支払った。

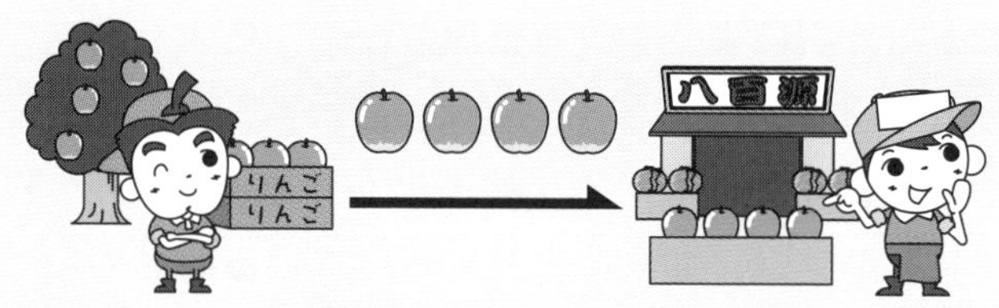

【解答】

借方科目	金　額	貸方科目	金　額
仕　　入	400	現　　金	400

仕入原価

【考え方】

商品を仕入れた

⇒仕入（費用）の増加

⇒仕入原価全額（商品４個分）が費用として計上

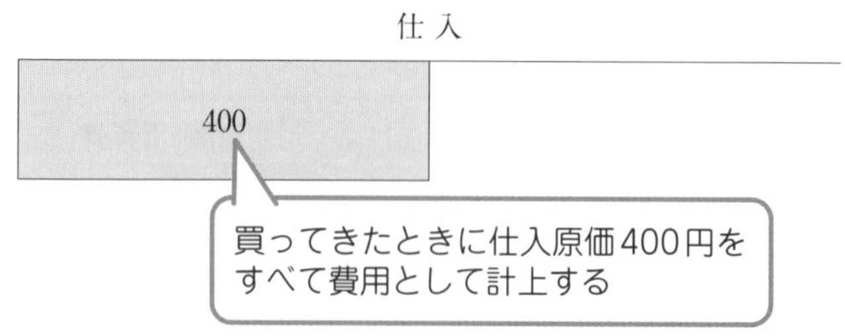

☆　仕訳をしてみよう！

例10－2

問題　期中において、八百源は【例10－1】の商品のうち３個を@150円で売上げ、代金は現金で受取った。

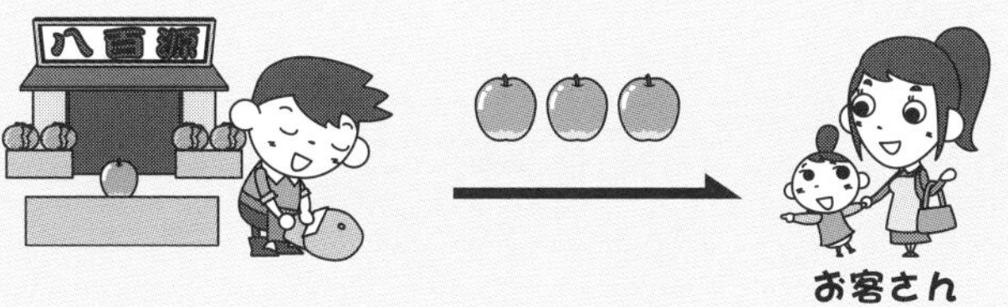

【解答】

借　方　科　目	金　　額	貸　方　科　目	金　　額
現　　　　金	450	売　　　　上	450

売上高

【考え方】

商品を売上げた

⇒ 売上（収益）の増加

⇒ 商品３個分の売上金額が収益として計上（@150円×３個 ＝ 450円）

☆　仕訳をしてみよう！

例10－3（売上原価の算定）

問題　【例10－1】、【例10－2】の後に期末を迎えた。期末商品棚卸高は商品１個（@100円）である。仕入勘定で売上原価を算定する。

【解答】

借方科目	金額	貸方科目	金額
繰越商品	100	仕入	100

売れ残り分：@100円×１個＝100円

【考え方】

① 期末商品棚卸高は商品１個である
　＝売れ残り分は資産
　⇒繰越商品（資産）の増加

② 仕入勘定で売上原価を算定する
　＝仕入勘定の金額を売れた商品の原価になるように調整
　⇒売れていない商品の原価を仕入から減らす
　⇒仕入（費用）の減少

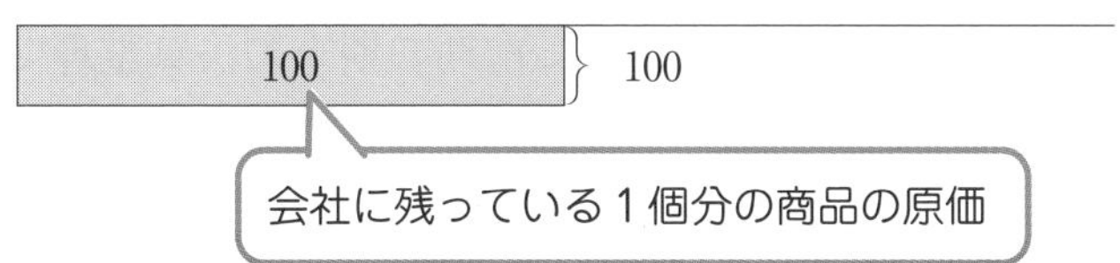

コトバ

期末商品：期末時点で売れ残っている商品
期末商品棚卸高：期末時点で売れ残っている商品（期末商品）の原価

売上総利益の算定

【例10－3】の決算整理仕訳により、仕入勘定で売上原価の金額300円が算定できました。売上高は【例10－2】で450円と算定されているので、これらにより、売上総利益を算定することができます。

売上高450円－売上原価300円＝売上総利益150円

さっくり 5日目

3 期首商品がある場合の売上原価はいくら??

ここまでは、期首に商品がない場合をみてきましたが、ここからは会社に期首から商品がある場合をみていきましょう。

会社に期首から商品があるということは、前期の期末に売れ残った商品があるということです。とすると、前期の期末の決算整理で売れ残っている商品は「**繰越商品**」（資産）で表され、持ち越されています。

例えば、期首に500円の商品が８個ある場合、以下のように「繰越商品」が前期から持ち越されてきます。

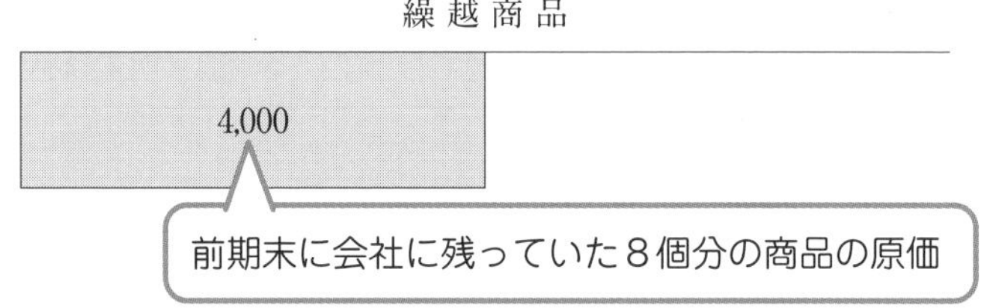

通常、期首時点で会社にある商品は当期にお客さんに売れると考えられるので、期首の商品は当期の売上原価になります。そこで、決算で、期首商品を繰越商品（資産）から外して仕入（費用）に加える仕訳をします。

【決算時】

借方科目	金額	貸方科目	金額
仕入	4,000	繰越商品	4,000

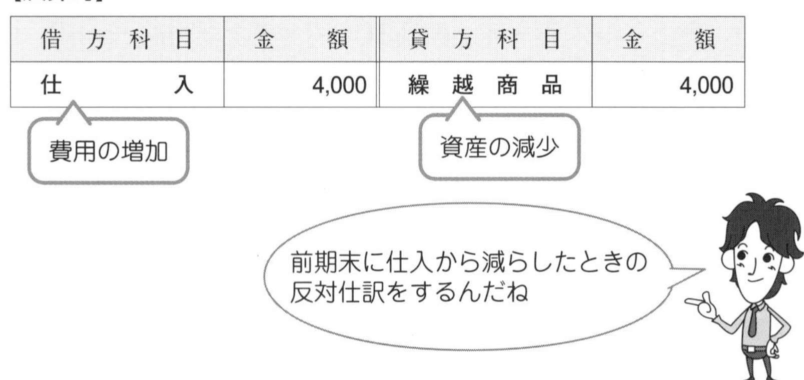

仮に、当期中に商品9,000円を仕入れていた場合、仕入勘定は以下のようになります。

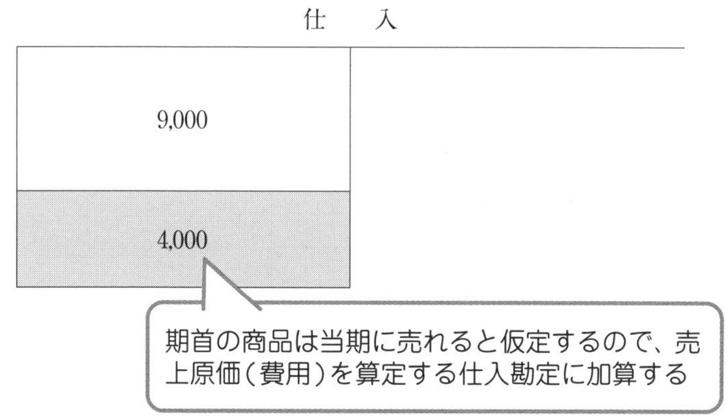

さらに、商品が売れることにより繰越商品（資産）はなくなります。

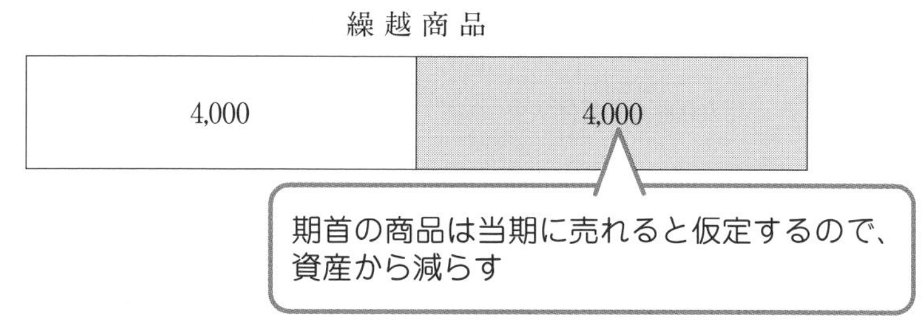

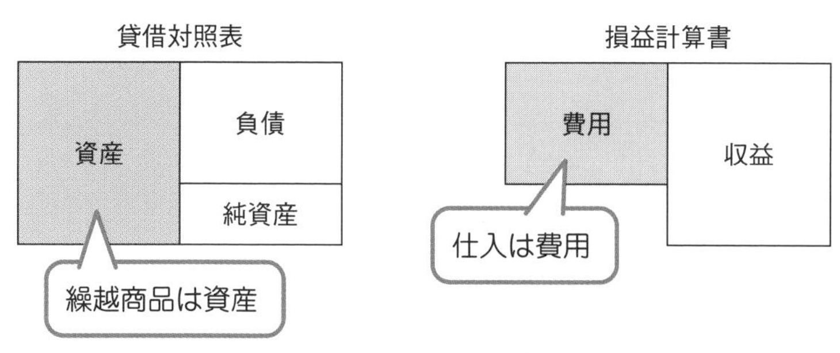

コトバ

期首商品：期首時点で売れ残っている商品
期首商品棚卸高：期首時点で売れ残っている商品（期首商品）の原価

では、最後に当期の期末にも売れ残りが3,000円あったものとして「仕入」勘定と「繰越商品」勘定をみてみましょう。

期末に売れ残っている商品の仕訳は、以下のようになります。

【決算時】

借方科目	金額	貸方科目	金額
繰越商品	3,000	仕入	3,000

資産の増加　　費用の減少

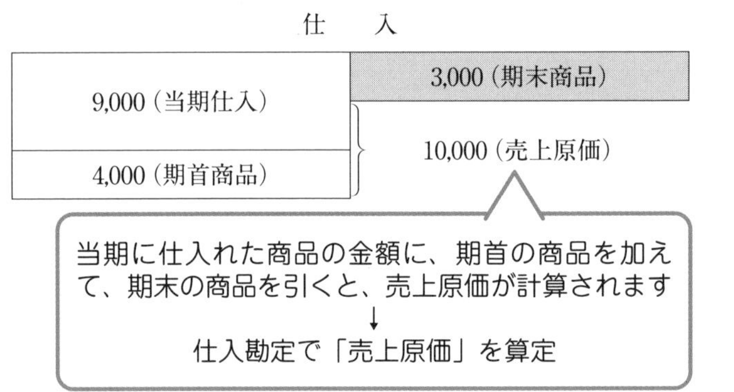

売れ残っている分は、「**繰越商品**」（資産）として次期に持ち越します。

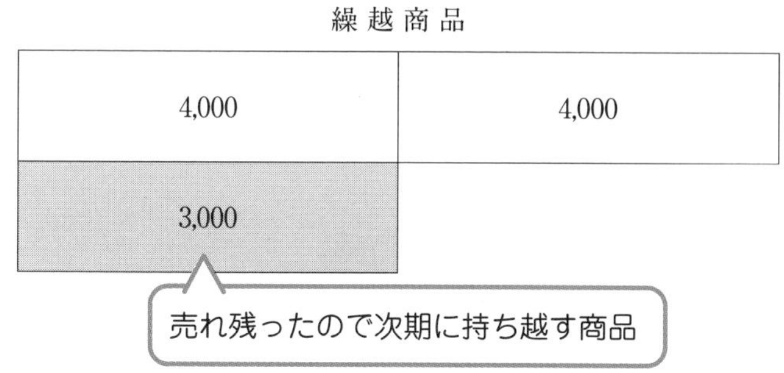

上のような一連の仕訳により、決算整理の後の「仕入」勘定の残高は売上原価を示します。また、「繰越商品」勘定は期末に会社に残っている商品の金額を表すことになります。このように、期首に商品がある場合でも決算整理仕訳を行うことによって、あるべき費用とあるべき資産の金額が算定されます。

売上原価の算定（期首に商品がある場合）

売上原価＝期首商品棚卸高＋当期商品仕入高－期末商品棚卸高

コトバ

当期商品仕入高：当期に仕入れた商品の合計

☆ 仕訳をしてみよう！

問題　期首商品棚卸高は商品１個（@100円）である。期中において、八百源は商品５個を@100円で仕入れ、代金は現金で支払った。

【解答】

借方科目	金額	貸方科目	金額
仕入	500	現金	500

仕入原価

【考え方】

商品を仕入れた

⇒ 仕入（費用）の増加

⇒ 仕入原価全額（商品５個分）が費用として計上

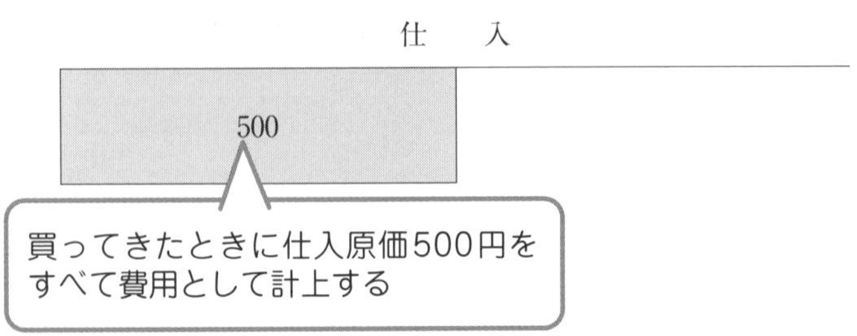

☆　仕訳をしてみよう！

例10－5

問題　期中において、八百源は【例10－4】の商品のうち4個を@150円で売上げ、代金は現金で受取った。

【解答】

借方科目	金額	貸方科目	金額
現　金	600	売　上	600

売上高

【考え方】

商品を売上げた

⇒売上（収益）の増加

⇒商品4個分の売上金額が収益として計上（@150×4個＝600円）

☆　仕訳をしてみよう！

例10－6（売上原価の算定）

問題　【例10－4】、【例10－5】の後に期末を迎えた。期末商品棚卸高は商品２個（@100円）である。仕入勘定で売上原価を算定する。

【解答】

期首商品分：@100円×１個＝100円

借方科目	金額	貸方科目	金額
仕入	100	繰越商品	100
繰越商品	200	仕入	200

期末商品分：@100円×２個＝200円

【考え方】

①　期首商品棚卸高は商品１個（@100円）である
　＝期首商品は当期に売れたと考える
　⇒繰越商品（資産）の減少

②　期末商品棚卸高は商品２個（@100円）である
　＝売れ残り分は資産
　⇒繰越商品（資産）の増加

③　仕入勘定で売上原価を算定する

＝仕入勘定の金額を売れた商品の原価になるように調整

⇒売れた商品の原価を仕入に加え、売れていない商品の原価を仕入から減らす

⇒期首分：仕入（費用）の増加
　期末分：仕入（費用）の減少

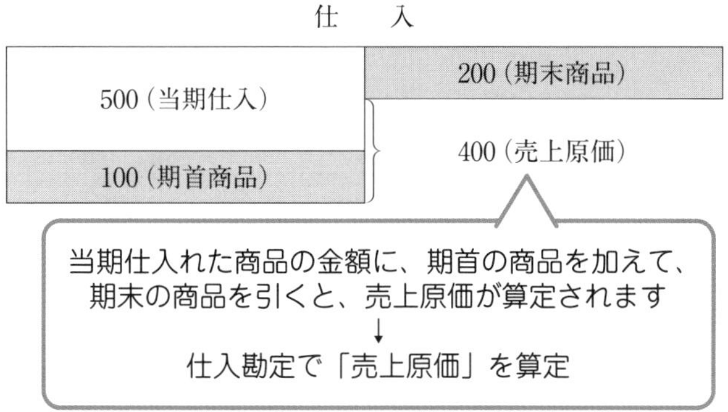

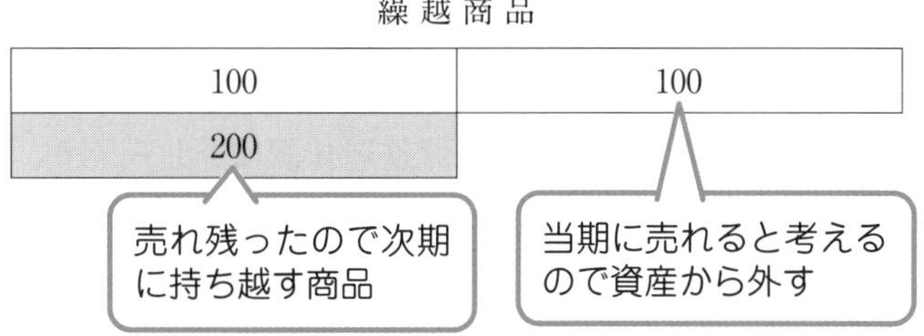

売上総利益の算定

【例10－6】の決算整理仕訳により、仕入勘定で売上原価400円が算定できました。売上高は【例10－5】で600円と算定されているので、これらにより、売上総利益を算定することができます。

売上高600円－売上原価400円＝売上総利益200円

理屈は難しいけど、勘定科目の頭文字をとって「しーくり、くりしー」と覚えれば大丈夫！

しーくり、くりしー

【例10－6】の決算整理仕訳は、仕入勘定で売上原価を算定するための決算整理仕訳です。しかし、本番の試験中にこのような仕訳を1から理屈を考えて仕訳を書いていくのは時間がかかってしまうため、売上原価算定の決算整理仕訳は「しーくり、くりしー」という語呂でフォーマットを覚えてしまった方が効率的に問題を解くことができます。

借方科目	金額	貸方科目	金額
仕入	100	繰越商品	100

「しいれ」の「**しー**」　「くりこししょうひん」の「**くり**」

借方科目	金額	貸方科目	金額
繰越商品	200	仕入	200

「くりこししょうひん」の「**くり**」　「しいれ」の「**しー**」

売上原価勘定を使うときも…

ここまでは、「仕入勘定で売上原価を算定する」場合を学習してきましたが、「**売上原価勘定で売上原価を算定する**」場合もあります。

この場合、決算整理で①期首商品は「**売上原価**」（費用）に入れ、②期末商品は「**売上原価**」（費用）から外します。【例10－4】～【例10－6】の金額を用いると以下のような仕訳になります。

①**【期首商品】**

借方科目	金額	貸方科目	金額
売上原価	100	繰越商品	100

②**【期末商品】**

借方科目	金額	貸方科目	金額
繰越商品	200	売上原価	200

「しーくり、くりしー」の
「仕入」が「売上原価」に
代わっただけね

また、③当期商品仕入分も「**売上原価**」（費用）に入れます。

③**【当期仕入分】**

借方科目	金額	貸方科目	金額
売上原価	500	仕入	500

ここで、「売上原価勘定で売上原価を算定する」場合の「売上原価」勘定と、「仕入勘定で売上原価を算定する」場合の「仕入」勘定を比較すると以下のようになります。ともに、残高は売上原価を表します。

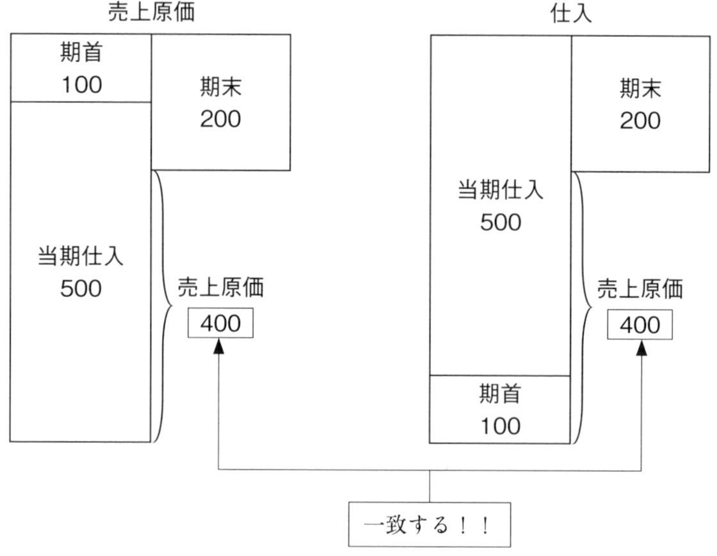

また、「繰越商品」勘定は、どちらの方法で計算しても全く同じになります。

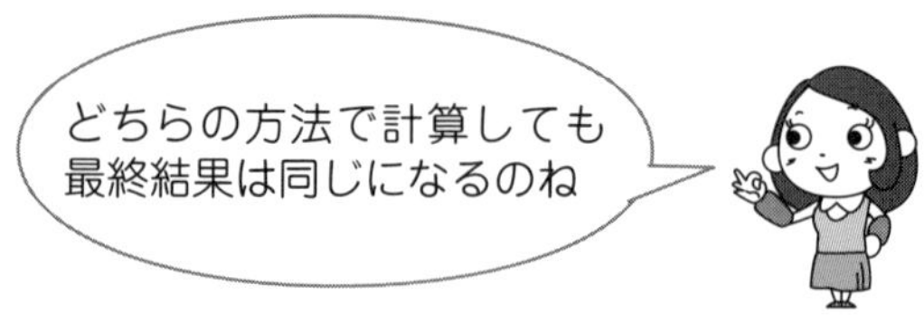

2 貸倒れと貸倒引当金

イントロダクション

以前お客さんに掛けで商品を販売した八百源ですが、その掛代金が期末になっても回収できていません。確かに約束の期日はまだ先ですが、本当に全部回収できるのでしょうか？？
「回収できない可能性を考えなければならないのか…全部回収したいよ」

1 貸倒れとは??

売掛金や受取手形は、どちらも後でお金を受け取る権利を表しています。しかし、得意先が倒産して、お金がもらえなくなってしまう場合もあります。これを「**貸倒れ**(かしだおれ)」といいます。

コトバ

貸倒れ：得意先の倒産などによって売掛金などのお金がもらえなくなること

2 貸倒れに備えよう!!

期末時点で売掛金などがあるときは、得意先の様子をみて、いくらくらい貸倒れそうか見積もります。この金額を「**貸倒見積額**」といいます。そして、貸倒れすると予想する金額だけ「**貸倒引当金**」を準備しておきます。貸倒引当金は、期末時点の売掛金や受取手形などの**資産のマイナス分**を表します。したがって、記帳する際には、資産とは反対のルールで記入します。増やすときは貸方、減らすときは借方に仕訳します。

また同時に、回収できないと見積もられる金額を「**貸倒引当金繰入**」（費用）で表します。

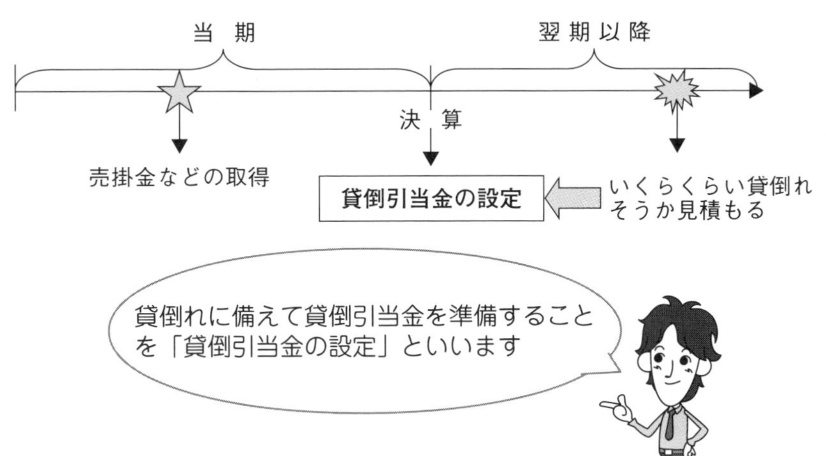

第10章

決算整理Ⅱ

【貸倒引当金設定時】

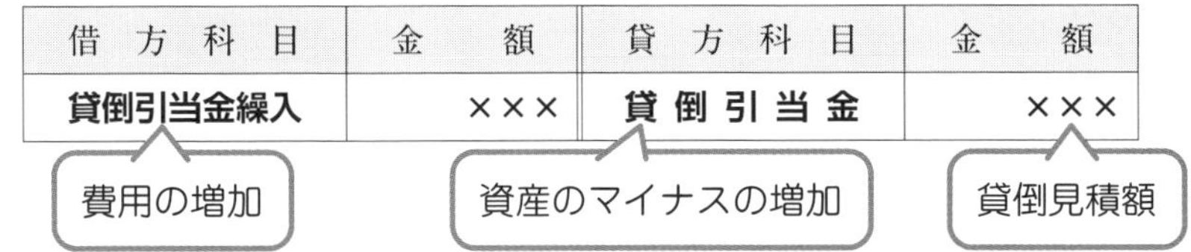

借方科目	金額	貸方科目	金額
貸倒引当金繰入	×××	**貸倒引当金**	×××

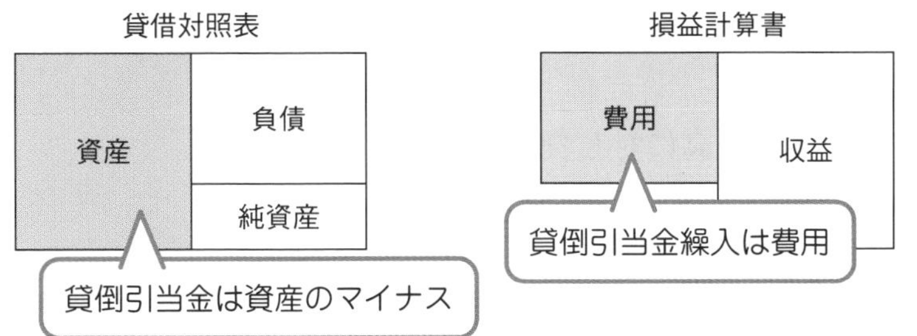

コトバ

貸倒見積額：得意先がいくらくらい貸倒れるかを見積もった金額

3級ではだいたい何％くらい貸倒れるかが問題文に書いてあるよ！

☆　仕訳をしてみよう！

例10－7

問題　期末において、売掛金の残高5,000円に対し２％の貸倒引当金を設定する。

【解答】

借方科目	金額	貸方科目	金額
貸倒引当金繰入	100	貸倒引当金	100

5,000円×２％＝100円が貸倒見積額となる

【考え方】

①　売掛金の残高に対し貸倒引当金を設定する
　⇒貸倒引当金を100円にしたい
　⇒貸倒引当金（資産のマイナス）の増加

②　貸倒引当金を100円にしたい
　⇒貸倒引当金を100円増やす
　⇒貸倒引当金繰入（費用）の増加

3 足りない分だけ貸倒引当金を追加しよう!!

ここまでは、貸倒見積額の全額を決算で設定しましたが、前期に設定した貸倒引当金が残っている場合があります。このときは、設定しなければならない貸倒引当金から残っている貸倒引当金を差し引いた残額を当期の決算で設定します。このように、残っている貸倒引当金を考慮して、当期に設定する貸倒引当金の金額を貸倒見積額になるように調整する方法を「**差額補充法**（さがくほじゅうほう）」といいます。

【貸倒引当金繰入時】

借方科目	金額	貸方科目	金額
貸倒引当金繰入	×××	**貸倒引当金**	×××

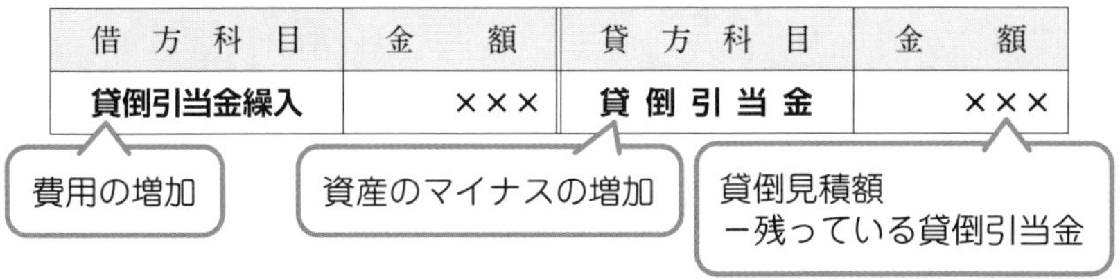

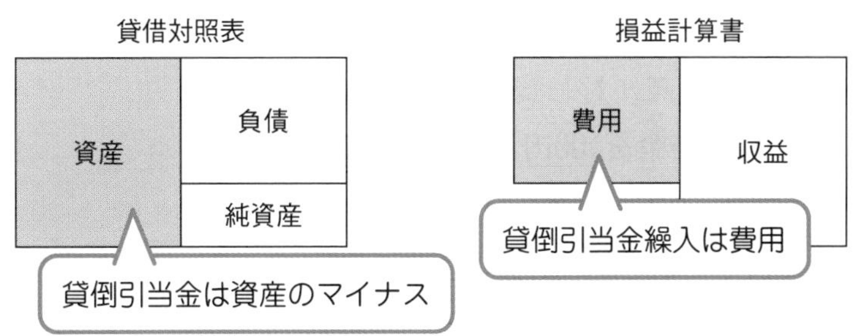

☆　仕訳をしてみよう！

問題　期末において、売掛金の残高8,000円に対し２％の貸倒引当金を設定する。なお、貸倒引当金の残高が100円ある。

【解答】

借方科目	金額	貸方科目	金額
貸倒引当金繰入	60	貸倒引当金	60

8,000円×２％＝160円が貸倒見積額だが、
前期に準備した分が100円残っているので
160円－100円＝60円を当期に設定する

【考え方】

①　売掛金の残高に対し貸倒引当金を設定する
　⇒貸倒引当金を100円から160円にしたい
　⇒貸倒引当金（資産のマイナス）の増加

②　貸倒引当金を100円から160円にしたい
　⇒貸倒引当金を60円増やす
　⇒貸倒引当金繰入（費用）の増加

160円は回収できないと考えているんだけど、100円は前期に準備した分が残っているから、当期は60円準備すれば足りるんだね！

4 貸倒引当金が余ってしまうときは…

貸倒引当金を増やす場合を学習しましたが、この場合とは逆に、前期に準備した貸倒引当金が多すぎて余ってしまう場合もあります。このときは、余っている貸倒引当金から設定しなければならない貸倒引当金を差し引いた金額を、当期の決算で取り崩します。つまり、余り過ぎている貸倒引当金を減少させ（資産のマイナスの取消）、同時に「**貸倒引当金戻入**（もどしいれ）」（収益）を使って仕訳します。

【貸倒引当金戻入時】

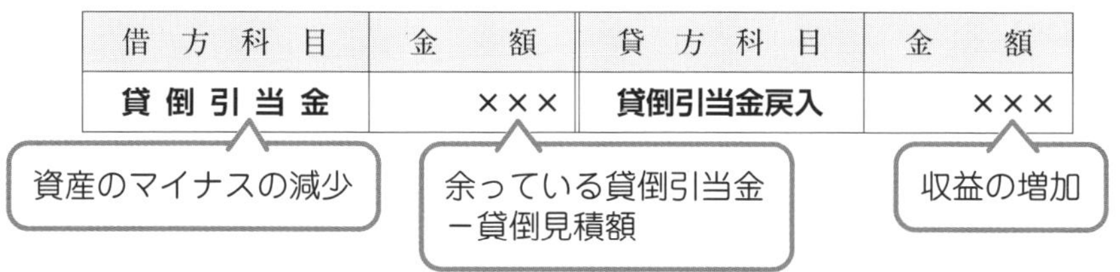

借方科目	金額	貸方科目	金額
貸倒引当金	×××	**貸倒引当金戻入**	×××

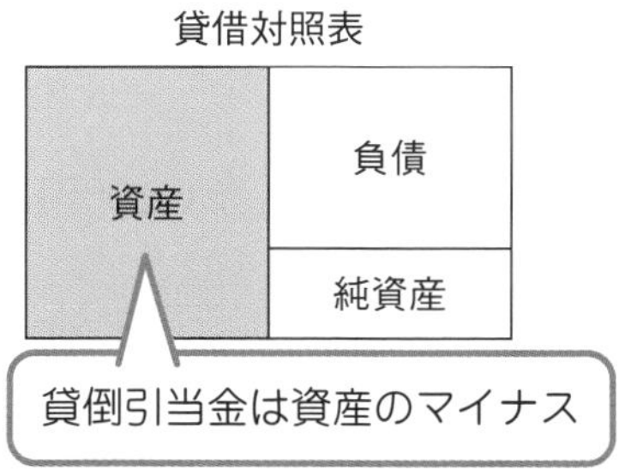

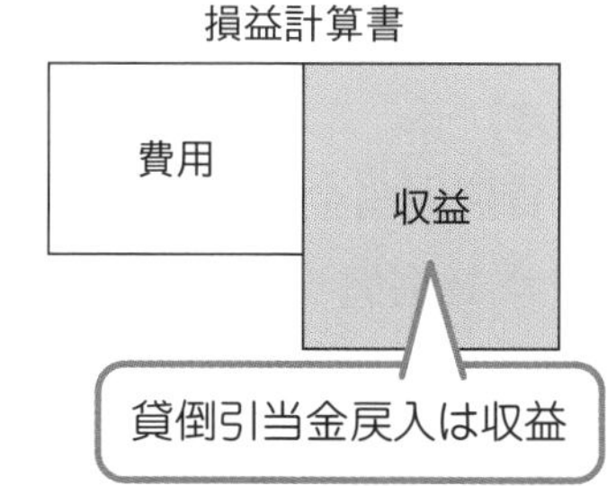

☆　仕訳をしてみよう！

問題　期末において、売掛金の残高8,000円に対し２％の貸倒引当金を設定する。なお、貸倒引当金の残高が200円ある。

【解答】

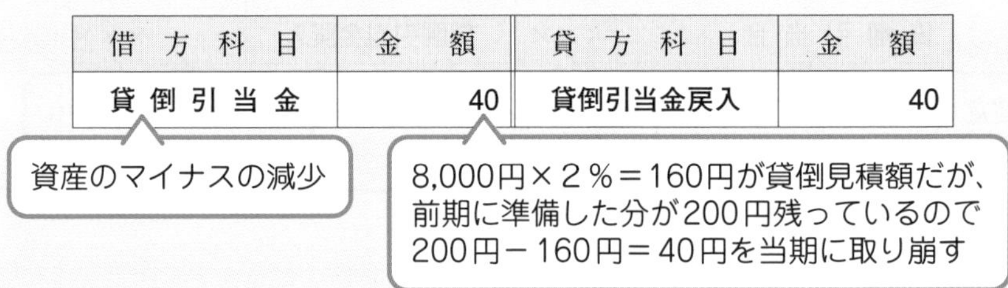

借　方　科　目	金　額	貸　方　科　目	金　額
貸　倒　引　当　金	40	貸倒引当金戻入	40

【考え方】

①　貸倒引当金の残高が、貸倒見積額160円よりも多い200円ある
　　⇒ 貸倒引当金を200円から160円にしたい
　　⇒ 貸倒引当金（資産のマイナス）の減少

②　貸倒引当金を40円減らす
　　⇒ 貸倒引当金戻入（収益）の増加

160円は回収できないと考えているんだけど、200円は前期に準備した分が残っているから当期は40円取り崩せばいいのよ！

5 実際に貸倒れたときは…（貸倒引当金が足りる場合）

あらかじめ貸倒引当金を準備しておいた場合に、その後に売掛金などが本当に貸倒れてしまったときは、貸倒引当金を取り崩します。

同時に、後でお金を受け取ることができる権利を表す「売掛金」などは、実際に貸倒れてお金を受け取れなくなったので取り消します。ただ、予想とは異なり、実際には貸倒れが起こらなかったのであれば、貸倒引当金を取り崩す必要はありません。

【貸倒れたとき】

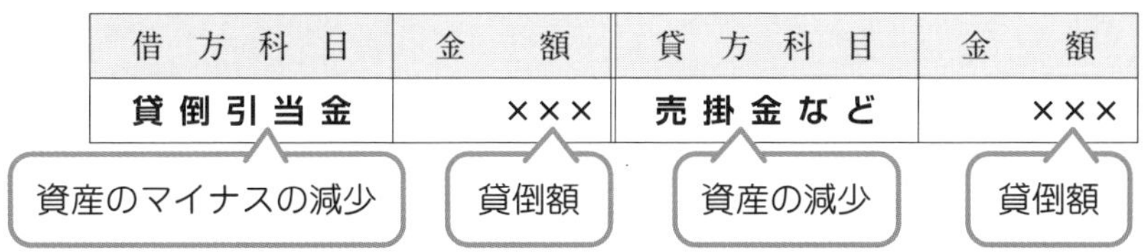

借方科目	金額	貸方科目	金額
貸倒引当金	×××	**売掛金など**	×××

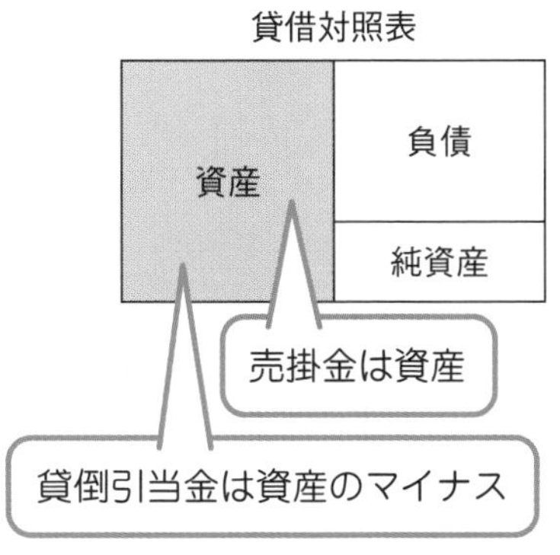

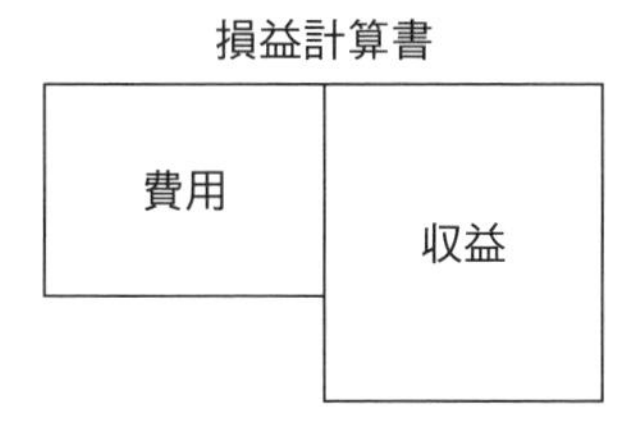

☆ 仕訳をしてみよう！

例10－10

問題　京都商会が倒産し、京都商会に対する前期発生の売掛金120円が貸倒れた。なお、貸倒引当金の残高が160円ある。

【解答】

借方科目	金額	貸方科目	金額
貸倒引当金	120	売掛金	120

実際の貸倒額が準備していた金額よりも少ないので、準備していた貸倒引当金160円のうち120円を取り崩す

【考え方】

① 売掛金が貸倒れた
= 約束の日にお金をもらうことができる権利が消滅
⇒ 売掛金（資産）の減少

② 売掛金が貸倒れた = 貸倒引当金の残高＞実際の貸倒額
⇒ 貸倒引当金（資産のマイナス）の減少

準備していた貸倒引当金でまかなうことができたんだね！

6 実際に貸倒れたときは…（貸倒引当金が足りない場合）

あらかじめ貸倒引当金を準備しておいた場合に、その後に売掛金などが本当に貸倒れてしまったときは、貸倒引当金を取り崩します。

しかし、貸倒引当金の金額よりも多額の貸倒れが起こってしまった場合には、貸倒引当金が足りなかった分だけ損失が出てしまいます。これは「**貸倒損失**（かしだおれそんしつ）」という費用で表します。

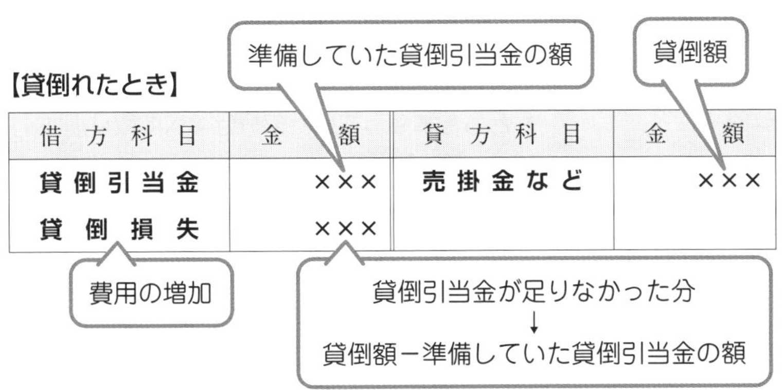

【貸倒れたとき】

借方科目	金額	貸方科目	金額
貸倒引当金	×××	**売掛金など**	×××
貸倒損失	×××		

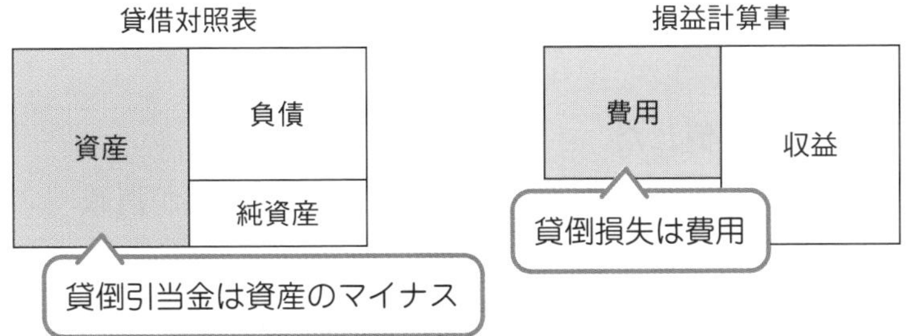

☆　仕訳をしてみよう！

問題　京都商会が倒産し、京都商会に対する前期発生の売掛金180円が貸倒れた。なお、貸倒引当金の残高が160円ある。

【解答】

貸倒額が準備していた金額よりも多いので、もともと準備していた部分はすべて取り崩す

借方科目	金額	貸方科目	金額
貸倒引当金	160	**売掛金**	180
貸倒損失	20		

貸倒額が準備していた金額よりも多いので、準備が足りなかった分は貸倒損失20円（180円－160円）として処理する

【考え方】

①　売掛金が貸倒れた
　＝約束の日にお金をもらうことができる権利が消滅
　⇒売掛金（資産）の減少

②　売掛金が貸倒れた＝貸倒引当金の残高＜実際の貸倒額
　⇒貸倒引当金（資産のマイナス）の減少

③　売掛金が貸倒れた＝貸倒引当金の残高＜実際の貸倒額
　⇒準備が足りない分は当期の費用
　⇒貸倒損失（費用）の増加

7 お金がもらえなくなったと思ったけど、あとでもらえた場合は…

以前、貸倒れたと思い、貸倒引当金を取り崩すなどの処理を行った後に、お金を回収できる場合があります。このように、貸倒れたものとあきらめて前期以前に処理したにもかかわらず、当期になって回収できた分は「**償却債権取立益**(しょうきゃくさいけんとりたてえき)」（収益）で表します。

【当期回収時】

借方科目	金額	貸方科目	金額
現金	×××	**償却債権取立益**	×××

収益の増加　　回収額

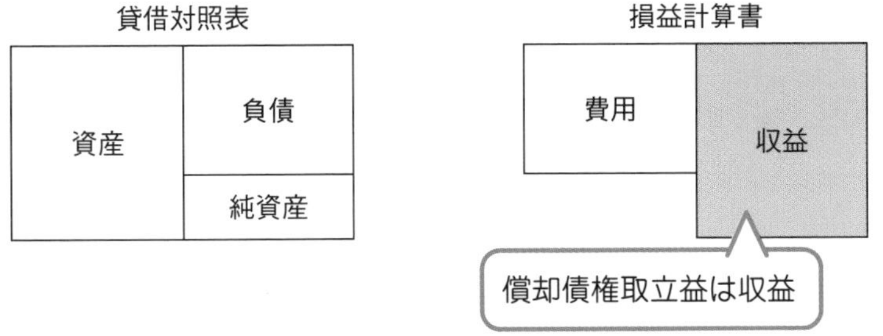

☆ 仕訳をしてみよう！

例10－12

問題　前期に京都商会に対する売掛金を貸倒れとして処理したが、当期になって、この売掛金のうち100円を現金で回収した。

【解答】

借方科目	金額	貸方科目	金額
現　　金	100	償却債権取立益	100

売掛金は前期に貸倒れた時にすでに取り消しているから、使えないよ！

【考え方】

貸倒れとして処理した売掛金を現金で回収した

⇒償却債権取立益（収益）の増加

確認テスト

問題

次の取引の仕訳をしなさい。なお、①～④は一連の取引と考えること。

① ×1年度の決算をむかえ、売掛金残高10,000円に対して４%の貸倒引当金を設定する。なお、当期以前に貸倒引当金の残高はない。

② ×２年度の期中に、①の売掛金のうち320円が貸倒れた。

③ ×２年度の決算をむかえ、売掛金残高14,000円に対して４%の貸倒引当金を設定する。

④ ×３年度の期中に、②で貸倒れた売掛金のうち120円を現金で回収した。

(単位：円)

	借方科目	金額	貸方科目	金額
①				
②				
③				
④				

解答

（単位：円）

	借方科目	金額	貸方科目	金額
①	貸倒引当金繰入	400	貸倒引当金	400
②	貸倒引当金	320	売掛金	320
③	貸倒引当金繰入	480	貸倒引当金	480
④	現金	120	償却債権取立益	120

解説

①－1　売掛金の残高に対し貸倒引当金を設定する
　⇒貸倒引当金（資産のマイナス）の増加

①－2　売掛金の残高に対し貸倒引当金を設定する
　⇒貸倒引当金繰入（費用）の増加

①－3　売掛金残高10,000円に対して４％の貸倒引当金を設定
　⇒売掛金残高10,000円×４％＝400円

②－1　売掛金が貸倒れた
　＝約束の日にお金をもらうことができる権利が消滅
　⇒売掛金（資産）の減少

②－2　売掛金が貸倒れた
　＝貸倒引当金の残高＞実際の貸倒額
　⇒貸倒引当金（資産のマイナス）の減少

③－1　売掛金の残高に対し貸倒引当金を設定する
　⇒貸倒引当金（資産のマイナス）の増加

③－2　売掛金の残高に対し貸倒引当金を設定する
⇒貸倒引当金繰入（費用）の増加

③－3　売掛金残高14,000円に対して４％の貸倒引当金を設定
⇒売掛金残高14,000円×４％＝560円
⇒①で設定した貸倒引当金80円が余っている
（①で設定した貸倒引当金400円－②における実際の貸倒320円＝80円）
⇒×２年度の決算で準備する貸倒引当金は480円
（準備しなければいけない貸倒引当金560円－余っている貸倒引当金80円＝480円）

④　貸倒れとして処理した売掛金を現金で回収した
⇒償却債権取立益（収益）の増加

第11章 決算整理Ⅲ

学習進度目安

さっくり 7日間	しっかり 10日間	じっくり 15日間
5日目	7日目	11日目
	8日目	

◉第11章で学習すること

① 費用の前払い・収益の前受け

② 費用の未払い・収益の未収

③ 固定資産の減価償却と売却

1 費用の前払い・収益の前受け

イントロダクション

八百源は期中に１年分の保険料を支払っていましたが、その中には次期の保険料も含まれていました。当期に１年分の費用を計上してもいいのでしょうか？？

「来年分の保険料は来年の費用にした方がいいのかな…」

1 保険料など来年分の費用を先に渡したとき

保険料を支払ったときは「**支払保険料**（しはらいほけんりょう）」（費用）の増加として借方（左）に仕訳します。この仕訳は支払った金額で行います。また、当期分だけでなく、次期分もいっしょに支払うことがあり、この場合も、次期分も含めた支払った金額で仕訳します。しかし、このままでは「支払保険料」勘定の残高が多すぎるので、決算で保険料が当期分のみになるように修正します。

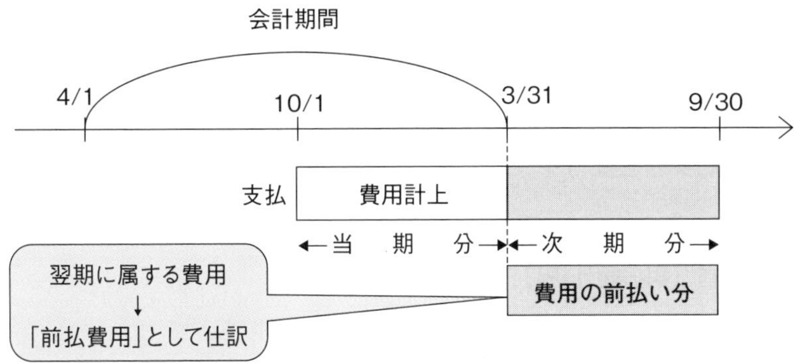

保険料を、当期分だけでなく、次期分もいっしょに支払う場合、次期分も含めた支払い金額で仕訳します。

【支払時】

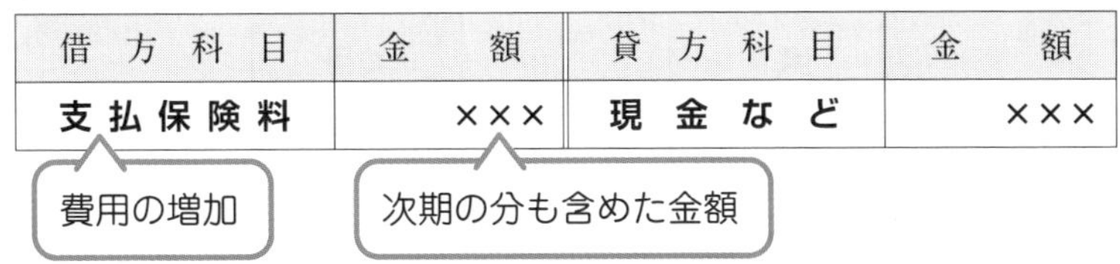

借方科目	金額	貸方科目	金額
支払保険料	×××	**現金など**	×××

次期分も一緒に支払った場合、決算整理において「支払保険料」（費用）を減らし、決算整理後の「支払保険料」勘定が当期分のみの金額になるように修正します。このとき、「先にお金を支払った分だけ、後でサービスを受ける権利」を「**前払保険料**（まえばらいほけんりょう）」（資産）で表します。

【決算時】

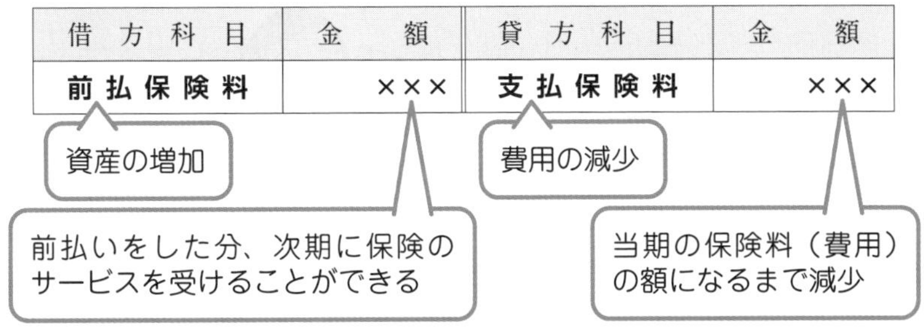

借方科目	金額	貸方科目	金額
前払保険料	×××	**支払保険料**	×××

また、次期には、当期末に繰り延べた保険サービスを受けることが予定されているため、翌期首の時点で当期末の決算整理の反対仕訳を行い、次期分の費用を計上するとともに、同じ金額だけ資産（前払保険料）を減少させます。この仕訳を「**再振替仕訳**」といいます。

【翌期首（再振替仕訳）】

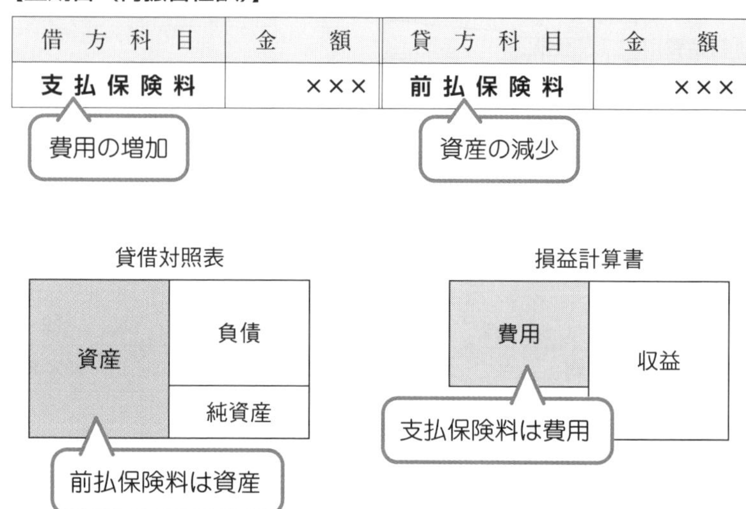

借方科目	金額	貸方科目	金額
支払保険料	×××	**前払保険料**	×××

☆　決算時と翌期首の仕訳をしてみよう！

例11－1

問題　×１年７月１日、八百源は向こう１年分の保険料1,200円を現金で支払っており、×２年３月31日の期末を迎えた。なお、当期は×１年４月１日～×２年３月31日である。

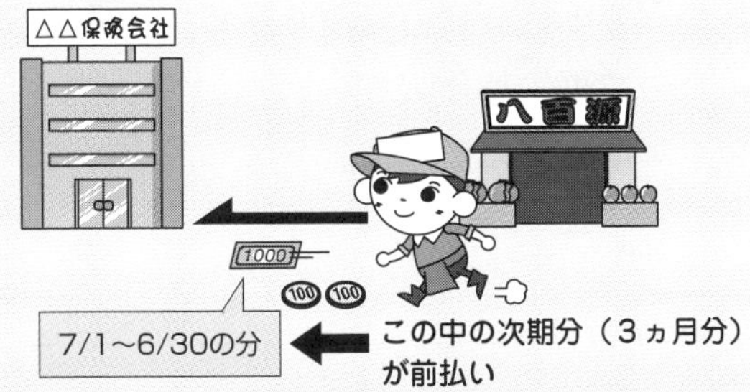

【解答（決算時）】

借方科目	金額	貸方科目	金額
前払保険料	300	**支払保険料**	300

【考え方】

①　１年分の保険料1,200円を支払っているが、当期分は900円
⇒ 保険料が当期分のみになるように修正
⇒ 支払保険料（費用）の減少（次期分300円）

②　１年分の保険料1,200円を支払っているが、当期分は900円
＝ 次期分300円は前払い
⇒ 前払保険料（資産）の増加

【解答（翌期首：再振替仕訳）】

借方科目	金額	貸方科目	金額
支払保険料	300	**前払保険料**	300

【考え方】

１年分の保険料1,200円を支払っているが、次期分は300円

⇒ 次期に前払分（３ヵ月分）の保険サービスを受ける

⇒ 次期になったので再振替仕訳

⇒ 前期末（×１年度末）の反対仕訳

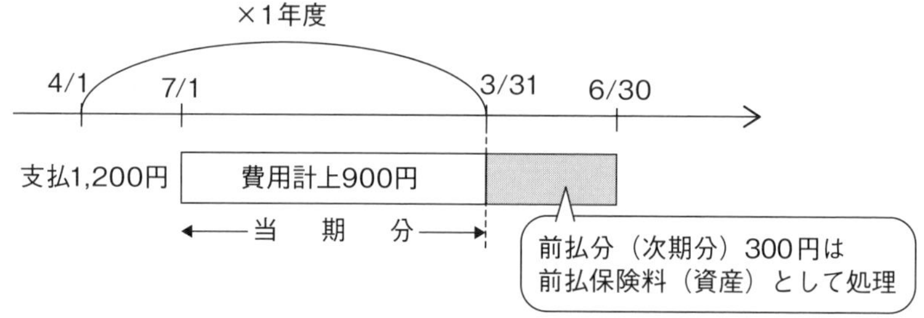

なお、支払保険料の勘定は以下のようになります。

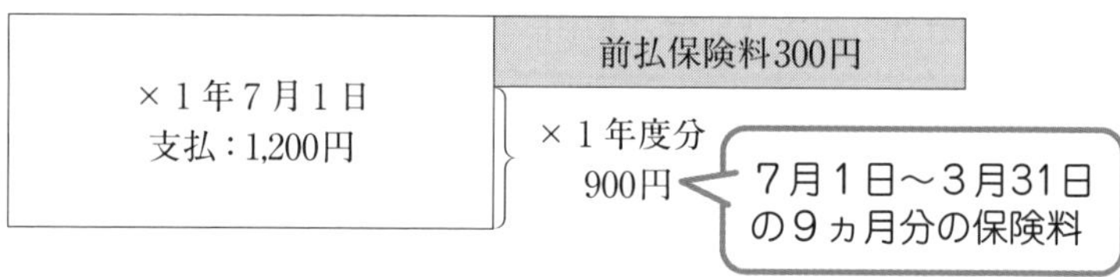

前払○○

今までは「保険料」を前払いしたケースをみてきましたが、他の費用を前払いしたケースも同じように考えます。例えば、「家賃」を前払いした場合は「前払家賃」勘定を使います。つまり、「前払○○」の○○には具体的な費用名が入ります。

2 手数料など次期分の収益を先に受け取ったとき

手数料を受け取ったときは、「**受取手数料**」（収益）の増加として貸方（右）に仕訳します。この仕訳は受け取った金額で行います。また、当期分だけでなく、次期分も一緒に受け取ることがあり、この場合も、次期分も含めた金額で仕訳します。しかし、このままでは「受取手数料」勘定の残高が多すぎるので、受取手数料が当期分のみになるように修正します。

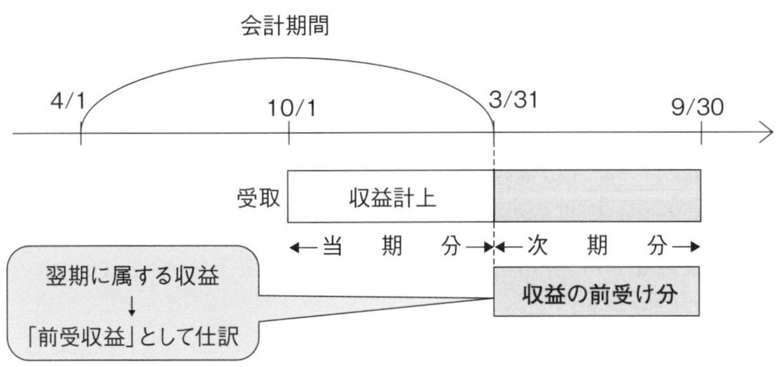

手数料を、当期分だけでなく、次期分もいっしょに受け取る場合、次期分も含めた受け取り金額で仕訳します。

【受取時】

借方科目	金額	貸方科目	金額
現金など	×××	**受取手数料**	×××

収益の増加

次期の分も含めた金額

第11章 決算整理Ⅲ

さっくり 5日目
しっかり 7日目
じっくり 11日目

次期分もいっしょに受け取った場合、決算整理において「受取手数料」（収益）を減らし、決算整理後の「受取手数料」勘定が当期分のみの金額になるように修正します。このとき、「先にお金を受け取った分だけ、後でサービスを行わなければならない義務」を「**前受手数料**」（負債）で表します。

【決算時】

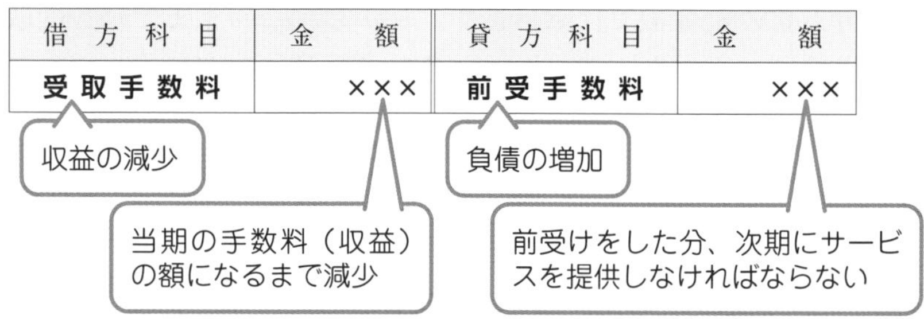

借方科目	金額	貸方科目	金額
受取手数料	×××	**前受手数料**	×××

また、次期には当期末に繰り延べたサービスを提供することが予定されているため、翌期首の時点で当期末の決算整理の反対仕訳を行い、次期分の収益を計上するとともに繰延べた負債を減少させます。この仕訳を「**再振替仕訳**」といいます。

【翌期首（再振替仕訳）】

借方科目	金額	貸方科目	金額
前受手数料	×××	**受取手数料**	×××

負債の減少

収益の増加

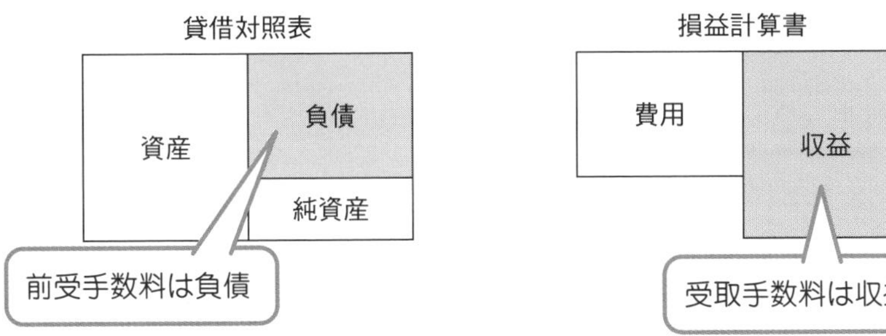
貸借対照表
資産
負債
純資産
前受手数料は負債
損益計算書
費用
収益
受取手数料は収益

くじけず、
ゆっくりね！
間中
全然あって
ないじゃない！
ガ〜ン

お勉強ざます

前もってやんないで

☆ 決算時と翌期首の仕訳をしてみよう！

問題　×1年11月1日、八百源は向こう1年分の受取手数料2,400円を現金で受取っており、×2年3月31日の期末を迎えた。なお、当期は×1年4月1日～×2年3月31日である。

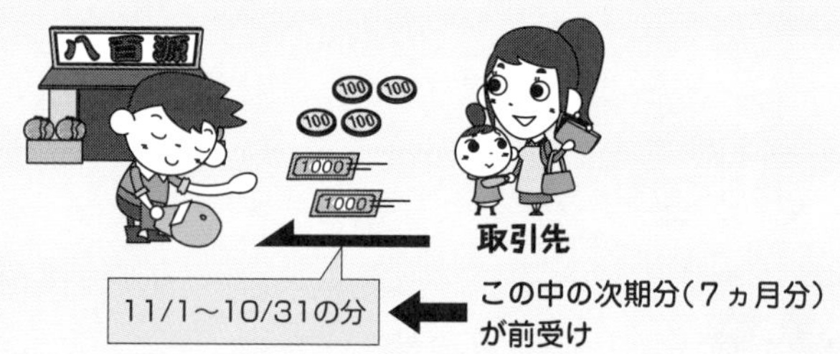

【解答（決算時）】

借方科目	金額	貸方科目	金額
受取手数料	1,400	**前受手数料**	1,400

1年分2,400円－当期分1,000円＝次期分1,400円

1年分2,400円÷受取12ヵ月分×次期分7ヵ月＝次期分1,400円

【考え方】

① 1年分の手数料2,400円を受け取っているが、当期分は1,000円
⇒ 受取手数料が当期分のみになるように修正
⇒ 受取手数料（収益）の減少（次期分1,400円）

② 1年分の手数料2,400円を受け取っているが、当期分は1,000円
⇒ 次期分1,400円は前受け
⇒ 前受手数料（負債）の増加

【解答（翌期首：再振替仕訳）】

借　方　科　目	金　　額	貸　方　科　目	金　　額
前受手数料	1,400	**受取手数料**	1,400

【考え方】

１年分の手数料2,400円を受け取っているが、次期分は1,400円

⇒ 次期に前払分（７ヵ月分）のサービスを提供する

⇒ 次期になったので再振替仕訳

⇒ 前期末（×１年度末）の反対仕訳

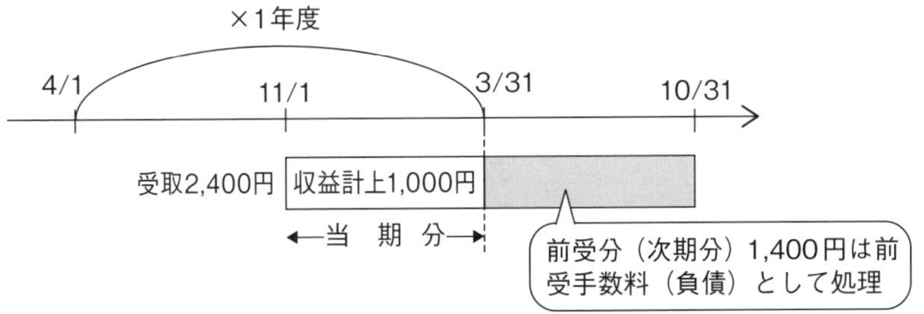

受取手数料の勘定は以下のようになります。

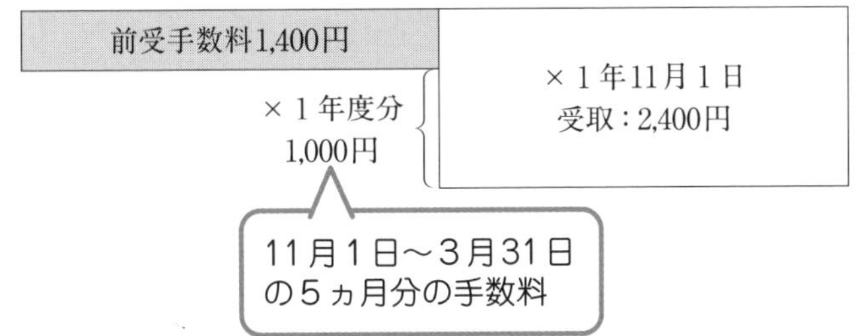

第11章 決算整理Ⅲ

さっくり5日目
しっかり7日目
じっくり11日目

2 費用の未払い・収益の未収

イントロダクション

八百源は商品を販売するための店舗を借りましたが、家賃を支払う前に決算がやってきました。当期に店舗を借りているのに、家賃の費用を計上しなくてもいいのでしょうか？？
「当期に借りていた分の家賃は当期の費用にした方がいいのかな…」

1 利息など当期分の費用をまだ払ってないときは…

借入金を、期末時点で、まだ返していない場合があります。ここでは、返済日が次期で、その日に利息も支払う約束になっているとします。この場合、期末時点では、まだ利息を支払っておらず、「**支払利息**」（費用）の増加という仕訳は行っていません。このままでは、お金を借りているにもかかわらず、帳簿上、その利息がゼロということになってしまいます。

そこで、期末時点で当期分の利息を計算し、「支払利息」（費用）を計上します。つまり、まだ支払っていない費用を支払うより前に計上します。

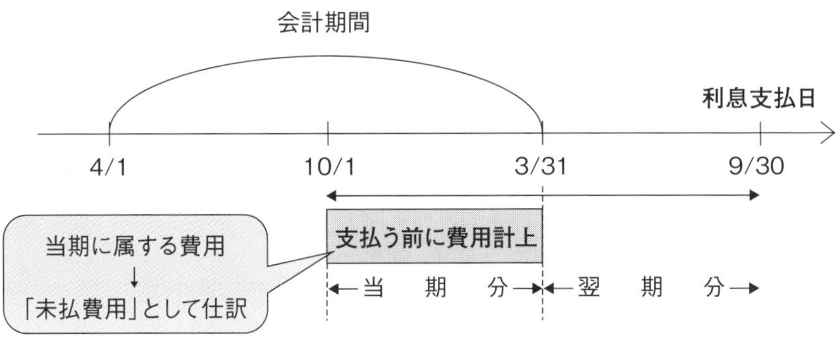

実際には、まだお金を支払っていませんが、決算において当期に発生している利息を仕訳します。同時に、「当期の分の利息を次期になったら支払う義務」である「**未払利息**」（負債）を計上します。

【決算時】

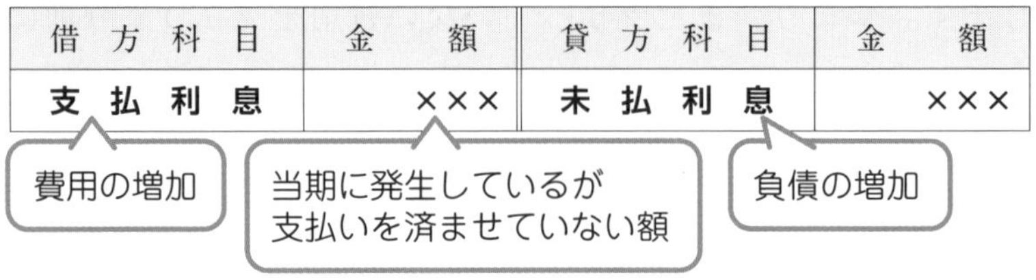

借方科目	金額	貸方科目	金額
支払利息	×××	**未払利息**	×××

支払利息の勘定は以下のようになります。

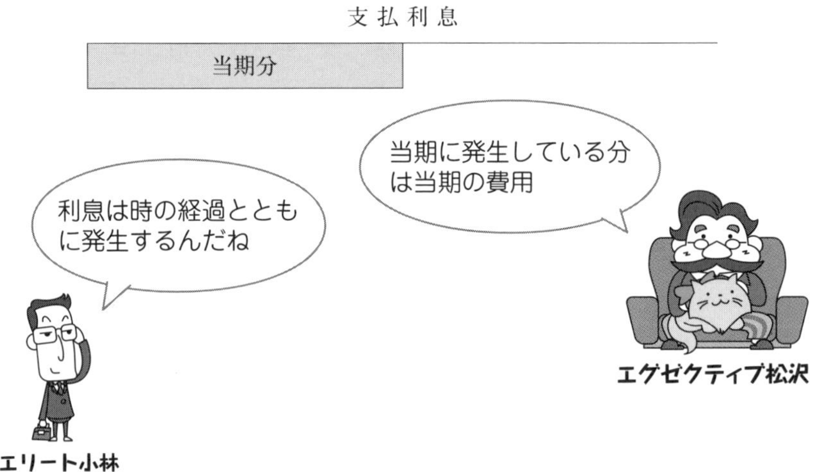

次期には、当期末に支払うより前に計上した利息を実際に支払うため、翌期首の時点で当期末の決算整理の反対仕訳を行い、次期に支払う利息のうち当期に費用計上した分を減少させます。同時に、「当期の分の利息を次期になったら支払う義務」である「未払利息」（負債）を取消します。この仕訳を「**再振替仕訳**」といいます。

【翌期首（再振替仕訳）】

借方科目	金額	貸方科目	金額
未払利息	×××	**支払利息**	×××

負債の減少　　費用の減少

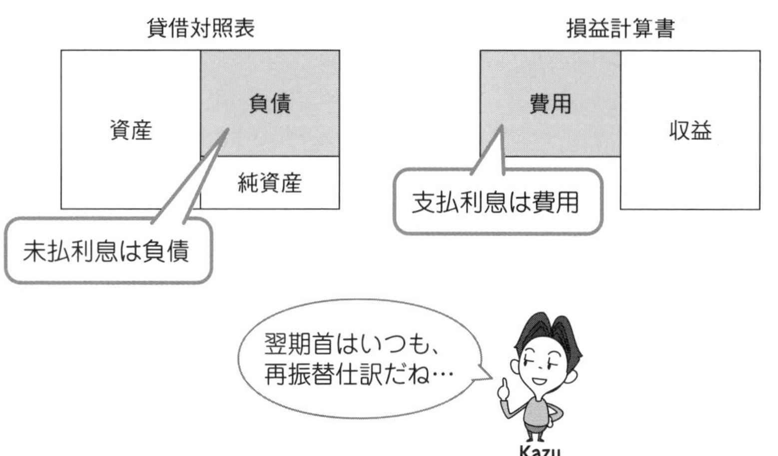

また、次期に利息を支払いますが、当期分も含めて支払われます。

【支払時】

借 方 科 目	金 額	貸 方 科 目	金 額
支 払 利 息	×××	**現 金 な ど**	×××

支払利息の勘定は以下のようになります。

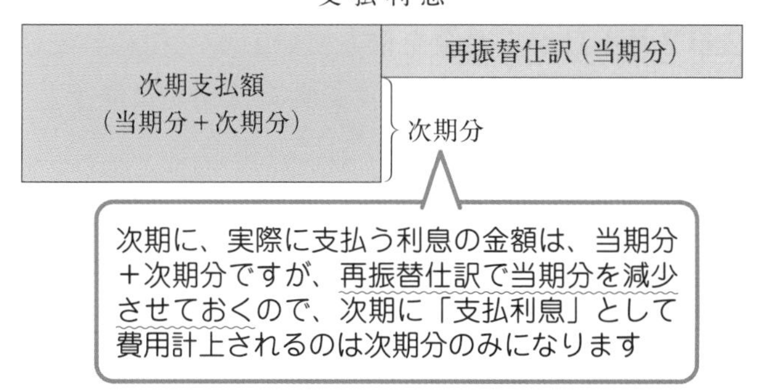

☆　決算時、翌期首及び支払時の仕訳をしてみよう！

例11－3

問題　×2年2月1日、八百源は期間6ヵ月、年利率3％、利息は返済時に支払うという契約で、銀行から現金2,000円を借入れ、×2年3月31日の期末を迎えた。また、×2年7月31日、借入金の返済日となり、八百源は利息とともに現金で支払った。

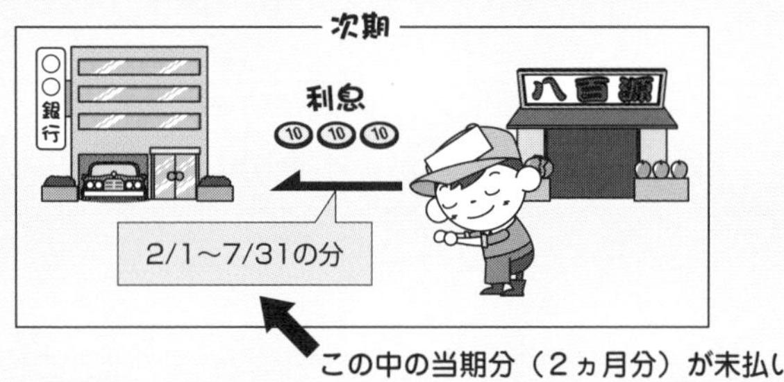

【解答（決算時）】

借方科目	金額	貸方科目	金額
支払利息	10	**未払利息**	10

【考え方】

① ×2年2月1日からお金を借りているが、利息の支払いは次期である＝当期分（2ヵ月分）の利息はすでに発生している
⇒当期分の利息を支払うより前に費用計上
⇒支払利息（費用）の増加

② 当期分（2ヵ月分）の利息はすでに発生しているが、決算日現在まだ支払われていない
＝次期に当期の利息を支払う義務が発生
⇒未払利息（負債）の増加

【解答（翌期首：再振替仕訳）】

借方科目	金額	貸方科目	金額
未払利息	10	**支払利息**	10

【考え方】

×２年７月31日に６ヵ月の利息を支払う

⇒そのうち２ヵ月分は×１年度の費用

⇒×２年度期首に、あらかじめ、×１年度分の利息を減少させておく

⇒再振替仕訳⇒前期末（×１年度末）の反対仕訳

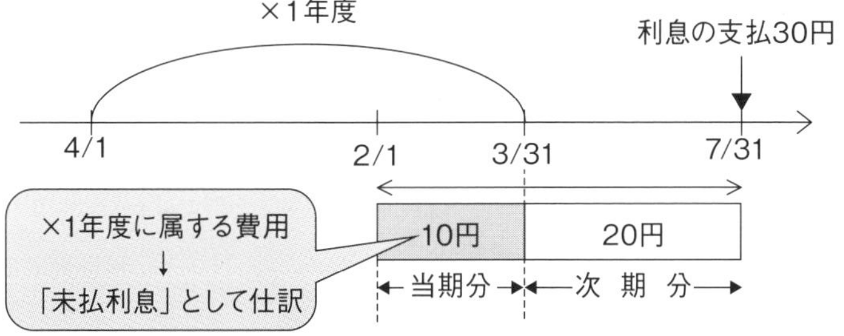

【解答（支払時）】

借方科目	金額	貸方科目	金額
借入金	2,000	**現金**	2,030
支払利息	30		

支払利息の勘定は以下のようになります。

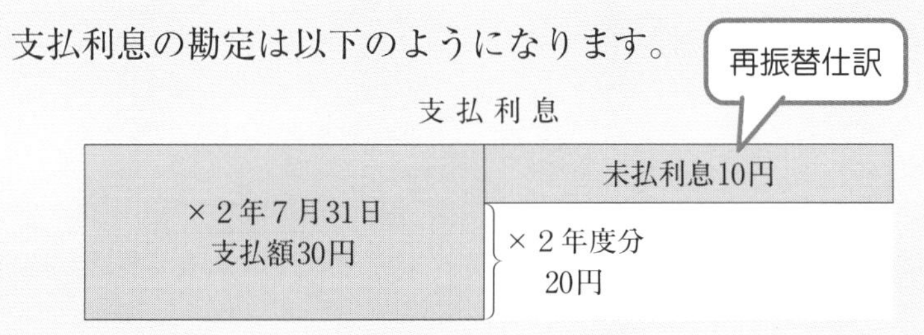

第11章 決算整理Ⅲ

さっくり5日目 しっかり7日目 じっくり11日目

2 利息など当期分の収益をまだ受け取っていないときは…

貸付金を、期末時点で、まだ返してもらっていない場合もあります。ここでは、返済日が次期で、その日に利息も受け取る約束になっているとします。この場合、期末時点では、まだ利息を受け取っておらず、「**受取利息**」（収益）の増加という仕訳は行っていません。このままでは、お金を貸しているにもかかわらず、帳簿上、その利息がゼロということになってしまいます。

そこで、期末時点で当期分の利息を計算し、「受取利息」（収益）を計上します。つまり、まだ受け取っていない収益を受け取るより前に計上します。

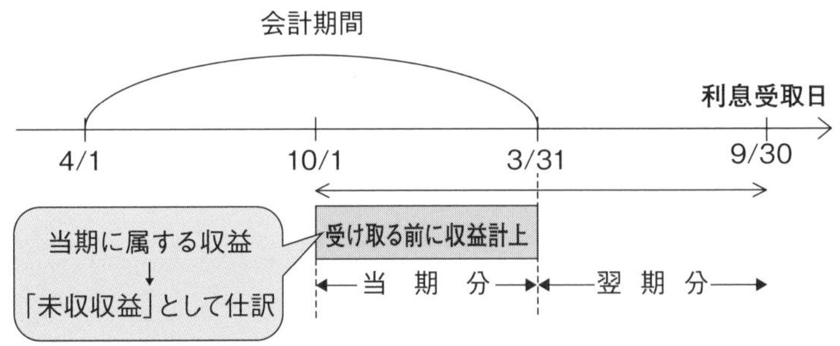

実際には、まだお金を受け取っていませんが、決算整理において、当期に発生している利息を仕訳します。同時に、「当期の分の利息を次期になったら受け取る権利」である「**未収利息**（みしゅうりそく）」（資産）を計上します。

【決算時】

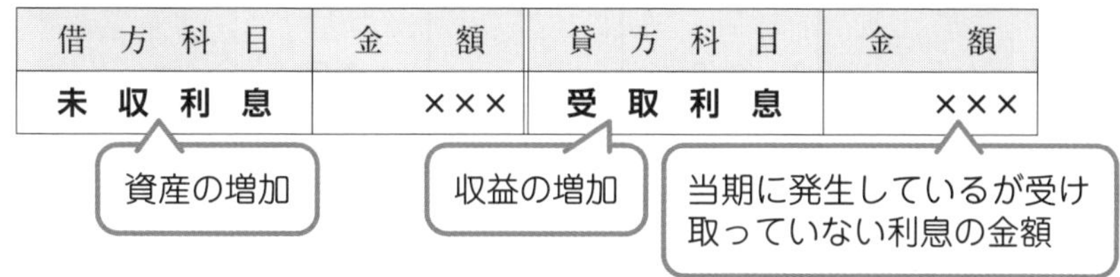

借方科目	金額	貸方科目	金額
未収利息	×××	**受取利息**	×××

受取利息の勘定は以下のようになります。

次期には、当期末に受け取るより前に計上した利息を実際に受け取るため、翌期首の時点で当期末の決算整理の反対仕訳を行い、次期に受け取る利息のうち当期に収益計上した分を減少させます。同時に、「当期の分の利息を次期になったら受け取る権利」である「未収利息」（資産）を取消します。この仕訳を「**再振替仕訳**」といいます。

【翌期首（再振替仕訳）】

借方科目	金額	貸方科目	金額
受取利息	×××	**未収利息**	×××

収益の減少　　資産の減少

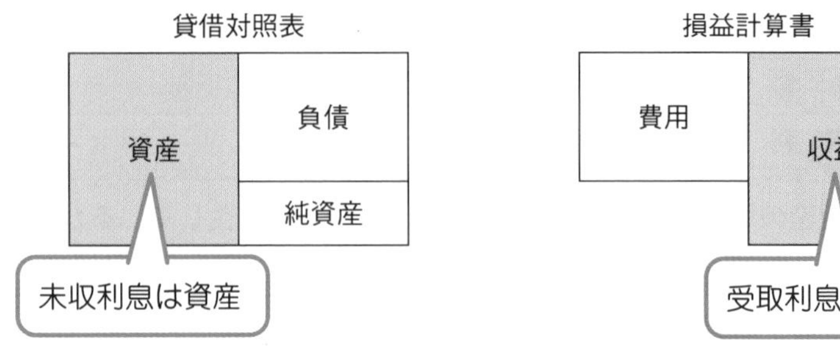

また、次期に利息を受取りますが、当期分も含めて受け取ります。

【受取時】

借方科目	金額	貸方科目	金額
現金など	×××	**受取利息**	×××

当期分と次期分の合計金額

収益の増加

受取利息の勘定は以下のようになります。

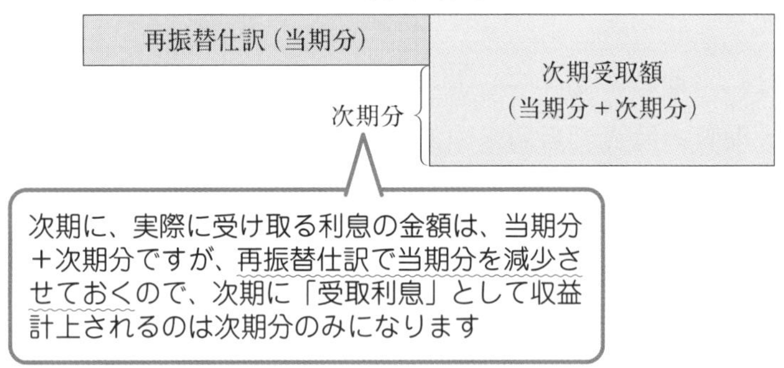

☆　決算時、翌期首及び受取時の仕訳をしてみよう！

例11－4

問題　×２年３月１日、八百源は期間４ヵ月、年利率３％、利息は返済時に受取るという契約で、鳥取商会に現金6,000円を貸し付け、×２年３月31日の期末を迎えた。また、×２年６月30日、貸付金の返済日となり、八百源は利息とともに現金で受取った。

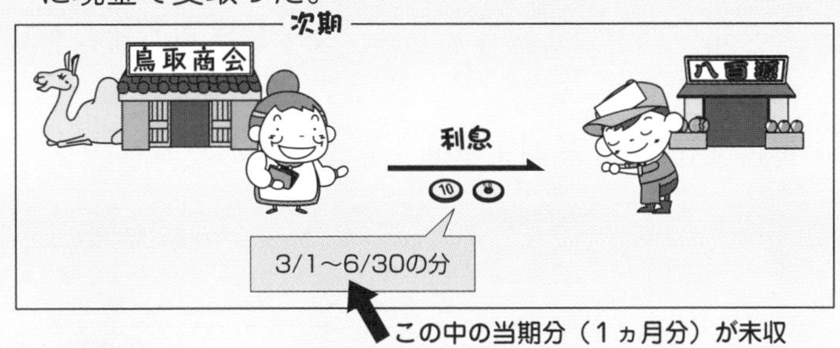

【解答（決算時）】

借方科目	金額	貸方科目	金額
未収利息	15	**受取利息**	15

４ヵ月分60円÷４ヵ月分×当期１ヵ月分＝当期分15円

当期分15円

【考え方】

①　×２年３月１日にお金を貸しているが利息の受取りは次期である
＝当期分（１ヵ月分）の利息はすでに発生している
⇒当期分の利息の収益を前もって計上
＝受取利息（収益）の増加

②　当期分（１ヵ月分）の利息はすでに発生しているが、決算日現在まだ受け取っていない
＝次期に当期の利息を受け取る権利が発生
⇒未収利息（資産）の増加

第11章　決算整理Ⅲ

さっくり5日目　しっかり7日目　

【解答（翌期首：再振替仕訳）】

借方科目	金額	貸方科目	金額
受取利息	15	**未収利息**	15

【考え方】

① ×２年６月30日に４ヵ月分の利息を受け取る

⇒そのうち１ヵ月分は×１年度の収益

⇒×２年度期首に、あらかじめ、×１年度分の利息を減少させておく

⇒再振替仕訳⇒前期末（×１年度末）の反対仕訳

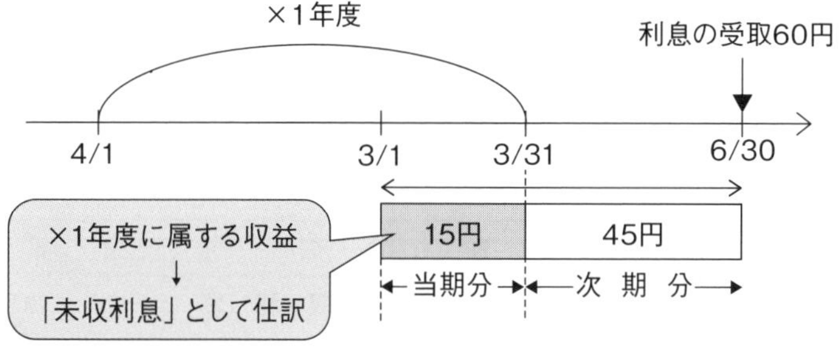

【解答（受取時）】

借方科目	金額	貸方科目	金額
現金	6,060	**貸付金**	6,000
		受取利息	60

受取利息の勘定は以下のようになります。

社会保険料の納付は…

社会保険料は、当月分を翌月に納付することになります。そのため、3月31日が決算である場合、3月分の社会保険料（会社負担分）は、当期の費用になりますが、支払いは翌月（翌期）になるため、決算で「未払社会保険料」（負債）を計上します。

【決算時（当期）】

借方科目	金額	貸方科目	金額
法定福利費	×××	**未払社会保険料**	×××

会社負担分の社会保険料（3月分）

【翌期首（再振替仕訳）】

借方科目	金額	貸方科目	金額
未払社会保険料	×××	**法定福利費**	×××

【納付時（翌期）】

会社負担分の社会保険料（3月分）

借方科目	金額	貸方科目	金額
法定福利費	×××	**現金など**	×××
社会保険料預り金	×××		

従業員負担分の社会保険料（3月分）

納付した時の「法定福利費」（借方）は、再振替仕訳の「法定福利費」（貸方）で打ち消されます！

結局、3月の社会保険料は、3月の費用になるんだね

第11章 決算整理Ⅲ

さっくり 5日目　しっかり 7日目　じっくり 11日目

繰延べ・見越しって何??

ここまでは、「費用の前払い・収益の前受け」と「費用の未払い・収益の未収」を学習しました。

① 費用を前払いした後に決算を迎えた場合、支払った金額のうち翌期の費用となる分を減らし、「前払費用」(資産) を計上しました。このような処理を「**費用の繰延べ**」といいます。

② 同じように、収益を前受けした後に決算を迎えた場合、受け取った金額のうち翌期の収益となる分を減らし、「前受収益」(負債) を計上しました。このような処理を「**収益の繰延べ**」といいます。

③ また、当期の費用が発生しているにもかかわらず、お金を支払っていない場合、当期の費用となる分を支払う前に費用計上し、「未払費用」(負債) を計上しました。このような処理を「**費用の見越し**」といいます。

④ また、当期の収益が発生したにもかかわらず、お金を受け取っていない場合、当期の収益となる分を受け取る前に収益計上し、「未収収益」(資産) を計上しました。このような処理を「**収益の見越し**」といいます。

3 固定資産の減価償却と売却

イントロダクション

八百源の建物や商品を運ぶためのトラックは時が経ったり、使ったりすることにより価値が減ります。

「価値が減った分を計算しないといけないのか…」

使っていると古くなっていくからね〜

1 資産を使うことによる価値の減少!

売り物ではなく、商売のために長く使っていく資産を「有形固定資産」といい、建物、備品、車両、土地などがこれに分類されます。有形固定資産のうち、土地以外の建物や備品などは、長く使っていくうちに、次第にその価値が下がっていきます。

このように、価値が減少することを「**減価**(げんか)」といいます。

コトバ

有形固定資産：商売のために長く使っていく資産

減価：価値が減少すること

2 価値が下がったことを帳簿に記入しよう!

例えば、車両を購入したときは、帳簿に取得原価で記入します。取得原価は購入したときの価値を表していますが、しばらく使った車両は、購入したときより価値が下がっています。そこで、期末になるたびにどれだけ価値が下がったのかを計算し、これを帳簿に記入します。この処理を「**減価償却**（げんかしょうきゃく）」といいます。

コトバ
減価償却：価値がどれだけ下がったかの計算

土地は、使用したり時間が経ったりすることが原因で価値が下がるわけではないので、減価償却は行いません

3 どれだけ価値が下がったの??

期末時点で、期中に下がった有形固定資産の価値を「**減価償却費**（げんかしょうきゃくひ）」という費用で計上します。減価償却費の金額は、次のように考えて計算します。

例えば、期首に取得原価2,000円の車両を購入したとします。この車両が、購入してから３年間使えるもので、３年後に200円で売却できるとすると、３年間で価値が1,800円減少するといえます。そうすると、１年間で減少する価値は、３年間で減少する価値1,800円の３分の１にあたる600円と計算できます。

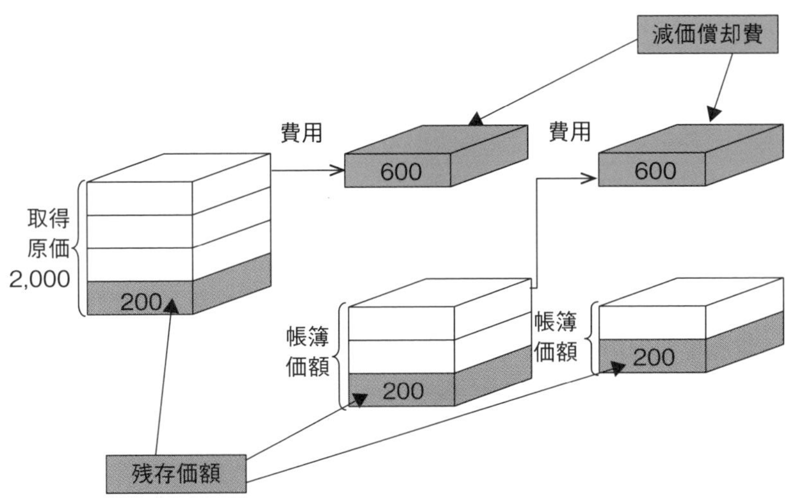

重要 減価償却費の計算方法

１年分の減価償却費＝（取得原価－残存価額）÷耐用年数

ここで、「**耐用年数**」とは使うことができる年数、「**残存価額**」とは耐用年数が経過した後に残っている価値を意味します。前のページの例では、耐用年数が３年、残存価額が200円です。

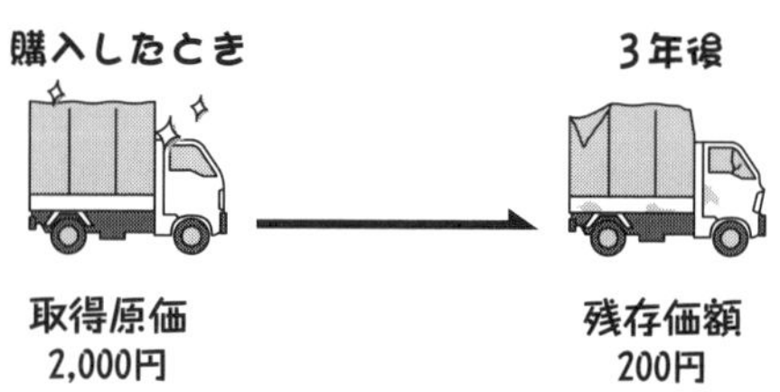

コトバ

耐用年数：使うことができる年数
残存価額：耐用年数が経過した後に残っている価値

減価償却計算の方法

３級で出題される減価償却費の計算方法は、車両などの有形固定資産を使い始めてから毎年同じだけ価値が減少していくと考える方法です。この方法を「**定額法**」といいます。

３級では「定額法」が
出題されます
しっかりと覚えておこう

4 減価償却の結果を仕訳しよう!!

　決算で減価償却費の計算を行い、金額を算定したら、資産の価値が減少した分は会社の費用として考え、「減価償却費」（費用）として仕訳します。また、同時に、資産のマイナスを示す「**減価償却累計額**」（資産のマイナス）を使って、価値が減少した分だけ資産が減少したことを表します。

【決算時】

借方科目	金額	貸方科目	金額
減価償却費	×××	**減価償却累計額**	×××

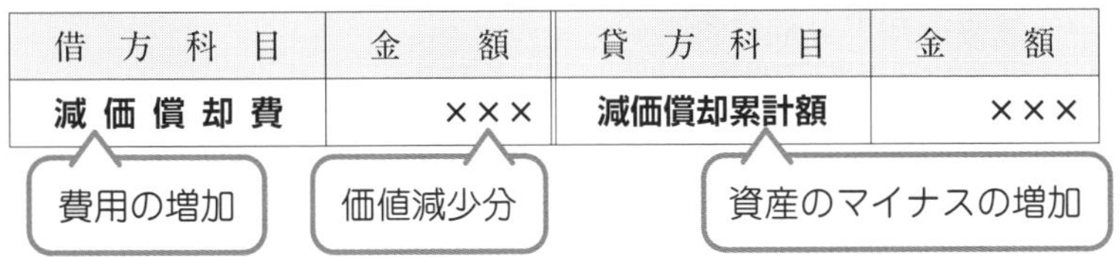

　これにより、資産と減価償却累計額の勘定は以下のようになります。

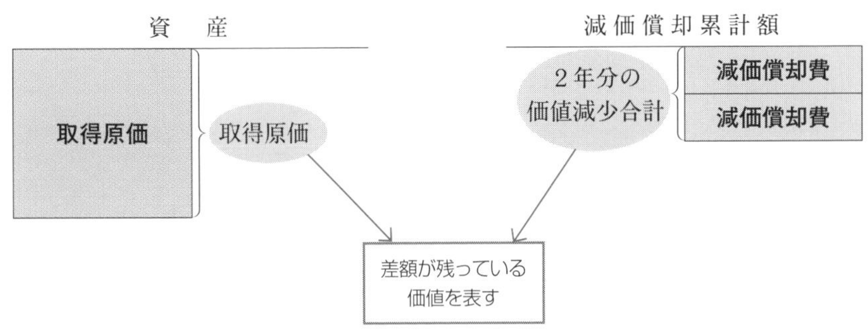

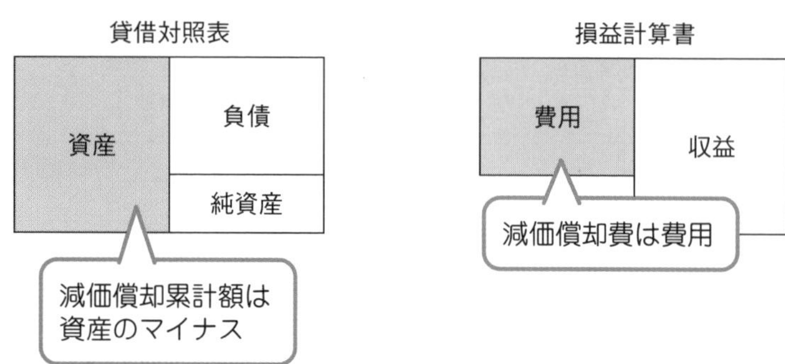
貸借対照表
資産
負債
純資産
減価償却累計額は
資産のマイナス
損益計算書
費用
収益
減価償却費は費用

減価償却累計額は資産の
マイナスを表すから、貸倒
引当金と同じ性質だね
QUE
バーテンダー古屋

☆ 決算整理仕訳をしてみよう！

問題 ×2年3月31日、期末を迎え、車両の減価償却を定額法により行う。なお、この車両は×1年4月1日に取得したものであり、取得原価2,000円、耐用年数5年、残存価額は取得原価の10％である。

【解答】

借方科目	金額	貸方科目	金額
減価償却費	360	減価償却累計額	360

（取得原価2,000円－残存価額200円）÷耐用年数5年＝360円

資産のマイナスの増加

【考え方】

① 取得原価2,000円、耐用年数5年、残存価額は取得原価の10％
⇒取得原価が2,000円であるのに対し、残存価額はその10％である200円なので、5年間で1,800円の価値が減少
⇒1年間で360円価値が減少 ＝ 360円の減価償却費を計上
⇒減価償却費（費用）の増加

② 資産のマイナスを示す減価償却累計額で資産を間接的に減らす
⇒減価償却累計額（資産のマイナス）の増加

しっかり 7日目

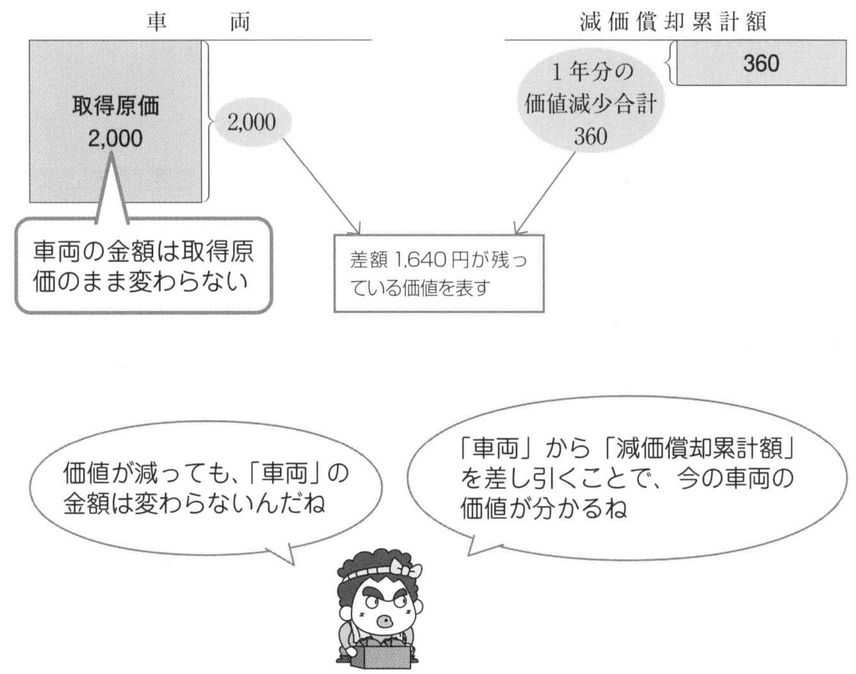

有形固定資産の帳簿価額

有形固定資産の価値は、購入時点では取得原価と同じですが、減価償却により、だんだんと価値が減少していきます。帳簿価額とは、帳簿に書いてある金額という意味ですが、有形固定資産の帳簿価額とは、「有形固定資産の残っている価値として帳簿に書いてある金額」のことをいいます。つまり、有形固定資産の帳簿価額は、「取得原価－減価償却累計額」で求めます。
【例11－5】では、×1年度期末の車両の帳簿価額は「取得原価2,000円－減価償却累計額360円＝1,640円」となります。

もし、車両の購入が期中の×1年10月1日だと…

【例11－5】は期首の×１年４月１日に車両を取得していますが、期中の×１年10月１日に車両を取得した場合、×１年度の減価償却費は以下のように計算します。

$$(\text{取得原価}2{,}000\text{円}-\text{残存価額}200\text{円})\div\text{耐用年数}5\text{年}\times\frac{6\text{ヵ月}}{12\text{ヵ月}}=180\text{円}$$

つまり、×１年10月１日から×２年３月31日までの６ヵ月しか車両を使っていないので、６ヵ月分の価値の減少を計算すればいいのです。そのため、１年分の減価償却費360円の半分の180円になります。このように、減価償却費は必要に応じて月割計算をします。

減価償却費は
月割計算です！

減価償却は、有形固定資産
を使っている期間に応じて
行うのでアル！

5 資産を期首に売却したら…

減価償却を行っていた有形固定資産を売却するとき、なくす資産の金額は、売却時に残っている資産の価値（帳簿価額）です。

具体的には、売却される資産を減少させるとともに、今までの資産の価値減少分の金額を示す「減価償却累計額」（資産のマイナス）も一緒に減少させます。

そして、売却代金となくした資産の価値（帳簿価額）との差額を考えて、得したのか、損したのかを判断します。

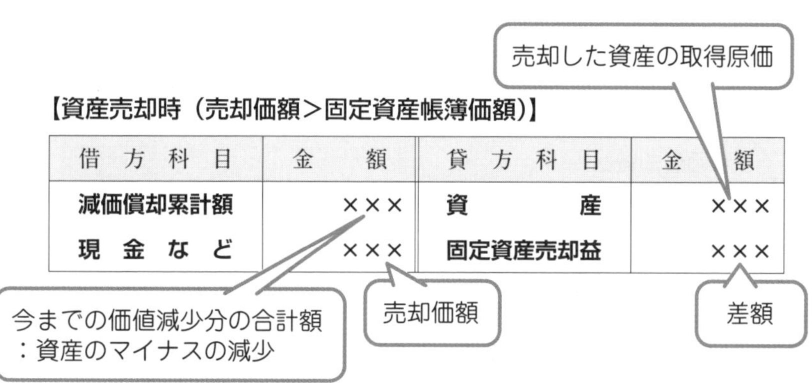
【資産売却時（売却価額＞固定資産帳簿価額）】

借方科目	金額	貸方科目	金額
減価償却累計額	×××	**資産**	×××
現金など	×××	**固定資産売却益**	×××

売却で資産がなくなるから、その資産の価値の減少を示す「減価償却累計額」も消すんだね！！

Kazu

☆ 仕訳をしてみよう！

例11－6

問題　【例11－5】の車両を×４年４月１日に沖縄商会に850円で売却し、代金は現金で受取った。決算日は毎年３月31日である。

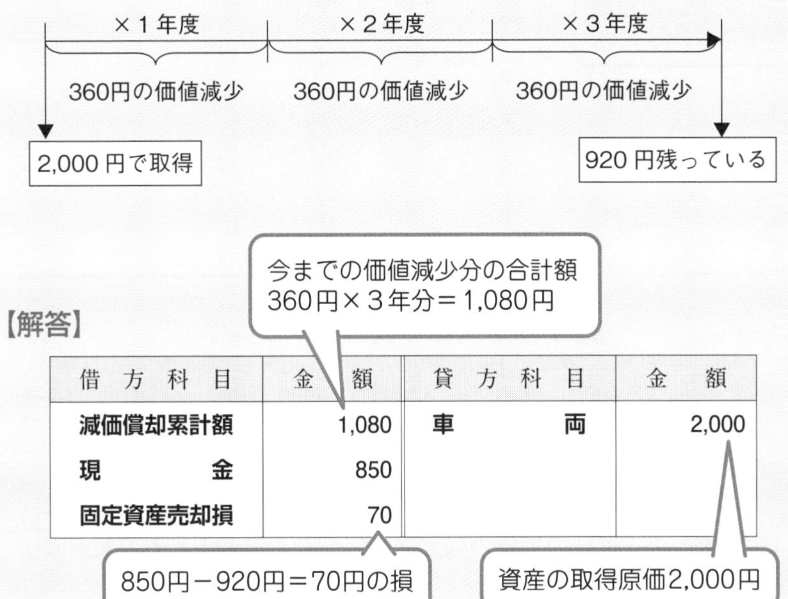

【解答】

借方科目	金額	貸方科目	金額
減価償却累計額	1,080	**車　両**	2,000
現　金	850		
固定資産売却損	70		

【考え方】

① 車両を×４年４月１日に沖縄商会に売却
　⇒車両（資産）の減少

② ×１年４月１日に取得した車両を×４年４月１日に売却
　⇒１年間で360円の価値が減少、３年間で1,080円の価値が減少
　⇒減価償却累計額（資産のマイナス）の減少

③ 920円の価値が残っている車両を850円で売却
　＝70円の損
　⇒固定資産売却損（費用）の増加

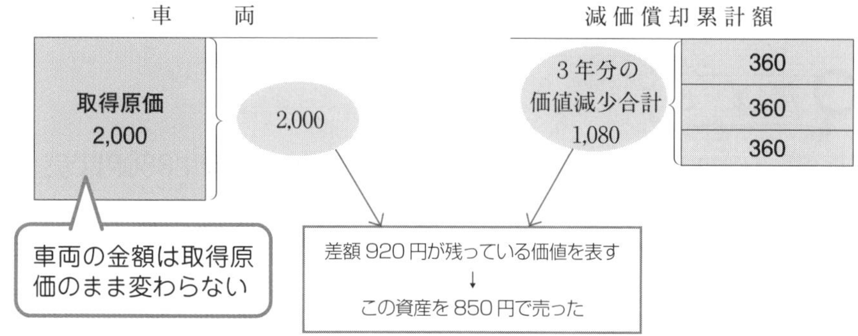

固定資産の売却による儲け

資産の勘定の残高は資産の取得原価を、減価償却累計額は価値の減少分を表すので、「資産の勘定の残高－減価償却累計額」が資産の残っている価値（帳簿価額）を表します。そのため、「売却価額」と「資産の勘定の残高－減価償却累計額」との差額が固定資産の売却による損益になります。

売却による損益＝売却価額－（資産の勘定の残高－減価償却累計額）

6 資産を期中に売却したら…

有形固定資産を期中に売却する場合は、期首に売却する場合と異なり、期首から売却するときまでに資産の価値が減少していることを考慮する必要があります。

そのため、売却の仕訳を行う前に、まず、期首から売却するときまでの減価償却の仕訳をします。

【資産売却時①（当期分の減価償却）】

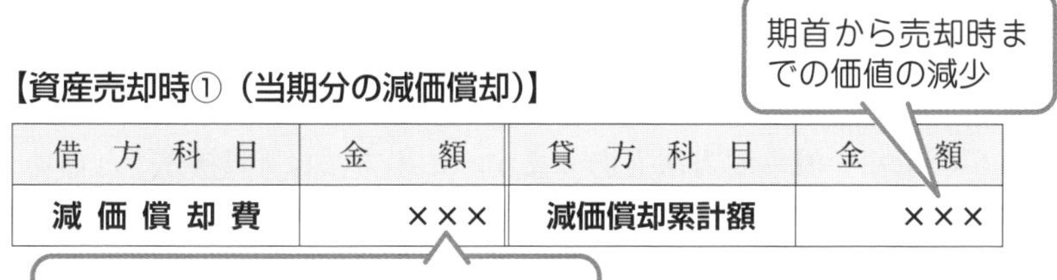

借方科目	金額	貸方科目	金額
減価償却費	×××	**減価償却累計額**	×××

その後、売却の仕訳をします。

【資産売却時②（売却価額＞固定資産帳簿価額）】

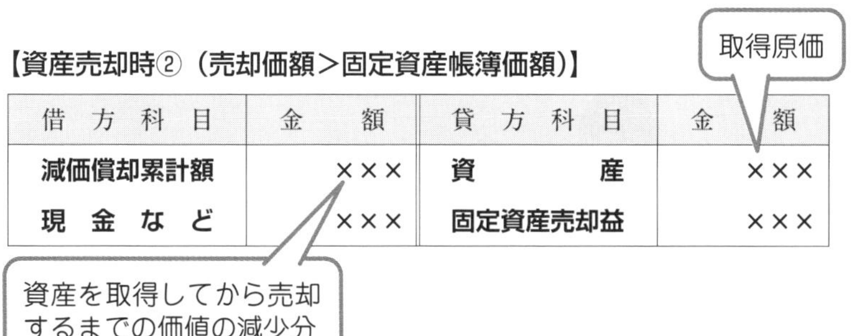

借方科目	金額	貸方科目	金額
減価償却累計額	×××	**資産**	×××
現金など	×××	**固定資産売却益**	×××

通常は上記2つの仕訳を合わせて行います。

借方科目	金額	貸方科目	金額
減価償却累計額	×××	**資　　産**	×××
減価償却費	×××	**固定資産売却益**	×××
現金など	×××		

直接法と間接法

減価償却費の仕訳では、貸方に「減価償却累計額」が出てきました。このように、減価償却累計額を用いて仕訳する方法を「**間接法**」といいます。これに対して、減価償却費の金額分だけ直接資産の金額を減らす方法もあります。この方法は「**直接法**」といいますが、日商簿記3級では、間接法しか学習しません。

☆　仕訳をしてみよう！

例11－7

問題　×４年９月30日、車両を沖縄商会に800円で売却し、代金は現金で受け取った。この車両は×１年４月１日に取得したものであり、取得原価2,000円、耐用年数５年、残存価額は取得原価の10％、定額法により減価償却を行っている。なお、決算日は毎年３月31日である。

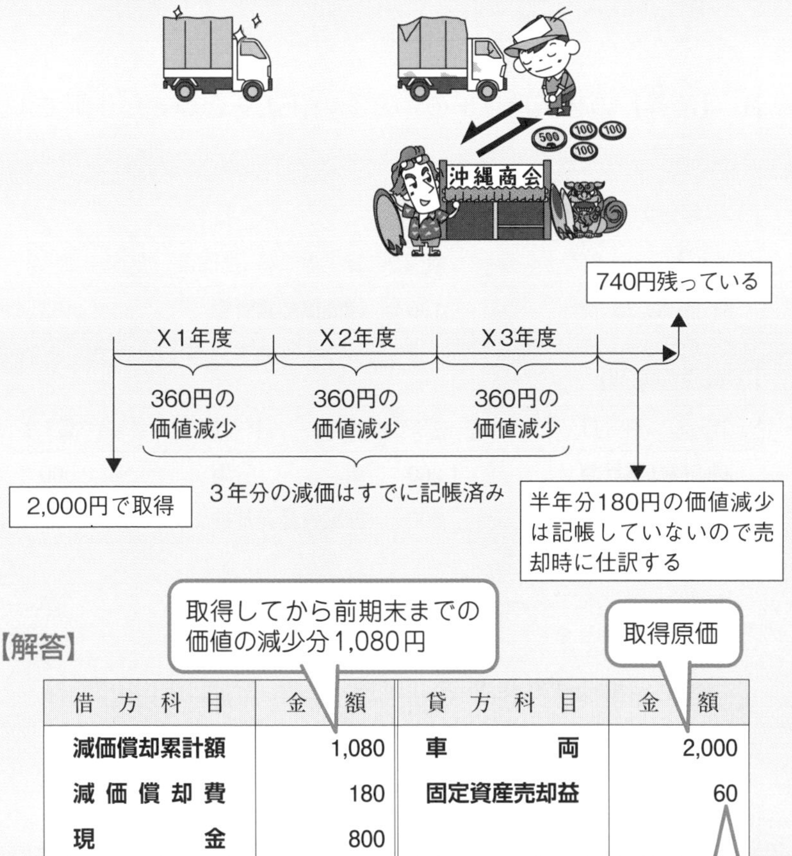

【解答】

借方科目	金額	貸方科目	金額
減価償却累計額	1,080	**車両**	2,000
減価償却費	180	**固定資産売却益**	60
現金	800		

【考え方】

① 車両を×４年９月30日に沖縄商会に売却
⇒車両（資産）の減少

② ×１年４月１日に取得した車両を×４年９月30日に売却
⇒１年間で360円の価値が減少、３年半で1,260円の価値が減少
⇒減価償却累計額（資産のマイナス）の減少

③ 740円の価値が残っている車両を800円で売却
＝60円の儲け
⇒固定資産売却益（収益）の増加

なお、【解答】の仕訳は以下の①と②の仕訳を合わせた仕訳です。

【①半年分の減価償却】

借方科目	金額	貸方科目	金額
減価償却費	180	**減価償却累計額**	180

【②資産の売却】

借方科目	金額	貸方科目	金額
減価償却累計額	1,260	**車両**	2,000
現金	800	**固定資産売却益**	60

耐用年数が到来すると…

有形固定資産の耐用年数が到来したからといって、有形固定資産が使えなくなり、すぐに処分することになる訳ではありません。耐用年数が到来しても有形固定資産を使用し続ける場合があります。残存価額がゼロの有形固定資産は、耐用年数が到来すると帳簿価額がゼロになりますが、耐用年数が到来しても使用し続けるときは、**帳簿価額を１円として貸借対照表に表示**していきます。このように、1円だけ帳簿に残しておく価額のことを「**備忘価額**」といいます。

使い続けている資産をゼロ円として、貸借対照表から外すことはできないので、１円だけ残します！

資産の存在を忘れないようにするために、１円残すんですね！

確認テスト

問題

次の①～④に関する決算整理仕訳をしなさい。なお、当期は×３年４月１日～×４年３月31日までの１年間である。

① ×３年８月１日に向こう１年分の家賃60,000円を支払っており、決算を迎えため、必要な決算整理仕訳を行う。

② ×３年12月１日に向こう１年分の手数料45,000円を受け取っており、決算を迎えたため、必要な決算整理仕訳を行う。

③ ×３年６月１日に期間１年、年利率５％、利息は返済時に支払うという条件で120,000円を借り入れた。決算を迎えたため、必要な決算整理仕訳を行う。

④ ×３年６月１日に期間１年、年利率３％、利息は返済時に受け取るという条件で200,000円を貸し付けた。決算を迎えたため、必要な決算整理仕訳を行う。

（単位：円）

	借方科目	金額	貸方科目	金額
①				
②				
③				
④				

解答

（単位：円）

	借方科目	金額	貸方科目	金額
①	前払家賃	20,000	支払家賃	20,000
②	受取手数料	30,000	前受手数料	30,000
③	支払利息	5,000	未払利息	5,000
④	未収利息	5,000	受取利息	5,000

解説

①−1　1年分の家賃を支払っているが、次期分が含まれている

⇒家賃が当期分のみになるように、次期分を除く

⇒次期分：$60,000円 \times \frac{4カ月}{12カ月} = 20,000円$

⇒支払家賃（費用）の減少は20,000円

①−2　1年分の家賃を支払っているが、次期分20,000円は前払い

⇒前払家賃（資産）の増加は20,000円

②−1　1年分の手数料を受け取っているが、次期分が含まれている

⇒手数料が当期分のみになるように、次期分を除く

⇒次期分：$45,000円 \times \frac{8カ月}{12カ月} = 30,000円$

⇒受取手数料（収益）の減少は30,000円

第11章 決算整理Ⅲ

さっくり 5日目
しっかり 8日目

じっくり 11日目

②－2　１年分の手数料を受け取っているが、次期分30,000円は前受け
⇒ 前受手数料（負債）の増加は30,000円

③－1　×３年６月１日にお金を借りているが、利息の支払いは次期である
⇒ 当期分（10ヵ月分）の利息はすでに発生している

⇒ 当期分：120,000円×年利率５％× $\frac{10ヵ月}{12ヵ月}$ ＝ 5,000円

⇒ 当期分の利息を支払う前に費用に計上
⇒ 支払利息（費用）の増加は5,000円

③－2　当期分5,000円の利息は、決算日現在で未払い
⇒ 未払利息（負債）の増加は5,000円

④－1　×３年６月１日にお金を貸しているが、利息の受け取りは次期である
⇒ 当期分（10ヵ月分）の利息はすでに発生している

⇒ 当期分：200,000円×年利率３％× $\frac{10ヵ月}{12ヵ月}$ ＝ 5,000円

⇒ 当期分の利息を受け取る前に収益に計上
⇒ 受取利息（収益）の増加は5,000円

④－2　当期分5,000円の利息は、決算日現在で未収
⇒ 未収利息（資産）の増加は5,000円

第12章 精算表と帳簿の締切り

学習進度目安

さっくり 7日間	しっかり 10日間	じっくり 15日間
6日目	8日目	12日目
	9日目	13日目

◉第12章で学習すること

① 精算表

② 帳簿の締切り

③ 財務諸表の作成

④ 月次決算

1 精算表

イントロダクション

決算整理を無事終えた八百源の経理担当者はついに1年間の成績表である「損益計算書」と「貸借対照表」を作ろうとしています。

「いきなり作ると間違えるからリハーサルをしないとダメだ」

「リハーサル？？」

「まず精算表を作るんだ！！」

1 精算表って??

決算では、決算整理をし、その結果を決算前の残高に加算・減算して、期末の残高を求めます。損益計算書や貸借対照表には期末の残高を記入します。「**精算表**（せいさんひょう）」は、この期末の残高を確認するために作る一覧表です。

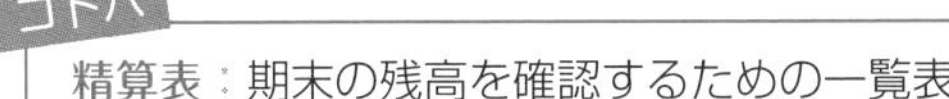

精算表：期末の残高を確認するための一覧表

2 精算表の形式は??

精算表には、通常、「**残高試算表**」欄、「**修正記入**」欄、「**損益計算書**」欄、「**貸借対照表**」欄の４つの欄が設けられます。それぞれに借方の列と貸方の列があるので、合計８列になり、このことから「**8けた精算表**」とも呼ばれています。

しっかり
8日目

貸借対照表の勘定科目

貸借対照表のリハーサル

精　算　表

（単位：円）

勘定科目	残高試算表		修正記入		損益計算書		貸借対照表	
	借　方	貸　方	借　方	貸　方	借　方	貸　方	借　方	貸　方
現　　　金	××						××	
当 座 預 金	××						××	
売　掛　金	××						××	
繰 越 商 品	××		××	××			××	
備　　　品	××						××	
買　掛　金		××						××
減価償却累計額		××		××				××
資　本　金		××						××
繰越利益剰余金		××						××
売　　　上		××				××		
仕　　　入	××		××	××	××			
通　信　費	××			××	××			
	××	××						
貯　蔵　品			××					
減 価 償 却 費			××		××			
当 期 純 利 益					××			××
			××	××	××	××	××	××

一致（残高試算表の借方・貸方）

貸借差額

一致（修正記入）　一致（損益計算書）　一致（貸借対照表）

損益計算書の勘定科目

決算整理で新しく登場した勘定科目

当期純利益または当期純損失

損益計算書のリハーサル

3 精算表の記入は??

精算表の記入について、通信費の決算を例に見ていきましょう。

期中に郵便切手を1,200円で購入し、期中に900円使用し、期末に300円分残っている場合を考えます。決算整理仕訳は以下のようになります。

借方科目	金額	貸方科目	金額
貯蔵品	300	通信費	300

① まず初めに、決算整理仕訳を「修正記入」欄に書き込みます。このとき、「貯蔵品」は、決算整理で初めて登場する勘定科目なので、残高試算表欄の合計金額の下に書き込みます。

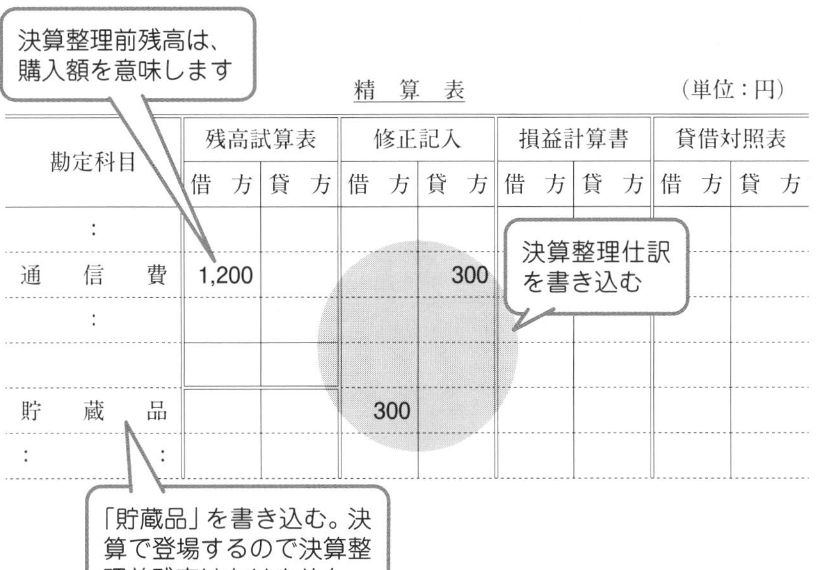

精算表　(単位：円)

勘定科目	残高試算表		修正記入		損益計算書		貸借対照表	
	借方	貸方	借方	貸方	借方	貸方	借方	貸方
:								
通信費	1,200			300				
:								
貯蔵品			300					
:　:								

第12章 精算表と帳簿の締切り

さっくり 6日目 / しっかり 8日目 / じっくり 12日目

② 次に、「残高試算表」欄と「修正記入」欄の金額を合算した決算整理後残高を「損益計算書」欄あるいは「貸借対照表」欄に書き込みます。「資産」・「負債」・「純資産」の科目は「貸借対照表」欄に、「収益」・「費用」の科目は「損益計算書」欄に書き込みます。

「通信費」は費用であるため、「損益計算書」欄の借方に決算整理後の残高を書き込みます。

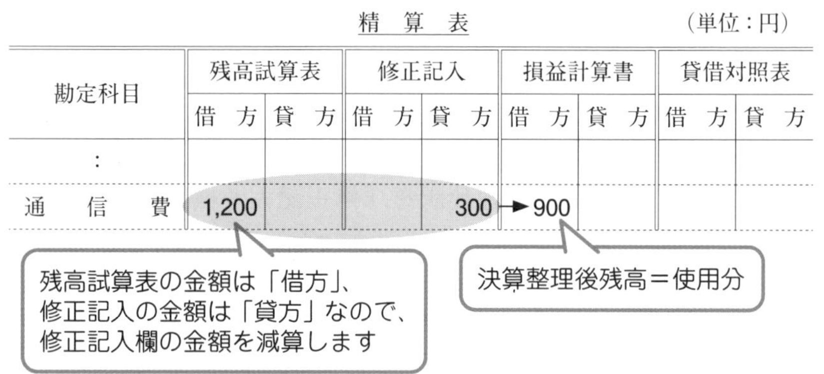

精　算　表　　（単位：円）

勘定科目	残高試算表		修正記入		損益計算書		貸借対照表	
	借　方	貸　方	借　方	貸　方	借　方	貸　方	借　方	貸　方
：								
通　信　費	1,200			300	900			

「貯蔵品」は資産であるため、「貸借対照表」欄の借方に決算整理後の金額書き込みます。

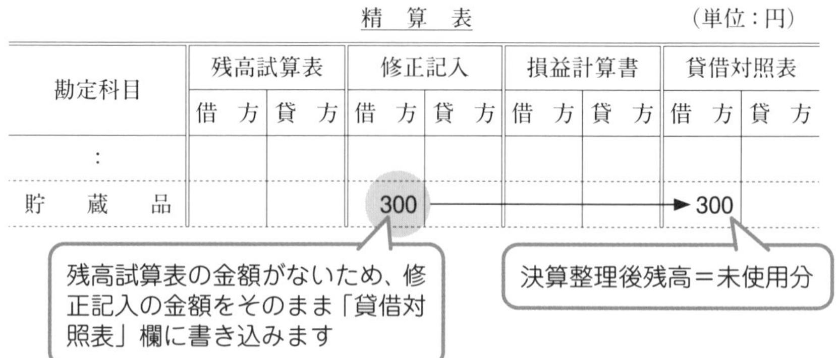

精　算　表　　（単位：円）

勘定科目	残高試算表		修正記入		損益計算書		貸借対照表	
	借　方	貸　方	借　方	貸　方	借　方	貸　方	借　方	貸　方
：								
貯　蔵　品			300				300	

③　決算整理が終わるまで①と②を繰り返し行い、最後に「損益計算書」欄と「貸借対照表」欄を締めます。その際に「修正記入」欄の借方合計と貸方合計が一致していることを確かめます。

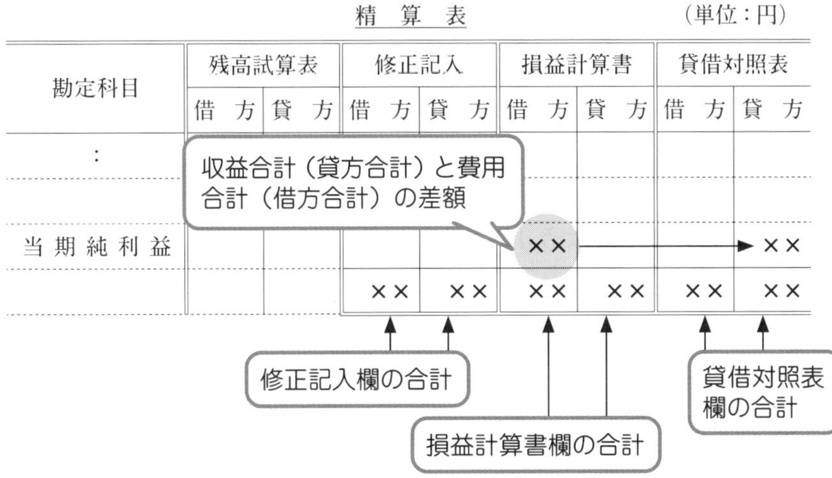

精　算　表　(単位：円)

勘定科目	残高試算表		修正記入		損益計算書		貸借対照表	
	借　方	貸　方	借　方	貸　方	借　方	貸　方	借　方	貸　方
：								
当期純利益					××			××
			××	××	××	××	××	××

当期純利益は、収益の合計が費用の合計を上回った分です。当期純利益を損益計算書欄の借方に記入すると、損益計算書欄の借方合計と貸方合計は同じ金額になります。また、当期純利益は1年間の会社の儲けを意味します。期首から期末まで会社を経営した結果儲かった分であり、この利益を元手として次期からまた経営を続けていくことになるので、当期純利益を純資産の増加と考え、貸借対照表欄の貸方に記入します。

赤字になったら元手が減ると考えて、貸借対照表欄の借方に記入します！

精算表作成の手順

① 決算整理仕訳を「修正記入」欄に書き込む
② 「残高試算表」欄の金額と「修正記入」欄の金額を合算した決算整理後残高を「損益計算書」欄あるいは「貸借対照表」欄に書き込む
③ 「損益計算書」欄と「貸借対照表」欄を締める

☆ 精算表を作成しよう！！

問題 次の決算整理事項にもとづいて精算表を完成させなさい。

① 郵便切手の未使用高が400円ある。
② 売掛金に対し２％の貸倒引当金を設定する。
③ 車両の減価償却を定額法により行う。なお、耐用年数５年、残存価額は取得原価の10％である。
④ 期末商品棚卸高は2,000円である。なお、売上原価は「仕入」の行で計算する。

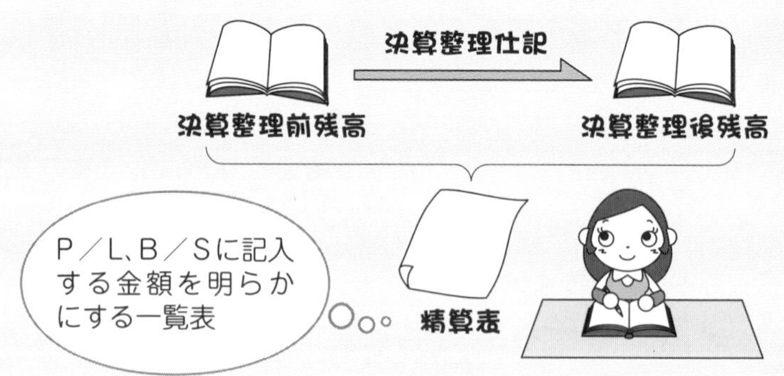

【解答】

精　算　表　　　　（単位：円）

勘定科目	残高試算表		修正記入		損益計算書		貸借対照表	
	借　方	貸　方	借　方	貸　方	借　方	貸　方	借　方	貸　方
現　　　金	5,200						5,200	
売　掛　金	6,800						6,800	
繰越商品	1,000		2,000	1,000			2,000	
車　　　両	2,000						2,000	
買　掛　金		4,180						4,180
貸倒引当金		100		36				136
減価償却累計額		720		360				1,080
資　本　金		8,000						8,000
繰越利益剰余金		2,000						2,000
売　　　上		6,000				6,000		
仕　　　入	4,400		1,000	2,000	3,400			
通　信　費	1,600			400	1,200			
	21,000	21,000						
貯　蔵　品			400				400	
貸倒引当金繰入			36		36			
減価償却費			360		360			
当期純利益					1,004			1,004
			3,796	3,796	6,000	6,000	16,400	16,400

【考え方】

① 郵便切手

ステップ１

通信費勘定の決算整理後残高が使用高に、貯蔵品勘定の決算整理後残高が未使用高になるように、未使用高を、通信費勘定から貯蔵品勘定へ振替えます。

借方科目	金額	貸方科目	金額
貯蔵品	400	通信費	400

決算整理仕訳は計算用紙（下書用紙）にメモをして、
金額を修正記入欄に記入すればいいんだね！！

ステップ２

仕訳に使った勘定科目の行を探して、修正記入欄に金額を記入します。

ステップ３

通信費勘定の決算整理後残高は、残高試算表欄借方の1,600円から、修正記入欄貸方の400円を減算して求めます。「通信費」は費用であるため、損益計算書欄の借方に「1,200」と書き込みます。

ステップ４

貯蔵品勘定は残高試算表欄に記入がありません。決算整理後残高は修正記入欄借方の400円となります。「貯蔵品」は資産であるため、貸借対照表欄の借方に「400」と書き込みます。

決算整理前残高＝購入額

ステップ2

決算整理後残高＝使用高

精　算　表　　　（単位：円）

勘定科目	残高試算表		修正記入		損益計算書		貸借対照表	
	借　方	貸　方	借　方	貸　方	借　方	貸　方	借　方	貸　方
：								
通　信　費	1,600			⊖400	1,200			
貯　蔵　品			400				400	
：　　：								

残高試算表欄の 1,600 円は借方だけど、修正記入欄の 400 円は貸方だから減算するんだ！！

ステップ3

決算で登場するので決算整理前残高はありません

ステップ4

② 貸倒引当金の設定

ステップ１

貸借対照表に記載すべき売掛金は6,800円なので、貸倒見積額は136円（＝6,800円×２％）です。

貸倒引当金の決算整理後残高が136円となるように貸倒引当金を繰り入れます。

借方科目	金額	貸方科目	金額
貸倒引当金繰入	36	貸倒引当金	36

貸倒見積額136円－決算整理前残高100円＝36円

ステップ２

仕訳に使った勘定科目の行を探して、修正記入欄に金額を記入します。

ステップ３

貸倒引当金繰入勘定は残高試算表欄に記入がありません。決算整理後残高は修正記入欄借方の36円となります。「貸倒引当金繰入」は費用であるため、損益計算書欄の借方に「36」と書き込みます。

ステップ４

貸倒引当金勘定の決算整理後残高は、残高試算表欄貸方の100円に、修正記入欄貸方の36円を加算して求めます。「貸倒引当金」は資産のマイナスを表すため、貸借対照表欄の貸方に「136」と書き込みます。

決算整理仕訳とは無関係なので、決算整理前残高＝貸借対照表の金額になります

精　算　表　　　　　　　　　　(単位：円)

勘定科目	残高試算表		修正記入		損益計算書		貸借対照表	
	借　方	貸　方	借　方	貸　方	借　方	貸　方	借　方	貸　方
売　掛　金	6,800						6,800	
貸倒引当金		100		⊕36				136
：								
貸倒引当金繰入			36		36			
：　　：								

貸借対照表欄の売掛金の金額をもとに、貸倒引当金を設定します

残高試算表欄の 100 円と、修正記入欄の 36 円は貸方同士だから加算するんだ！！

ステップ４

決算整理後残高＝貸倒見積額

ステップ２

ステップ３

決算で登場するので決算整理前残高はありません

第12章　精算表と帳簿の締切り

さっくり6日目
しっかり8日目
じっくり12日目

③　減価償却

ステップ1

車両の取得原価は、残高試算表欄の借方に記載されている2,000円です。よって、当期の減価分360円を計上します。

借方科目	金額	貸方科目	金額
減価償却費	360	減価償却累計額	360

(2,000円－200円)÷5年＝360円
または、
2,000円×0.9÷5年＝360円

ステップ2

仕訳に使った勘定科目の行を探して、修正記入欄に金額を記入します。

ステップ3

減価償却費勘定は残高試算表欄に記入がありません。決算整理後残高は修正記入欄借方の360円となります。「減価償却費」は費用であるため、損益計算書欄の借方に「360」と書き込みます。

ステップ4

減価償却累計額勘定の決算整理後残高は、残高試算表欄貸方の720円に、修正記入欄貸方の360円を加算して求めます。「減価償却累計額」は固定資産の価値のマイナス分を表すため、貸借対照表欄の貸方に「1,080」と書き込みます。

減価償却累計額勘定があるので、決算整理前残高は「取得原価」を意味します

決算整理仕訳とは無関係なので、決算整理前残高＝貸借対照表の金額になります

精　算　表　　　　(単位：円)

勘定科目	残高試算表		修正記入		損益計算書		貸借対照表	
	借　方	貸　方	借　方	貸　方	借　方	貸　方	借　方	貸　方
車　　両	2,000						2,000	
減価償却累計額		720		⊕360				1,080
：								
減価償却費			360		360			
：　　：								

残高試算表欄の720円と、修正記入欄の360円は貸方同士だから加算するんだ！！

ステップ2

ステップ3

ステップ4

決算整理後残高＝当期末までの価値の減少分

決算で登場するので決算整理前残高はありません

第12章

精算表と帳簿の締切り

さっくり 6日目

しっかり 8日目

じっくり 12日目

④　商品の決算整理

ステップ１

期首商品棚卸高は、残高試算表欄の借方に記載されている1,000円です。また、期末商品棚卸高は、問題より2,000円です。
期首商品棚卸高を繰越商品勘定から仕入勘定に振替え、期末商品棚卸高を仕入勘定から繰越商品勘定に振替えます。

借方科目	金額	貸方科目	金額
仕入	1,000	繰越商品	1,000
繰越商品	2,000	仕入	2,000

ステップ２

仕訳に使った勘定科目の行を探して、修正記入欄に金額を記入します。

ステップ３

繰越商品勘定の決算整理後残高は、残高試算表欄借方の1,000円に、修正記入欄借方の2,000円を加算し、修正記入欄貸方の1,000円を減算して求めます。「繰越商品」は資産であるため、貸借対照表欄の借方に「2,000」と書き込みます。

ステップ４

仕入勘定の決算整理後残高は、残高試算表欄借方の4,400円に、修正記入欄借方の1,000円を加算し、修正記入欄貸方の2,000円を減算して求めます。「仕入」は費用であるため、損益計算書欄の借方に「3,400」と書き込みます。

決算整理前残高
＝期首商品棚卸高

ステップ2

ステップ3

精　算　表

（単位：円）

勘定科目	残高試算表		修正記入		損益計算書		貸借対照表	
	借　方	貸　方	借　方	貸　方	借　方	貸　方	借　方	貸　方
繰越商品	1,000		⊕2,000	⊖1,000			2,000	
仕　　入	4,400		⊕1,000	⊖2,000	3,400			
：								

残高試算表欄の1,000円と、修正記入欄の2,000円は借方同士だから加算して、修正記入欄の1,000円は貸方だから減算するんだ！！

決算整理後残高
＝期末商品棚卸高

ステップ4

決算整理後残高＝売上原価

決算整理前残高
＝当期商品仕入高

⑤　当期純利益の算定

ステップ1

ここまでの①～④の決算整理仕訳をすべて修正記入欄に記入すると、修正記入欄借方の合計と修正記入欄貸方の合計は必ず一致します。ここでは、どちらも3,796円になっていることが確認できます。

ステップ2

現金、売掛金、車両、買掛金、資本金、繰越利益剰余金、売上の行の修正記入欄には記入が行われなかったため、残高試算表欄の金額を、そのまま損益計算書欄または貸借対照表欄に書き込みます。

ステップ3

当期純利益は収益の合計が費用の合計を上回った分であるため、当期純利益を損益計算書欄の借方に記入すると、損益計算書欄の借方合計と損益計算書欄の貸方合計は同じになります。ここでは、どちらも6,000円になっています。

ステップ4

また、当期純利益は1年間の会社の儲けを意味します。会社はこの利益を元手にして次期からまた経営を続けていくことになるので、当期純利益を純資産の増加分と考え、貸借対照表欄の貸方に記入します。これにより、貸借対照表欄の借方合計と、貸借対照表欄の貸方合計は必ず一致します。ここでは、どちらも16,400円になります。

ステップ2　ステップ2

精　算　表

（単位：円）

勘定科目	残高試算表		修正記入		損益計算書		貸借対照表	
	借　方	貸　方	借　方	貸　方	借　方	貸　方	借　方	貸　方
現　　金	5,200						5,200	
：								
資　本　金		8,000						8,000
繰越利益剰余金		2,000						2,000
売　　上		6,000				6,000		
仕　　入	4,400		1,000	2,000	3,400			
通　信　費	1,600			400	1,200			
	21,000	21,000						
貯　蔵　品			400				400	
貸倒引当金繰入			36		36			
減価償却費			360		360			
当期純利益					1,004			1,004
			3,796	3,796	6,000	6,000	16,400	16,400

収益合計　費用合計　ステップ2　当期純利益

ステップ1　ステップ3　ステップ4

第12章

精算表と帳簿の締切り

4 精算表の推定（参考）

先ほどまでは、精算表の記入方法を見てきました。残高試算表欄には金額が初めから記入してあり、修正記入欄・損益計算書欄・貸借対照表欄を埋めていくというものでした。ここでは完成した精算表が与えられ、一部が空欄になっており、その空欄に入る金額を推定する問題の解き方を説明します。

精　算　表　　（単位：円）

勘定科目	残高試算表		修正記入		損益計算書		貸借対照表	
	借　方	貸　方	借　方	貸　方	借　方	貸　方	借　方	貸　方
：								
通　信　費	1,600							
：								
	×××	×××						
貯　蔵　品			400				400	
：　　：								

虫食い状態⇒推定する

上記のような精算表が問題の資料として与えられので、どのような決算整理仕訳が行われたのかを想像しながら、精算表を完成させていきます。

例えば、この精算表であれば、「通信費」と「貯蔵品」に着目して考えます。

① まず、貸借対照表欄の「貯蔵品」に注目します。借方に400円が記入されています。また、修正記入欄の借方にも同様に400円が記入されています。

② 修正記入欄の借方に400円の「貯蔵品」が記入されているので、修正記入欄の貸方は「通信費」400円ということが推定できます。ここで、以下の決算整理仕訳が行われたことがわかります。

借方科目	金額	貸方科目	金額
貯蔵品	400	**通信費**	400

③ 最後に、残高試算表欄の借方「通信費」1,600円から修正記入欄の貸方400円を減算した金額1,200円が損益計算書欄の借方に記入されます。

精算表　(単位：円)

勘定科目	残高試算表		修正記入		損益計算書		貸借対照表	
	借方	貸方	借方	貸方	借方	貸方	借方	貸方
：					③			
通信費	1,600			400	1,200			
：								
	×××	×××	②					
貯蔵品			400				400	
：　：								

精算表と帳簿の締切

第12章

☆　精算表を完成させよう！！

例12－2（参考）

問題　次の精算表を完成させなさい。

精　算　表　　（単位：円）

勘定科目	残高試算表		修正記入		損益計算書		貸借対照表	
	借　方	貸　方	借　方	貸　方	借　方	貸　方	借　方	貸　方
現　　　金	5,200						5,200	
売　掛　金	6,800						6,800	
繰越商品	1,000						2,000	
車　　　両	2,000						2,000	
買　掛　金		4,180						4,180
貸倒引当金		100						136
減価償却累計額								1,080
資　本　金		8,000						8,000
繰越利益剰余金		2,000						2,000
売　　　上		6,000				6,000		
仕　　　入					3,400			
通　信　費	1,600							
	21,000	21,000						
貯　蔵　品			400				400	
貸倒引当金繰入								
減価償却費			360		360			
当期純利益								

【解答】

精　算　表　　（単位：円）

勘定科目	残高試算表		修正記入		損益計算書		貸借対照表	
	借　方	貸　方	借　方	貸　方	借　方	貸　方	借　方	貸　方
現　　　金	5,200						5,200	
売　掛　金	6,800						6,800	
繰 越 商 品	1,000		**2,000**	**1,000**			2,000	
車　　　両	2,000						2,000	
買　掛　金		4,180						4,180
貸 倒 引 当 金		100		**36**				136
減価償却累計額		**720**		**360**				1,080
資　本　金		8,000						8,000
繰越利益剰余金		2,000						2,000
売　　　上		6,000				6,000		
仕　　　入	**4,400**		**1,000**	**2,000**	3,400			
通　信　費	1,600			**400**	**1,200**			
	21,000	21,000						
貯　蔵　品			400				400	
貸倒引当金繰入			**36**		**36**			
減 価 償 却 費			360		360			
当 期 純 利 益					**1,004**			**1,004**
			3,796	**3,796**	**6,000**	**6,000**	**16,400**	**16,400**

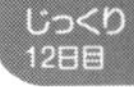

【考え方】

① 郵便切手

ステップ1

貸借対照表欄の「貯蔵品」に注目します。借方に400円が記入されていますので、修正記入欄の借方にも同様に400円が記入されています。

ステップ2

ステップ1 より修正記入欄の借方に400円の「貯蔵品」が記入されていますので、修正記入欄の貸方は「通信費」400円ということが推定できます。ここで、以下の決算整理仕訳が行われたことがわかります。

借方科目	金額	貸方科目	金額
貯蔵品	400	通信費	400

ステップ3

残高試算表欄の借方「通信費」1,600円から修正記入欄の貸方400円を減算した金額1,200円が損益計算書欄の借方に記入されます。

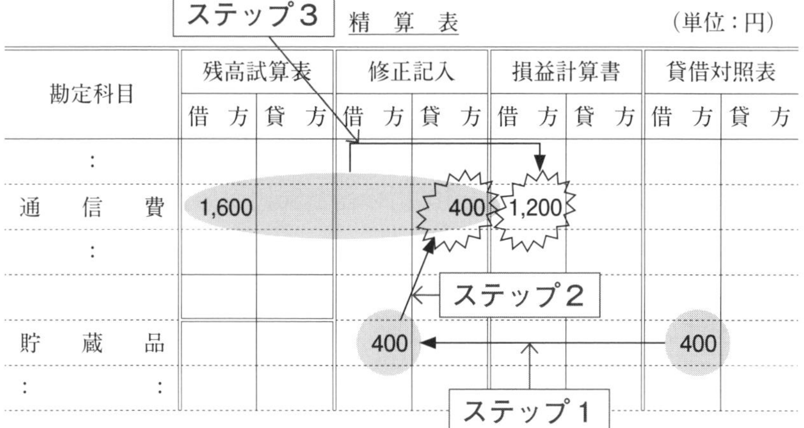

精算表 （単位：円）

勘定科目	残高試算表		修正記入		損益計算書		貸借対照表	
	借方	貸方	借方	貸方	借方	貸方	借方	貸方
：								
通信費	1,600			400	1,200			
：								
貯蔵品			400				400	
：　：								

② 貸倒引当金の設定

ステップ1

貸借対照表欄の「貸倒引当金」に注目します。貸方に136円が記入されています。また、残高試算表欄の貸方には100円が記入されているので、136円と100円の差額36円が修正記入欄の貸方に記入されているはずです。

ステップ2

ステップ1 より修正記入欄の貸方に36円の「貸倒引当金」が記入されていると推定できたので、修正記入欄の借方は「貸倒引当金繰入」36円ということも推定できます。ここで、以下の決算整理仕訳が行われたことがわかります。

借方科目	金額	貸方科目	金額
貸倒引当金繰入	36	貸倒引当金	36

ステップ3

修正記入欄の借方「貸倒引当金繰入」36円から、損益計算書欄の借方も「貸倒引当金繰入」36円が記入されます。

精　算　表　　　　(単位：円)

勘定科目	残高試算表		修正記入		損益計算書		貸借対照表	
	借　方	貸　方	借　方	貸　方	借　方	貸　方	借　方	貸　方
：								
貸倒引当金		100		36				136
：								
貸倒引当金繰入			36		36			
：　　：								

ステップ1

ステップ2

ステップ3

③　減価償却

ステップ1

損益計算書欄の「減価償却費」に注目します。借方に360円が記入されていますので、修正記入欄の借方にも同様に360円が記入されています。

ステップ2

ステップ1より修正記入欄の借方に360円の「減価償却費」が記入されていますので、修正記入欄の貸方は「減価償却累計額」360円ということが推定できます。ここで、以下の決算整理仕訳が行われたことがわかります。

借方科目	金額	貸方科目	金額
減価償却費	360	減価償却累計額	360

ステップ3

貸借対照表欄の貸方「減価償却累計額」1,080円から修正記入欄の貸方360円を減算した金額720円が残高試算表欄の貸方に記入されます。

精　算　表　　　　(単位：円)

勘定科目	残高試算表		修正記入		損益計算書		貸借対照表	
	借　方	貸　方	借　方	貸　方	借　方	貸　方	借　方	貸　方
：								
減価償却累計額		720		360				1,080
：								
減　価　償　却　費			360		360			
：　　　：								

ステップ3

ステップ2

ステップ1

第12章

精算表と帳簿の締切

④　商品の決算整理

ステップ1

期末の商品を表す貸借対照表欄の「繰越商品」に注目します。借方に2,000円が記入されていますが、期末の商品は決算整理で計上されるので、修正記入欄の借方に2,000円が記入されると推定できます。

ステップ2

期首の商品を表す残高試算表欄の「繰越商品」に注目します。借方に1,000円が記入されていますが、期首の商品は決算整理で取り崩されるので、修正記入欄の貸方に1,000円が記入されると推定できます

ステップ3

ここで、ステップ1 と ステップ2 より以下の決算整理仕訳が行われたことがわかります。

借方科目	金額	貸方科目	金額
仕入	1,000	繰越商品	1,000
繰越商品	2,000	仕入	2,000

ステップ4

売上原価を表す損益計算書欄の借方「仕入」は3,400円と記入されているので、修正記入欄の貸方2,000円を加算し、借方1,000円を減算すると、当期の仕入高を表す残高試算表の金額4,400円が推定できます。

精　算　表　　　　　(単位：円)

勘定科目	残高試算表		修正記入		損益計算書		貸借対照表	
	借　方	貸　方	借　方	貸　方	借　方	貸　方	借　方	貸　方
：								
繰越商品	1,000		2,000	1,000			2,000	
仕　入	4,400		1,000	2,000	3,400			
：　：								

ステップ1
ステップ2
ステップ3
ステップ3
ステップ4

さっくり
6日目

2 帳簿の締切り

イントロダクション

リハーサルである精算表を作成した八百源は1年間書きためてきた帳簿を締め、次期にスムーズに記帳ができるように準備をします。

「成績をまとめるのもそう簡単にはいかないなぁ…」

1 1年間の儲けがいくらかわかるようにしよう!

決算整理を終えたら、新しく「**損益**」勘定を用意します。そして、ここに収益・費用の決算整理後残高をすべて記入し、当期純利益がいくらか一目でわかるようにします。

収益の勘定の決算整理後残高はすべて貸方残高になっているので、この金額を損益勘定の貸方に振替えます。また、費用の勘定の決算整理後残高はすべて借方残高になっているので、この金額を損益勘定の借方に振替えます。すると、損益勘定の貸方残高は当期純利益を意味することになります。このような処理を「**損益振替**」といいます。

例えば、決算整理後の仕入勘定、支払利息勘定、売上勘定の残高がそれぞれ400円、100円、1,500円の場合の損益振替は以下のようになります。

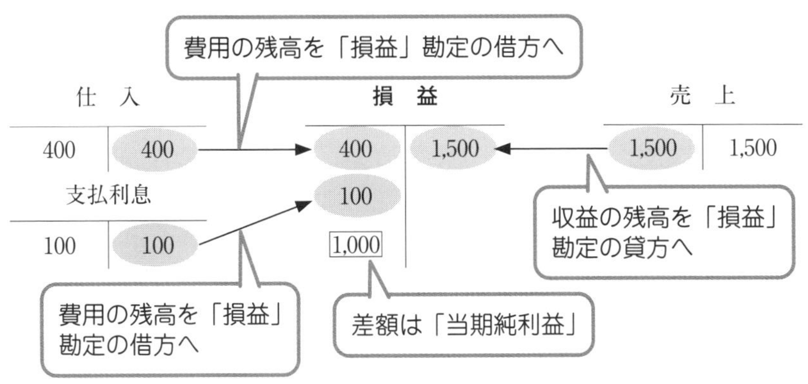

また、仕訳は以下のようになります。

【損益振替仕訳】

借方科目	金額	貸方科目	金額
売上	1,500	損益	1,500
損益	400	仕入	400
損益	100	支払利息	100

なお、収益の合計が費用の合計を下回る場合、損益勘定は借方残高となります。損益勘定の借方残高は「**当期純損失**（とうきじゅんそんしつ）」を意味します。

第12章 精算表と帳簿の締切り

さっくり 6日目
しっかり 8日目
じっくり 12日目

2 儲かった分は次期の元手に!!

当期純利益が計上された後、それを、利益の蓄積を表す「繰越利益剰余金」に振替えます。このような処理を「**資本振替**(しほんふりかえ)」といいます。先ほどの続きで、さらに決算整理後の繰越利益剰余金が10,000円だった場合の、資本振替は以下のようになります。

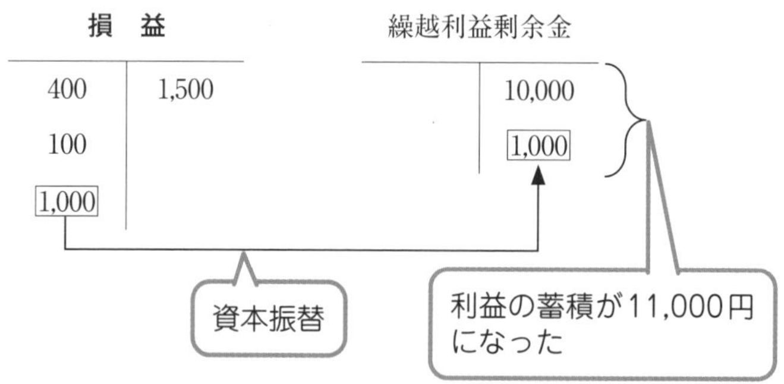

また、仕訳は以下のようになります。

【資本振替仕訳】

借方科目	金　額	貸方科目	金　額
損　　益	1,000	繰越利益剰余金	1,000

3 勘定を締切る!!

貸借対照表に記載する「資産」・「負債」・「純資産」の勘定の残高はすべて次期に繰り越します。以下、「買掛金」を例に挙げて勘定の締切りを見てみましょう。

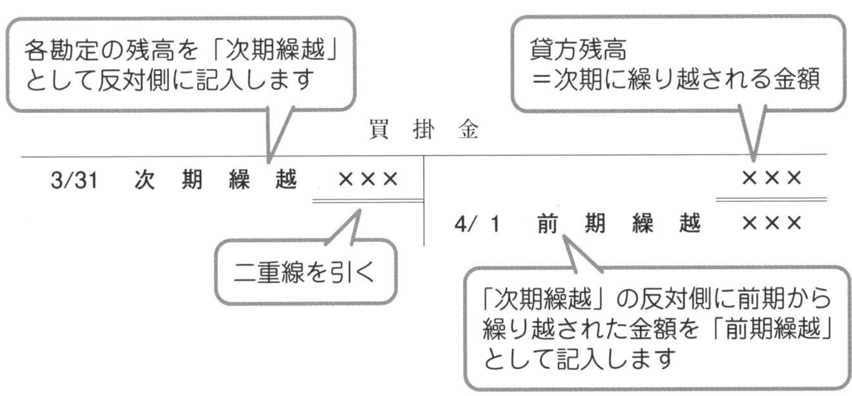

また、損益計算書に記載する「収益」・「費用」の勘定は、損益振替によってその残高がゼロになっています。「収益」・「費用」は次期に繰り越すことはありませんが、貸借対照表の勘定と同じように二重線を引き勘定を締め切ります。

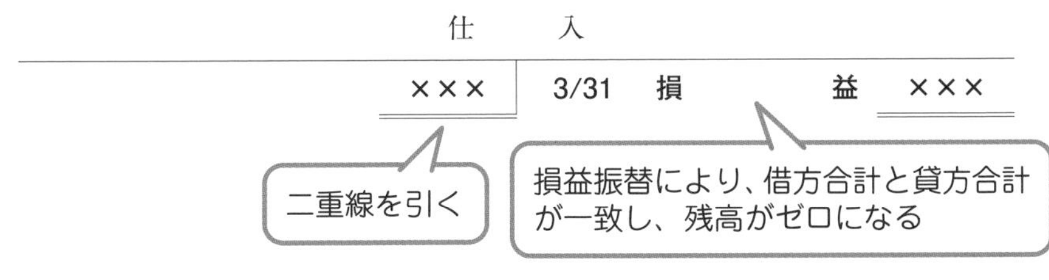

しっかり 8日目

4 繰越試算表を作ろう!

貸借対照表に記載する「資産」・「負債」・「純資産」の勘定の残高は、次期に繰り越します。そこで、「資産」「負債」「純資産」の次期繰越高を記載した「**繰越試算表**」を作成します。

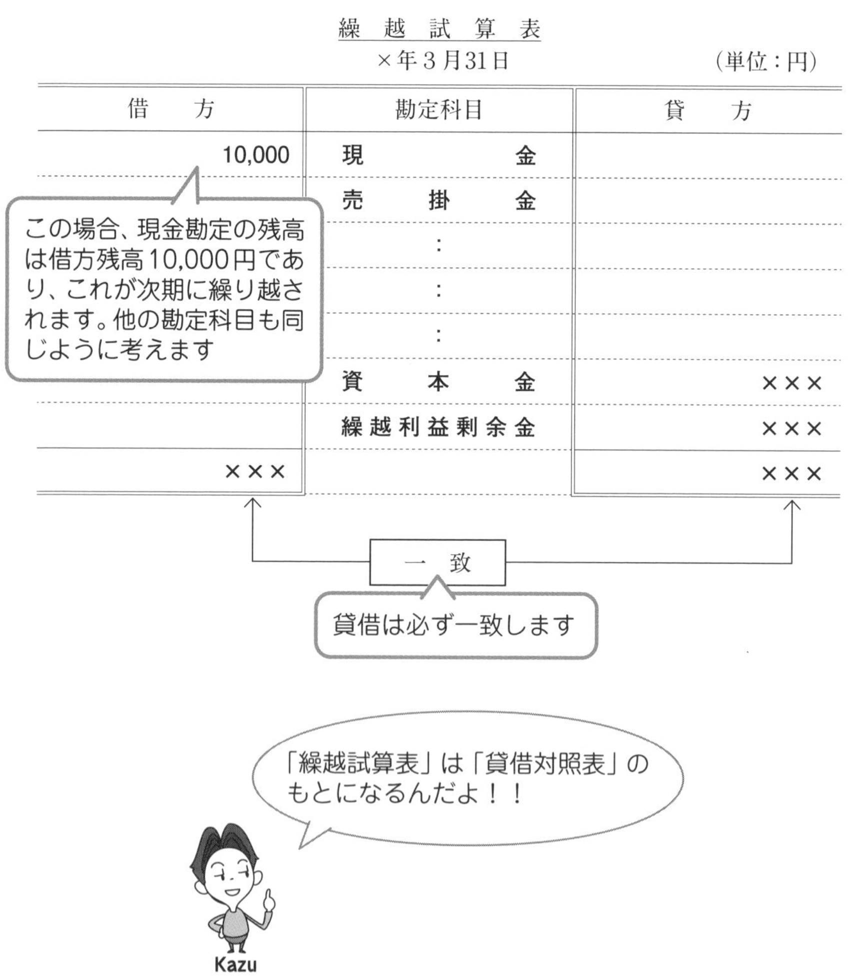

繰越試算表
×年3月31日
(単位:円)

借　方	勘定科目	貸　方
10,000	現　金	
	売掛金	
	:	
	:	
	:	
	資本金	×××
	繰越利益剰余金	×××
×××		×××

決算整理後の流れは…

決算整理を終えたら、決算整理前残高試算表に決算整理仕訳を加味した「**決算整理後残高試算表**」を作ります。その後の流れは次のようになります。

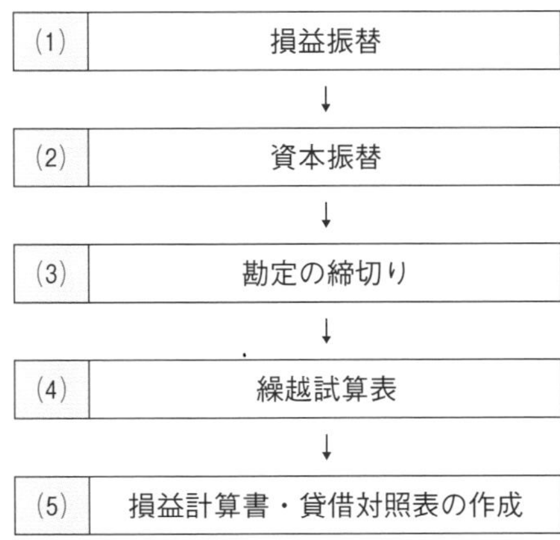

コトバ

決算整理後残高試算表：決算整理が終わった後、決算整理前残高試算表に決算整理仕訳を加味して作成する試算表

☆　損益振替、資本振替、勘定の締切り！！

例12－3

問題　３月31日の決算整理を行った後の各勘定の残高は、次の通りである。損益振替および資本振替を行い、各勘定を締切りなさい。

現　　金	
5,200	

売　掛　金	
6,800	

貯　蔵　品	
400	

繰越商品	
2,000	

車　　両	
2,000	

買　掛　金	
	4,180

貸倒引当金	
	136

減価償却累計額	
	1,080

資　本　金	
	8,000

繰越利益剰余金	
	2,000

売　　上	
	6,000

仕　　入	
3,400	

通　信　費	
1,200	

貸倒引当金繰入	
36	

減価償却費	
360	

損　　益	

【解答：損益振替仕訳】

借方科目	金額	貸方科目	金額
売上	6,000	損益	6,000
損益	4,996	仕入	3,400
		通信費	1,200
		貸倒引当金繰入	36
		減価償却費	360

【解答：資本振替仕訳】

借方科目	金額	貸方科目	金額
損益	1,004	繰越利益剰余金	1,004

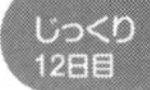

【解答：各勘定の締切り】

現金					
		5,200	3/31	次期繰越	5,200
4/1	前期繰越	5,200			

売掛金					
		6,800	3/31	次期繰越	6,800
4/1	前期繰越	6,800			

貯蔵品					
		400	3/31	次期繰越	400
4/1	前期繰越	400			

繰越商品					
		2,000	3/31	次期繰越	2,000
4/1	前期繰越	2,000			

車両					
		2,000	3/31	次期繰越	2,000
4/1	前期繰越	2,000			

買掛金					
3/31	次期繰越	4,180			4,180
			4/1	前期繰越	4,180

貸倒引当金					
3/31	次期繰越	136			136
			4/1	前期繰越	136

減価償却累計額					
3/31	次期繰越	1,080			1,080
			4/1	前期繰越	1,080

資本金					
3/31	次期繰越	8,000			8,000
			4/1	前期繰越	8,000

繰越利益剰余金					
3/31	次期繰越	3,004			2,000
			3/31	損益	1,004
		3,004			3,004
			4/1	前期繰越	3,004

売上					
3/31	損益	6,000			6,000

仕入					
		3,400	3/31	損益	3,400

通信費					
		1,200	3/31	損益	1,200

貸倒引当金繰入					
		36	3/31	損益	36

減価償却費					
		360	3/31	損益	360

損益					
3/31	仕入	3,400	3/31	売上	6,000
〃	通信費	1,200			
〃	貸倒引当金繰入	36			
〃	減価償却費	360			
〃	繰越利益剰余金	1,004			
		6,000			6,000

このように1行しかない場合は、繰越利益剰余金勘定のように斜めの線を引く必要はありません

【考え方】

① 損益振替

まず、収益の勘定に注目します。収益の勘定は「売上」しかなく、決算整理後残高は貸方残高6,000円となっています。ここで、売上勘定の残高がゼロとなるように、借方に「売上6,000」と仕訳をします。他方、決算整理後残高6,000円が損益勘定の貸方に転記されるように、貸方に「損益6,000」と仕訳をします。

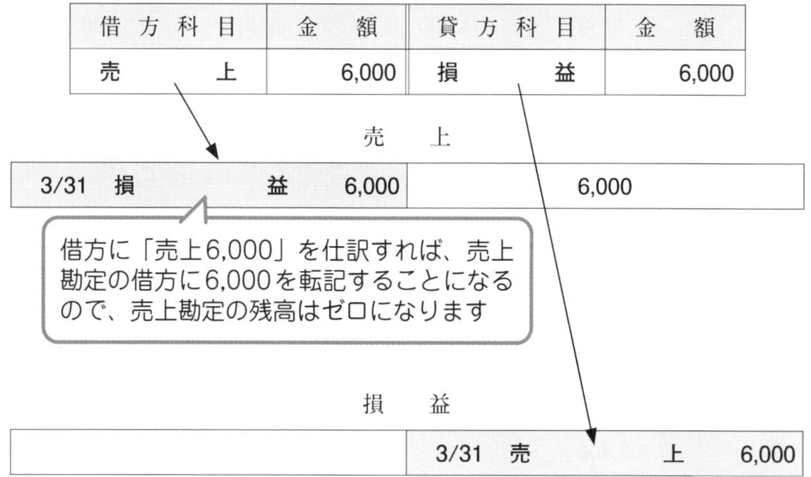

借方科目	金額	貸方科目	金額
売上	6,000	損益	6,000

次に、費用の勘定に注目します。費用の勘定は「仕入」、「通信費」「貸倒引当金繰入」、「減価償却費」があり、決算整理後残高はそれぞれ3,400円、1,200円、36円、360円となっています。

ここで、仕入、通信費、貸倒引当金繰入、減価償却費の各勘定の残高がゼロとなるように、貸方に「仕入3,400」、「通信費1,200」、「貸倒引当金繰入36」、「減価償却費360」と仕訳します。
他方、決算整理後残高3,400円、1,200円、36円、360円が損益勘定の借方に転記されるように、借方に「損益4,996」と仕訳をします。

借方科目	金額	貸方科目	金額
損　　益	4,996	仕　　入	3,400
		通 信 費	1,200
		貸倒引当金繰入	36
		減価償却費	360

貸方に「仕入3,400」を仕訳すれば、仕入勘定の貸方に3,400を転記することになるので、仕入勘定の残高はゼロになります。その他の費用も同様に考えます

仕　　入

3,400	3/31 損　益 3,400

通 信 費

1,200	3/31 損　益 1,200

貸倒引当金繰入

36	3/31 損　益 36

減価償却費

360	3/31 損　益 360

損益勘定の貸方には「収益」の勘定の決算整理後残高が、借方には費用の勘定の決算整理後残高が転記されて並んでいます

損　益

3/31	仕　入	3,400			
〃	通信費	1,200			
〃	貸倒引当金繰入	36	3/31	売　上	6,000
〃	減価償却費	360			
	貸方残高1,004				

② 資本振替

損益勘定の貸方残高1,004円は、収益の合計が費用の合計を上回った分であり、「**当期純利益**」を意味します。ここで、損益勘定の残高がゼロとなるように、借方に「損益1,004」と仕訳をします。他方、当期純利益の分だけ、利益の蓄積を示す「繰越利益剰余金」が増加したと考えて、貸方に「繰越利益剰余金」と仕訳をします。

借方科目	金額	貸方科目	金額
損　益	1,004	繰越利益剰余金	1,004

損　益

3/31	仕入	3,400			
〃	通信費	1,200			
〃	貸倒引当金繰入	36	3/31	売上	6,000
〃	減価償却費	360			
〃	繰越利益剰余金	1,004			

繰越利益剰余金

貸方残高3,004				2,000
	3/31	損益		1,004

以上により、繰越利益剰余金勘定の残高は、貸方残高3,004円となります。この3,004円は過去の利益の蓄積として、次の株主総会で配当に使われる等の決定がなされます。

③　勘定の締切り

損益振替と資本振替が終わったら、勘定を締切ります。貸借対照表に関する各勘定は「次期繰越」、「前期繰越」を記入し、二重線を引きます。損益計算書に関する各勘定は損益振替により各勘定残高がゼロになっているので、二重線を引き、当期の記入を終わりにします。

④　繰越試算表

「資産」「負債」「純資産」の次期繰越高を記載した「**繰越試算表**」を作成します。

繰越試算表

×年3月31日　　(単位：円)

借方	勘定科目	貸方
5,200	現金	
6,800	売掛金	
400	貯蔵品	
2,000	繰越商品	
2,000	車両	
	買掛金	4,180
	貸倒引当金	136
	減価償却累計額	1,080
	資本金	8,000
	繰越利益剰余金	3,004
16,400		16,400

一致

3 財務諸表の作成

イントロダクション

会社に関係がある人に公表する損益計算書や貸借対照表は、損益勘定や繰越試算表から作成することもあります。しかし、日商簿記３級では、決算整理後残高試算表から損益計算書や貸借対照表を作成する問題の出題が想定されます。そこで、決算整理後残高試算表から損益計算書や貸借対照表を作成するプロセスを学習しましょう。

1 決算整理後残高試算表を作ろう!

決算整理が終わると、決算整理後残高試算表を作成します。以下の決算整理前残高試算表と決算整理仕訳をもとにして、決算整理後残高試算表を作成してみます。

【決算整理前残高試算表】

決算整理前残高試算表

×4年3月31日　　　　　　　　　　　　　　(単位：円)

借　　方	勘定科目	貸　　方
5,200	現　　　　金	
6,800	売　掛　金	
1,000	繰　越　商　品	
2,000	車　　　　両	
	買　掛　金	4,180
	貸　倒　引　当　金	100
	減価償却累計額	720
	資　本　金	8,000
	繰越利益剰余金	2,000
	売　　　　上	6,000
4,400	仕　　　　入	
1,600	通　信　費	
21,000		21,000

「残高試算表」は第８章で
学習したね

【決算整理事項及び決算整理仕訳】

① 郵便切手の未使用高が400円ある。

借方科目	金額	貸方科目	金額
貯蔵品	400	通信費	400

② 売掛金に対し２％の貸倒引当金を設定する。

借方科目	金額	貸方科目	金額
貸倒引当金繰入	36	貸倒引当金	36

③ 車両の減価償却を定額法により行う。なお、耐用年数５年、残存価額は取得原価の10％である。

借方科目	金額	貸方科目	金額
減価償却費	360	減価償却累計額	360

④ 期末商品棚卸高は2,000円である。仕入勘定で売上原価を計算する。

借方科目	金額	貸方科目	金額
仕入	1,000	繰越商品	1,000
繰越商品	2,000	仕入	2,000

【決算整理後残高試算表】

決算整理後残高試算表
×4年3月31日 （単位：円）

借　方	勘定科目	貸　方
5,200	現金	
6,800	売掛金	
2,000	繰越商品	
400	貯蔵品	
2,000	車両	
	買掛金	4,180
	貸倒引当金	136
	減価償却累計額	1,080
	資本金	8,000
	繰越利益剰余金	2,000
	売上	6,000
3,400	仕入	
1,200	通信費	
36	貸倒引当金繰入	
360	減価償却費	
21,396		21,396

2 損益計算書を作ろう!

損益計算書の貸方には収益の勘定の決算整理後残高を、借方には費用の勘定の決算整理後残高を記載します。さらに費用の下に当期純利益の金額を記載して、損益計算書の借方の合計金額と貸方の合計金額が同じになるようにします。

決算整理後残高試算表には、収益・費用の勘定の決算整理後残高が記載されているので、それを参照しながら損益計算書を作ってみましょう。

決算整理後残高試算表
×4年3月31日 (単位：円)

借　方	勘定科目	貸　方
：	：	：
	売　上	×××
×××	仕　入	
×××	減価償却費	
×××		×××

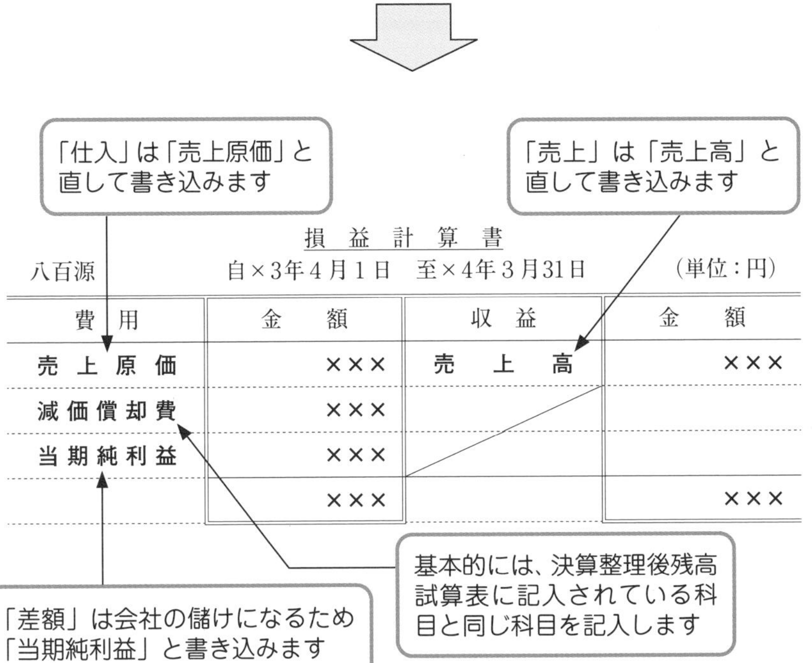

損益計算書
八百源　自×3年4月1日　至×4年3月31日 (単位：円)

費　用	金　額	収　益	金　額
売上原価	×××	売　上　高	×××
減価償却費	×××		
当期純利益	×××		
	×××		×××

第12章 精算表と帳簿の締切り

さっくり 6日目
しっかり 9日目
じっくり 13日目

決算整理後残高試算表に記入されている収益・費用の勘定の残高と当期純利益を損益計算書に書き込みます。ただし、決算整理後残高試算表に記入されている勘定科目と損益計算書の表示科目が異なる場合があります。例えば、「仕入」は「売上原価」として、「売上」は「売上高」として表示します。

重要

勘定科目と表示科目が異なる点（損益計算書）

決算整理後残高試算表	損益計算書
仕　入	売上原価
売　上	売 上 高

コトバ

表示科目：損益計算書や貸借対照表に書き込む科目

「勘定科目」と「表示科目」が違うのが大事だって！

勉強になります！

☆　損益計算書を作成しよう！！

例12－4

問題　以下の決算整理後残高試算表（収益・費用部分の抜粋）に基づいて、損益計算書を作成しなさい。

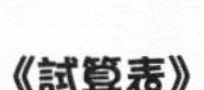

決算整理後残高試算表（一部）
×4年３月31日　　　（単位：円）

借　方	勘定科目	貸　方
：	：	：
	売上	6,000
3,400	仕入	
1,200	通信費	
36	貸倒引当金繰入	
360	減価償却費	
21,396		21,396

【解答】

損　益　計　算　書

八百源　　　　自×3年4月1日　至×4年3月31日　　　（単位：円）

費　用	金　額	収　益	金　額
売上原価	3,400	売上高	6,000
通信費	1,200		
貸倒引当金繰入	36		
減価償却費	360		
当期純利益	1,004		
	6,000		6,000

収益と費用の決算整理後残高は
損益勘定を見ても分かるね

会計ソフトでは
決算整理後残高
をもとにして
財務諸表を
作ります

【考え方】

決算整理後残高試算表
×4年3月31日　(単位：円)

借　方	勘定科目	貸　方
:	:	:
	売　上	6,000
3,400	仕　入	
1,200	通信費	
36	貸倒引当金繰入	
360	減価償却費	
21,396		21,396

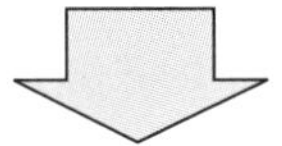

損益計算書
八百源　自×3年4月1日　至×4年3月31日　(単位：円)

費　用	金　額	収　益	金　額
売上原価	3,400	売上高	6,000
通信費	1,200		
貸倒引当金繰入	36		
減価償却費	360		
当期純利益	1,004		
	6,000		6,000

① 「仕入」は損益計算書上「売上原価」として表示する。

② 「売上」は損益計算書上「売上高」として表示する。

③ 収益合計額と費用合計額の差額を「当期純利益」として表示する。

3　貸借対照表を作ろう!

貸借対照表に関わる勘定の残高は、基本的には、決算整理後残高が期末残高となります。そこで、貸借対照表の借方には資産の勘定の決算整理後残高を、貸方には負債と純資産の勘定の決算整理後残高を記載します。ただし、繰越利益剰余金だけは、資本振替後の残高を記載します。決算整理後残高試算表には、資産・負債・純資産の勘定の決算整理後残高が記載されているので、決算整理後残高試算表を参照しながら貸借対照表を作ってみましょう。

基本的には、決算整理後残高試算表に記載されている資産・負債・純資産の勘定の決算整理後残高を貸借対照表に書き込みますが、決算整理後残高試算表に記載されている勘定科目と貸借対照表の表示科目が異なる場合があります。例えば、「**繰越商品**」は「**商品**」として表示します。

決算整理後残高試算表

×4年3月31日　　　　（単位：円）

借　方	勘定科目	貸　方
×××	現　　金	
×××	売　掛　金	
×××	繰越商品	
×××	車　　両	
	貸倒引当金	×××
	減価償却累計額	×××
	資　本　金	×××
	繰越利益剰余金	×××
：	：	：
×××		×××

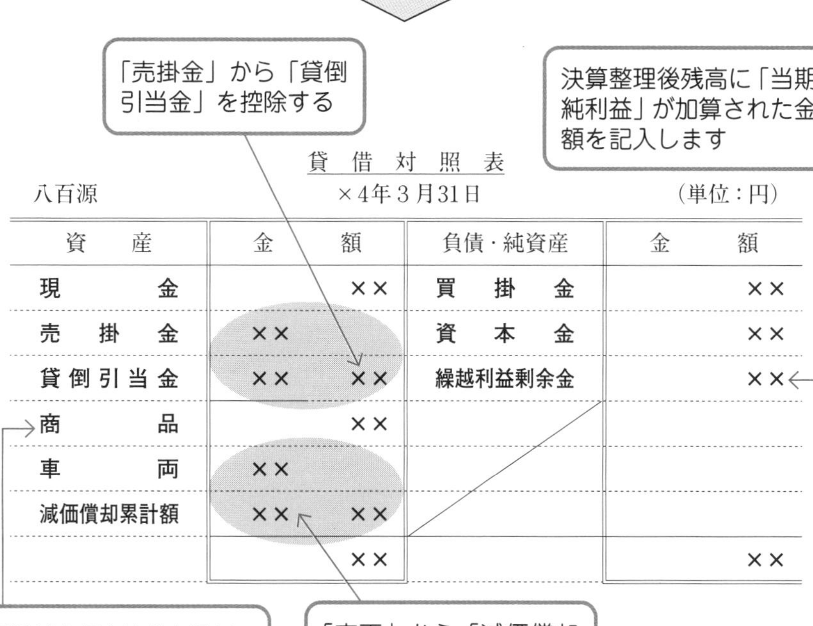

貸借対照表

八百源　　×4年3月31日　　（単位：円）

資　産	金	額	負債・純資産	金　額
現　　金		××	買　掛　金	××
売　掛　金	××		資　本　金	××
貸倒引当金	××	××	繰越利益剰余金	××
商　　品		××		
車　　両	××			
減価償却累計額	××	××		
		××		××

　また、売掛金に対して貸倒引当金が設定されているのであれば、売掛金のマイナス分を意味しているので、売掛金のすぐ下の行に書いて、売掛金から貸倒引当金を差引いた金額をとなりに記載します。

　同じように、減価償却累計額も車両などの資産のマイナス分を意味するので、車両などの資産のすぐ下の行に書いて、車両などの資産から減価償却累計額を差引いた金額をとなりに記載します。

　最後に、借方合計と貸方合計が同じになっていることを確認します。

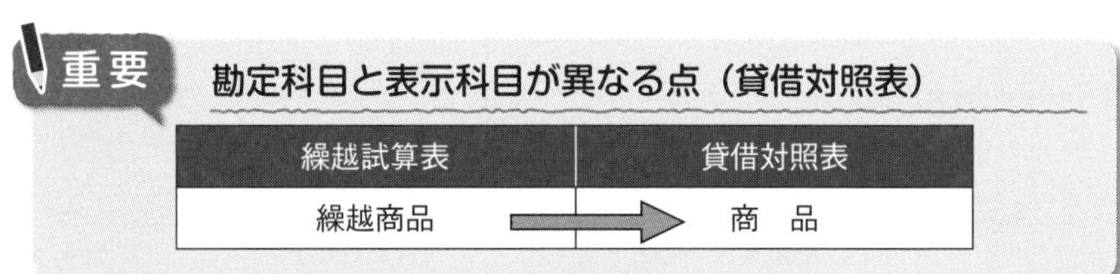
重要　勘定科目と表示科目が異なる点（貸借対照表）

繰越試算表	貸借対照表
繰越商品 →	商　品

重要　記載する場所や金額の注意点

・貸倒引当金や減価償却累計額は対象となっている資産から控除する形式で表示する

・繰越利益剰余金は、決算整理後残高に当期純利益を加算した金額で表示する。

☆ **貸借対照表を作成しよう！！**

例12－5

問題　以下の決算整理後残高試算表（資産・負債・純資産部分の抜粋）に基づいて、貸借対照表を作成しなさい。なお、損益計算書の当期純利益は1,004円である。

《試算表》

貸借対照表

決算整理後残高試算表
×4年3月31日　　(単位：円)

借　方	勘定科目	貸　方
5,200	現　金	
6,800	売掛金	
2,000	繰越商品	
400	貯蔵品	
2,000	車　両	
	買掛金	4,180
	貸倒引当金	136
	減価償却累計額	1,080
	資本金	8,000
	繰越利益剰余金	2,000
:	:	:
21,396		21,396

【解答】

貸　借　対　照　表

八百源　　×4年3月31日　　(単位：円)

資　　産	金	額	負債・純資産	金　　額
現　　金		5,200	買　掛　金	4,180
売　掛　金	6,800		資　本　金	8,000
貸倒引当金	136	6,664	繰越利益剰余金	3,004
貯　蔵　品		400		
商　　品		2,000		
車　　両	2,000			
減価償却累計額	1,080	920		
		15,184		15,184

【考え方】

決算整理後残高試算表

×4年3月31日　　(単位：円)

借　　方	勘定科目	貸　　方
5,200	現　　金	
6,800	売　掛　金	
2,000	繰　越　商　品	
400	貯　蔵　品	
2,000	車　　両	
	買　掛　金	4,180
	貸倒引当金	136
	減価償却累計額	1,080
	資　本　金	8,000
	繰越利益剰余金	2,000
:	:	:
21,396		21,396

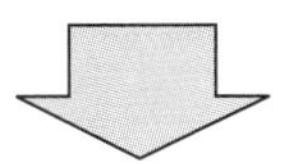

貸　借　対　照　表

八百源　　　　×4年3月31日　　　　(単位：円)

資　　産	金	額	負債・純資産	金　　額
現　　金		5,200	買　掛　金	4,180
売　掛　金	6,800		資　本　金	8,000
貸倒引当金	136	6,664	繰越利益剰余金	3,004
貯　蔵　品		400		
商　　品		2,000		
車　　両	2,000			
減価償却累計額	1,080	920		
		15,184		15,184

①　売掛金は貸倒引当金を控除する形式で表示する。

②　「繰越商品」は貸借対照表上「商品」として表示する。

③　車両は減価償却累計額を控除する形式で表示する。

④－1　繰越利益剰余金は、当期純利益1,004円を加算して表示する。

④－2　決算整理後残高試算表の繰越利益剰余金2,000円
＋ 当期純利益1,004円 ＝ 3,004円

繰越利益剰余金は、
資本振替により
残高が変わるので
アル！

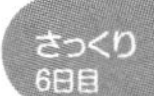

4 月次決算

イントロダクション

ここまで、会計期間は１年で、決算も１年に１回期末に行われるという場合を想定してきました。しかし、実際の会社は1ヵ月に1回の決算を行う場合が少なくありません。
「毎月、毎月決算をやるのか？？」
「面倒だけど、手続きは簡単だから。」

1 1ヵ月に1回業績を把握する

経営者が１年に１回だけ会社の収益や費用を把握するのでは、日々の経営活動の管理にあまり役立ちません。そこで、１ヵ月に１度簡易な決算を行い、日々の経営活動に役立てる場合があります。この１ヵ月ごとの決算を「**月次決算**」といいます。これに対し、今まで学習してきた、１年に１度行う通常の決算を「**年次決算**」といいます。

コトバ

月次決算：1ヵ月に1度、月末に行う決算
年次決算：1年に1度、会計期間期末に行う決算

月次決算は、１年に１度実施する年次決算とは異なり期間が短いので、年度決算と同じ手続きをしていたのでは時間がかかり過ぎてしまいます。そこで、月次決算は「減価償却費を月割計算して毎月末に計上する」など年次決算と比べて簡単な手続きを実施します。

「月次決算」には、色んな処理があるけど、3級では減価償却の月次決算だけが出題されるよ！！

毎月決算をすると管理しやすいね！

☆　決算整理後残高試算表を作成しよう！！

例12－6

問題　当社は、月次決算を行っている。そこで、以下の決算整理前残高試算表（一部）【資料】にもとづいて、決算整理後残高試算表（一部）を作成しなさい。

決算整理前残高試算表

×4年3月31日　　　　（単位：円）

借　方	勘定科目	貸　方
	：	
600,000	建　　　物	
	：	
	減価償却累計額	35,000
	：	
11,000	減価償却費	
	：	

【資料】　建物の減価償却費を固定資産の期首残高を基礎として計算したところ、1年分が12,000円であったので、4月から2月までの11ヵ月間、毎月1,000円を見積計上している。

【解答】

決算整理後残高試算表

×4年3月31日　　　　　　　　（単位：円）

借　　方	勘定科目	貸　　方
	：	
600,000	建　　　　物	
	：	
	減価償却累計額	36,000
	：	
12,000	減　価　償　却　費	
	：	

【考え方】

決算整理前残高試算表の「減価償却費」は、月次決算により2月末までの費用はすでに計上されています。そのため、そこに3月分の費用を加えると、解答の数値になります。

① 減価償却費：11,000円（4月～2月分：1,000円×11ヵ月）＋1,000円（3月分）＝12,000円（4月～3月分）

② 減価償却費累計額：35,000円＋1,000円（3月分）＝36,000円

確認テスト

問題

次の資料に基づいて、精算表を作成しなさい。

① 期末商品棚卸高は1,500円である。なお、仕入の行で売上原価を計算する。

② 売掛金に対して２％の貸倒引当金を設定する。

③ 備品の減価償却を定額法により行う。なお、耐用年数５年、残存価額は取得原価の10％である。

精　算　表　　　　（単位：円）

勘定科目	試算表		修正記入		損益計算書		貸借対照表	
	借方	貸方	借方	貸方	借方	貸方	借方	貸方
現　　　金	2,100							
売　掛　金	9,500							
繰越商品	2,000							
備　　　品	3,000							
買　掛　金		2,670						
貸倒引当金		120						
減価償却累計額		810						
資　本　金		7,500						
繰越利益剰余金		2,500						
売　　　上		8,000						
仕　　　入	5,000							
	21,600	21,600						
貸倒引当金繰入								
減価償却費								
当期純利益								

解答

精算表　　　　(単位：円)

勘定科目	試算表		修正記入		損益計算書		貸借対照表	
	借方	貸方	借方	貸方	借方	貸方	借方	貸方
現金	2,100						2,100	
売掛金	9,500						9,500	
繰越商品	2,000		1,500	2,000			1,500	
備品	3,000						3,000	
買掛金		2,670						2,670
貸倒引当金		120		70				190
減価償却累計額		810		540				1,350
資本金		7,500						7,500
繰越利益剰余金		2,500						2,500
売上		8,000				8,000		
仕入	5,000		2,000	1,500	5,500			
	21,600	21,600						
貸倒引当金繰入			70		70			
減価償却費			540		540			
当期純利益					1,890			1,890
			4,110	4,110	8,000	8,000	16,100	16,100

解説

① 以下の決算整理仕訳を修正記入欄に記入します。

①−1 ：商品の決算整理

借方科目	金額	貸方科目	金額
仕入	2,000	繰越商品	2,000
繰越商品	1,500	仕入	1,500

①−2 ：貸倒引当金の設定

借方科目	金額	貸方科目	金額
貸倒引当金繰入	70	貸倒引当金	70

①−3 ：減価償却

借方科目	金額	貸方科目	金額
減価償却費	540	減価償却累計額	540

② 損益計算書欄で求まる収益合計と費用合計の差額が「当期純利益」です。

②－1　：収益合計
　⇒ 売上8,000円

②－2　：費用合計
　⇒ 仕入5,500円＋貸倒引当金繰入70円＋減価償却費540円
　　＝ 6,110円

②－3　：収益合計8,000円－費用合計6,110円
　＝ 当期純利益1,890円

③ 損益計算書欄の借方に記入する当期純利益1,890円を、貸借対照表欄の貸方へスライドさせます。

第13章 株式会社の資本

学習進度目安

さっくり 7日間	しっかり 10日間	じっくり 15日間
6日目	9日目	13日目

◉第13章で学習すること

① 利益の使い道を決めよう!

② 配当金の支払い

株式

1 利益の使い道を決めよう!

イントロダクション

八百源は、設立してから１年間、野菜や果物を販売してたくさんの利益をあげることができました。
「やったー！稼いだ利益は全部貯めておこう！！」
「出資してくれた株主にお礼をしないとダメだよ。」
「えっっ…」

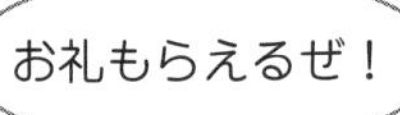

1 株式会社が稼いだ利益はどうなるの？

株式会社は、設立するときに株主を募集し、出資金を集め、それを元手として色々な活動をします。さらに会社の資金が必要になる場合などは、再び株主を募集して資金を集めます。

このような資金を元手として利益を稼いだ場合、稼いだ利益の使い道は、決算日から数ヵ月後に開かれる株式会社のオーナーの会議である、株主総会で決められます。株式会社は、株主からの出資金のおかげで儲けることができるわけですから、会社の成績がいい場合は、稼いだ利益のうち、いくらかを株主に還元することがあります。

つまり、株主総会では、稼いだ利益の蓄積である「**繰越利益剰余金**」のうちいくらを「**配当**（はいとう）」するか、またはいくらを貯めておくのかといった具合に、利益の使い道を話し合って決めます。

コトバ

増資：会社の活動中に再び株主を募集して資金を集めること

配当：稼いだ利益を株主に還元すること

2 配当金の支払い

イントロダクション

八百源は株式会社なので、株主のおかげでお金が集まり、利益を上げることができたのです。
「やっぱり配当して、株主に還元しないとな…」
「株主総会を開いて、配当について色々と決めよう！」

1 株主に配当しよう!!

会社は繰越利益剰余金の使い道として、オーナーである株主に配当金を支払う場合があります。株主総会で配当金の支払いが決定されますが、株主総会の時点では、まだ実際には支払われていないので、支払いまでは配当金の決定額を「**未払配当金**（みはらいはいとうきん）」（負債）としておきます。

また、繰越利益剰余金の一部を配当金として支払うときは、その分だけ「**繰越利益剰余金**」(純資産)を減らして、「**利益準備金**」(純資産)を増やします。配当をする時に、利益準備金を増やすことを「**利益準備金の積立て**」といいます。

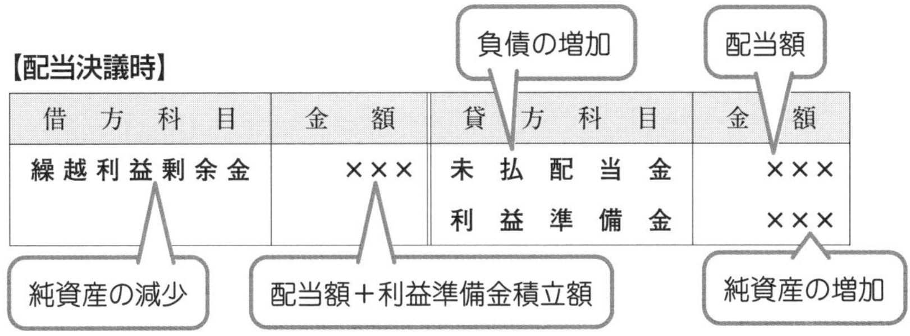

【配当決議時】

借方科目	金額	貸方科目	金額
繰越利益剰余金	×××	未払配当金	×××
		利益準備金	×××

第13章
株式会社の資本

さっくり 6日目
しっかり 9日目

その後、実際に配当金を支払ったときに「未払配当金」を取り消します。

【配当支払時】

借方科目	金額	貸方科目	金額
未払配当金	×××	当座預金など	×××

負債の減少

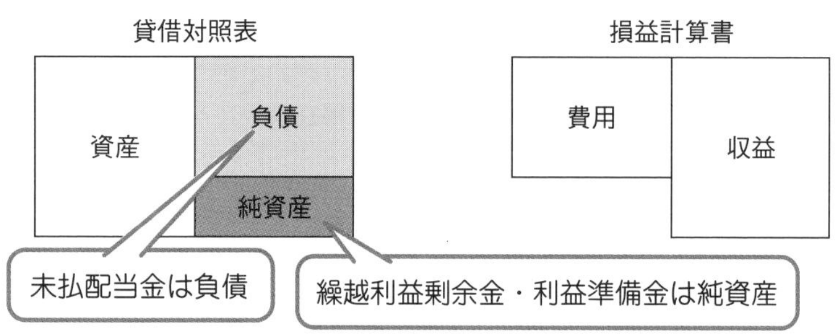

☆　仕訳をしてみよう！

例13－1

問題　株主総会で繰越利益剰余金からの配当5,000円を行うことが決議された。また、利益準備金500円を積み立てることも決議された。

【解答】

借方科目	金額	貸方科目	金額
繰越利益剰余金	5,500	未払配当金	5,000
		利益準備金	500

【考え方】

① 繰越利益剰余金からの配当が決議された
⇒繰越利益剰余金（純資産）の減少
未払配当金（負債）の増加

② 利益準備金を積み立てることも決議された
⇒繰越利益剰余金（純資産）の減少
利益準備金（純資産）の増加

第13章
株式会社の資本

☆　仕訳をしてみよう！

問題　【例13－1】の後、配当金5,000円を小切手を振出して支払った。

【解答】

借方科目	金額	貸方科目	金額
未払配当金	5,000	当座預金	5,000

【考え方】

配当金を支払った
＝株主に配当金を支払う義務が消滅
⇒未払配当金（負債）の減少

確認テスト

問題

次の①、②に関する仕訳をしなさい。なお、①と②は連続した取引である。

① ×４年５月20日の株主総会で、繰越利益剰余金からの配当30,000円と利益準備金3,000円の積み立てが決議された。

② ×４年６月20日、①で決議された配当金を、小切手を振出して支払った。

（単位：円）

	借方科目	金額	貸方科目	金額
①				
②				

解答

（単位：円）

	借方科目	金　額	貸方科目	金　額
①	**繰越利益剰余金**	33,000	**未払配当金**	30,000
			利益準備金	3,000
②	**未払配当金**	30,000	**当座預金**	30,000

解説

①－1　繰越利益剰余金からの配当が決議された

⇒ 繰越利益剰余金（純資産）の減少

未払配当金（負債）の増加

①－2　利益準備金を積み立てることも決議された

⇒ 繰越利益剰余金（純資産）の減少

利益準備金（純資産）の増加

②　配当金を支払った

⇒ 未払配当金（負債）の減少

第14章 主要簿と補助簿

しゅようぼ　ほじょぼ

学習進度目安

さっくり 7日間	しっかり 10日間	じっくり 15日間
7日目	9日目	14日目
	10日目	

◉第14章で学習すること

① 主要簿

② 補助簿

1 主要簿

イントロダクション

源さんは今まで何気なく仕訳や転記をしていましたが、正しい仕訳帳への仕訳のやり方や総勘定元帳への転記のやり方を知っているのでしょうか？？

「こんな正式な書き方があったのか！！これは知らなかった…」

1 主要簿とは??

「**主要簿**」とは、簿記上の取引がすべて記録される仕訳帳と総勘定元帳の２冊の帳簿のことをいいます。

コトバ

主要簿：簿記上の取引がすべて記録される「仕訳帳」と「総勘定元帳」の２冊の帳簿

仕訳帳：取引の都度、仕訳を書き込む帳簿

総勘定元帳：仕訳帳から転記される帳簿

2　仕訳帳と総勘定元帳の記入欄

これまでは簡略化した形で仕訳と勘定を表してきましたが、正式な仕訳帳と総勘定元帳は、次のようになっています。

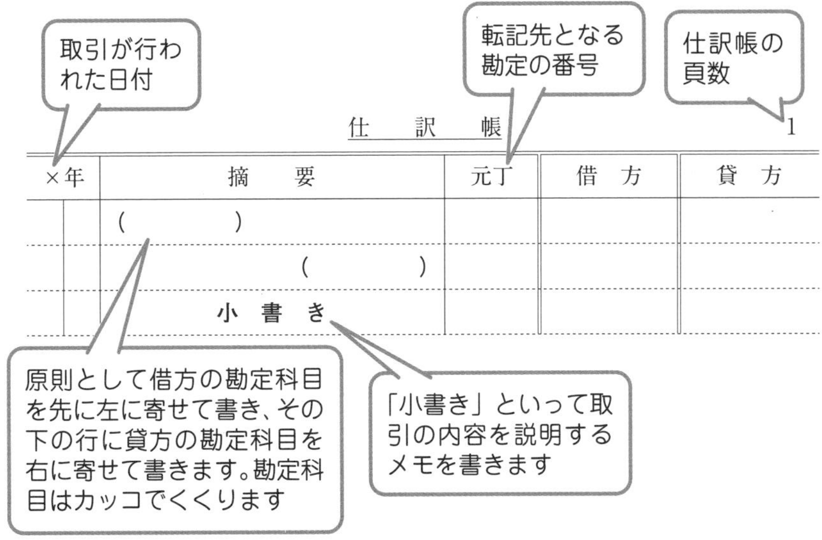

第14章
主要簿と補助簿

さっくり 7日目

また、仕訳帳の摘要欄に勘定科目を書く際、借方または貸方に2つ以上の勘定科目が並ぶ場合は勘定科目の上に「**諸口**」と記入します。

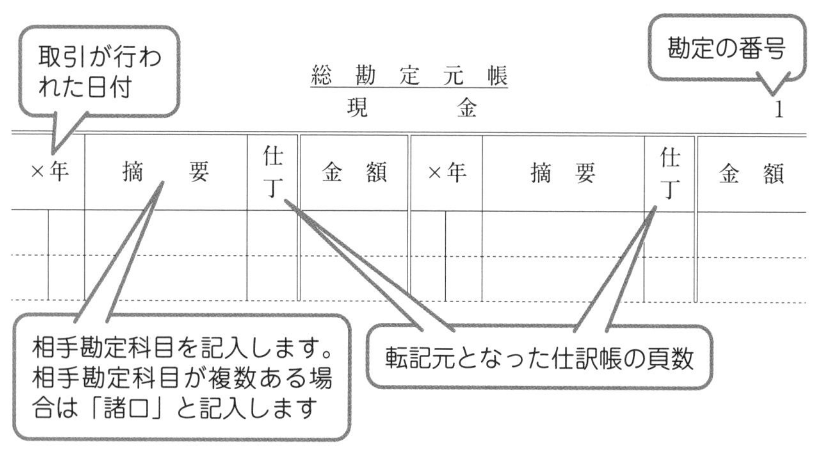

コトバ

小書き：取引の内容を説明するメモ

諸　口：勘定科目が2つ以上並ぶ場合に記入する言葉

☆　仕訳帳と総勘定元帳に記入してみよう！

例14－1

問題　1月6日：八百源は青森商会から商品2,000円を仕入れ、代金のうち300円は現金で支払い、残額は小切手を振出して支払った。

【解答】

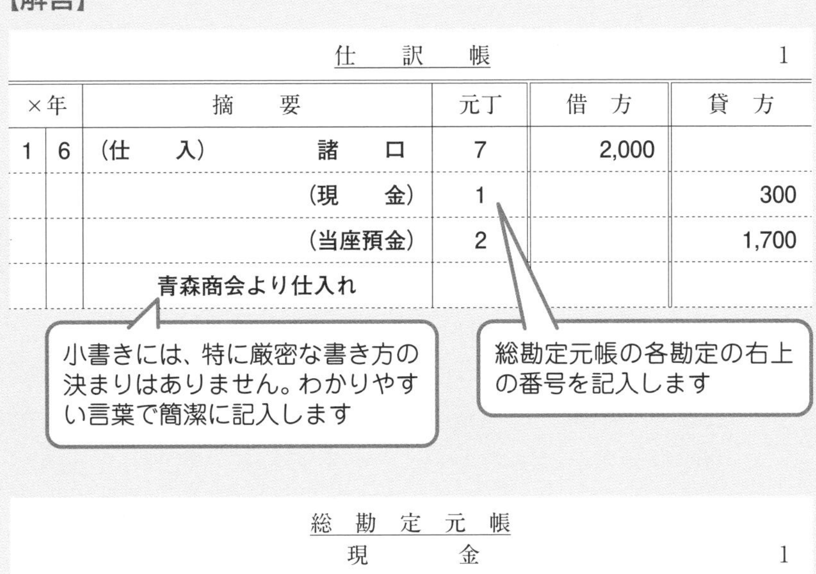

仕　訳　帳　1

×年		摘　要		元丁	借　方	貸　方
1	6	（仕　入）	諸　口	7	2,000	
			（現　金）	1		300
			（当座預金）	2		1,700
		青森商会より仕入れ				

総　勘　定　元　帳

現　金　1

×年		摘　要	仕丁	金　額	×年		摘　要	仕丁	金　額
					1	6	仕　入	1	300

仕訳をした仕訳帳の頁数を記入します

当　座　預　金　2

×年		摘　要	仕丁	金　額	×年		摘　要	仕丁	金　額
					1	6	仕　入	1	1,700

仕入									7
×年		摘要	仕丁	金額	×年		摘要	仕丁	金額
1	6	諸口	1	2,000					

相手勘定科目が２つ以上あるときは諸口と書きます

【考え方】

今までのどおりの形で仕訳を表すと…

借方科目	金額	貸方科目	金額
仕入	2,000	現金	300
		当座預金	1,700

① 仕訳帳の摘要欄には借方の仕入を先に左に寄せて、その下の行に貸方の「現金」と「当座預金」を右に寄せて書きます。貸方の勘定科目は２つあるので、その上の行に「諸口」と記入します。

② 各勘定の摘要欄には相手勘定科目を記入します。ただし、仕入勘定では「仕入」の相手勘定科目が「現金」・「当座預金」と２つあるので、「諸口」と記入します。

2 補助簿

イントロダクション

「仕訳帳や総勘定元帳だけだと、どのお店に売ったかとか何を売ったかなどの細かな情報がわからないな…」

「じゃぁ、補助簿をつけたらどうだ！」

「補助簿？」

「細かな情報を書き込む帳簿だぜ。知らないようじゃ、勉強不足だぜ！」

「…」

1　補助簿とは??

企業が必要に応じてつける帳簿を「**補助簿**(ほじょぼ)」といいます。簿記上の取引があるたびに記入しなければならない主要簿とは異なり、補助簿には特定の事がらについての詳細な情報を記入します。

補助簿がある場合には、簿記上の取引を仕訳帳に仕訳をし、総勘定元帳に転記をした後に、補助簿にも記入します。なお、補助簿には「**補助記入帳**(ほじょきにゅうちょう)」と「**補助元帳**(ほじょもとちょう)」の２つの種類があります。

日商簿記3級で学習する補助簿

日商簿記３級で学習する補助簿は、全部で11種類です。

【補助記入帳】
① 現金出納帳
② 当座預金出納帳
③ 小口現金出納帳
④ 受取手形記入帳
⑤ 支払手形記入帳
⑥ 仕入帳
⑦ 売上帳

【補助元帳】
⑧ 商品有高帳
⑨ 売掛金元帳（得意先元帳）
⑩ 買掛金元帳（仕入先元帳）
⑪ 固定資産台帳

コトバ
補助簿：企業が必要に応じてつける帳簿
補助記入帳：特定の取引の明細を記録する補助簿
補助元帳：特定の勘定または事がらの内訳明細を記録する補助簿

2 現金出納帳とは…

「**現金出納帳**（げんきんすいとうちょう）」とは、「現金」の増加と減少に関する詳細な情報を記入する補助簿です。現金出納帳をつけている場合は、「現金」が増減したときにだけ、そのことを現金出納帳に記録します。

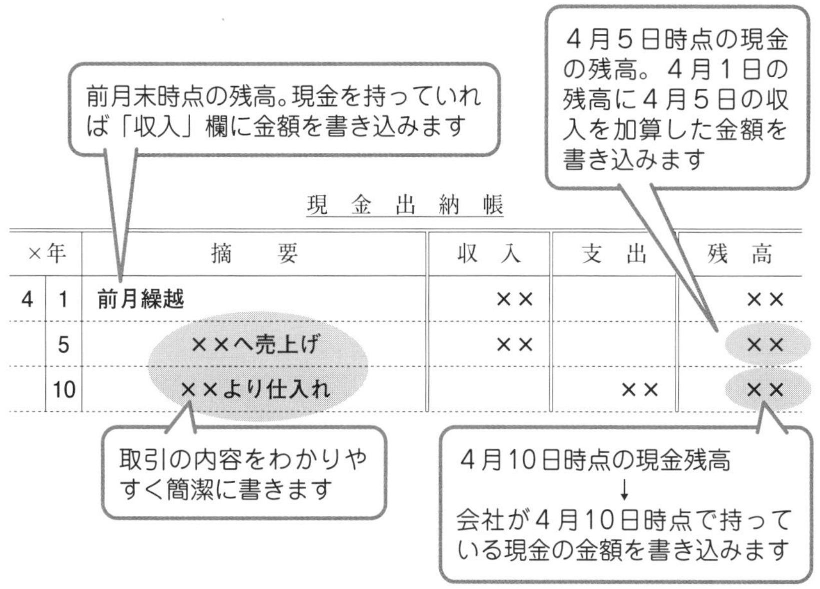

現　金　出　納　帳

×年		摘　　要	収　入	支　出	残　高
4	1	前月繰越	××		××
	5	××へ売上げ	××		××
	10	××より仕入れ		××	××

☆　現金出納帳を作ってみよう！

例14－2

問題　4月3日：八百源は東京商会に商品2,500円を売上げ、代金は現金で受取った。

4月9日：八百源は青森商会から商品2,000円を仕入れ、代金は現金で支払った。

【解答】

現　金　出　納　帳

×年		摘　　要	収　入	支　出	残　高
4	1	前月繰越	3,000		3,000
	3	東京商会へ売上げ	2,500		5,500
	9	青森商会より仕入れ		2,000	3,500

【考え方】

①　4月3日残高5,500円

＝ 4月1日残高3,000円＋4月3日収入2,500円

②　4月9日残高3,500円

＝ 4月3日残高5,500円－4月9日支出2,000円

3 当座預金出納帳とは…

「**当座預金出納帳**」とは、「**当座預金**」の増加と減少に関する詳細な情報を記入する補助簿です。当座預金出納帳をつけている場合は、「当座預金」が増減したときにだけ、そのことを当座預金出納帳に記録します。

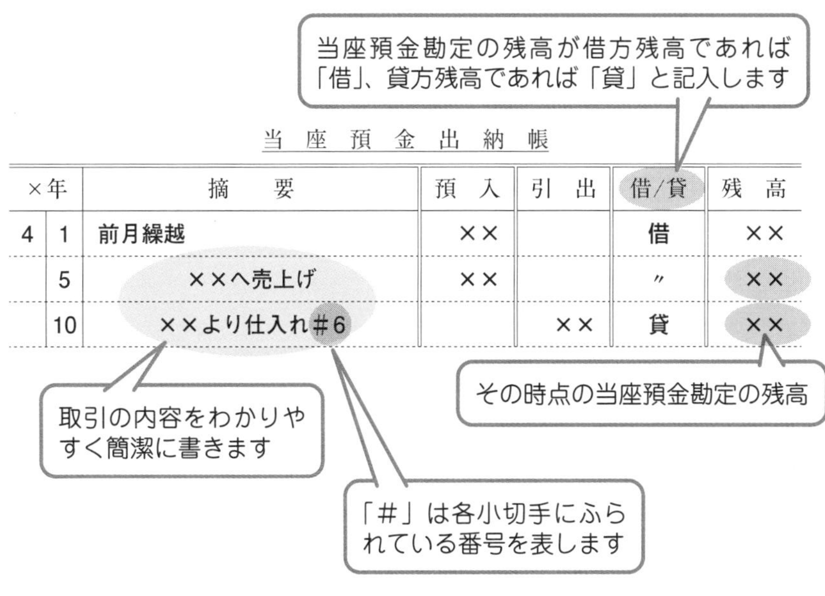

当座預金出納帳

×年		摘要	預入	引出	借/貸	残高
4	1	前月繰越	××		借	××
	5	××へ売上げ	××		〃	××
	10	××より仕入れ#6		××	貸	××

預金通帳
みたいだなぁ…

☆　**当座預金出納帳を作ってみよう！**

例14－3

問題　５月６日：八百源は青森商会から商品2,000円を仕入れ、代金は小切手＃10を振出して支払った。八百源の当座預金勘定は借方残高1,700円であったが、銀行とは限度額5,000円の当座借越契約を結んでいる。

５月８日：八百源は東京商会に商品2,500円を売上げ、代金は東京商会振出の小切手で受け取り、ただちに当座預金に預入れた。

【解答】

当　座　預　金　出　納　帳

×年		摘　　要	預　入	引　出	借/貸	残　高
5	1	前月繰越	1,700		借	1,700
	6	**青森商会より仕入れ＃10**		**2,000**	**貸**	**300**
	8	**東京商会へ売上げ**	**2,500**		**借**	**2,200**

【考え方】

５月６日貸方残高300円

＝ ５月１日借方残高1,700円－５月６日引出2,000円

＝ －300円

５月６日は「当座借越」が300円あることがわかるよ

4 小口現金出納帳とは…

「**小口現金出納帳**（こぐちげんきんすいとうちょう）」とは、小口現金係（または用度係）が小口現金からの支払いと補給に関する詳細な情報を記入する補助簿です。小口現金係は最初に一定の資金を受け取った後、細かな支払いを行うたびにその内容を記入します。小口現金係は、小口現金出納帳に毎日のように行う少額の支払いについて記録し、報告に備えます。

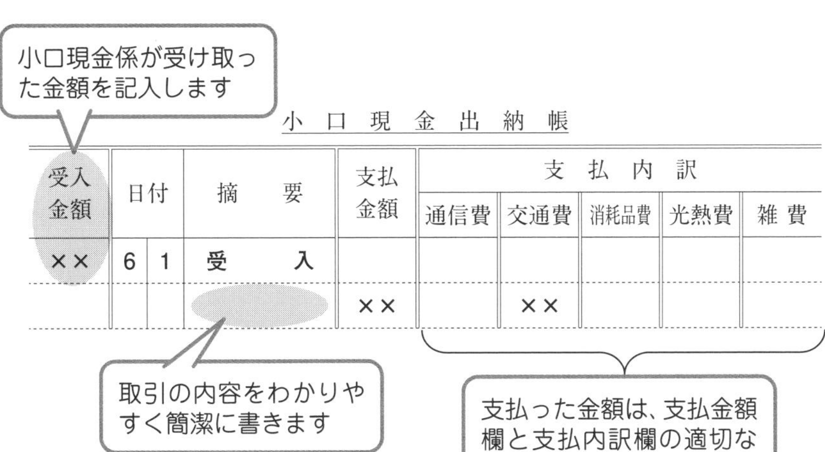

小口現金出納帳

受入金額	日付		摘要	支払金額	支払内訳				
					通信費	交通費	消耗品費	光熱費	雑費
××	6	1	受入						
				××		××			

しっかり 9日目

☆　**小口現金出納帳を作ってみよう！**

例14－4

問題　6月 1日：小口現金係は小口現金として小切手1,000円を受け取った。

6月 5日：小口現金係は電車代150円を支払った。

6月10日：小口現金係は切手代100円を支払った。

6月12日：小口現金係は文房具代200円を支払った。

6月24日：小口現金係は電気代300円を支払った。

6月30日：小口現金係は6月中の支払いについて報告し、同額の小切手で補給を受けた。

【解答：6月30日に補給を受けた場合】

小口現金出納帳

受入金額	日付		摘要	支払金額	支払内訳				
					通信費	交通費	消耗品費	光熱費	雑費
1,000	6	1	受入						
		5	電車代	150		150			
		10	切手代	100	100				
		12	文房具代	200			200		
		24	電気代	300				300	
			合計	750	100	150	200	300	
750		30	本日補給						
		〃	次月繰越	1,000					
1,750				1,750					
1,000	7	1	前月繰越						

6月30日に750円が補給されます

7月へ持ち越す小口現金は1,000円です

6月30日に補給され、小口現金は6月末に1,000円となります。そのため、7月1日の摘要欄は「前月繰越」になります

受入金額欄と支払金額欄はともに1,750円となり一致します

第14章 主要簿と補助簿

さっくり 7日目
しっかり 9日目
じっくり 14日目

仮に6月30日に補給を受けず、小口現金250円を次の7月へ持ち越し、7月1日に750円の補給を受ける場合は、小口現金出納帳には次のように記入します。

【7月1日に補給を受けた場合】

小口現金出納帳

受入金額	日付		摘要	支払金額	支払内訳				
					通信費	交通費	消耗品費	光熱費	雑費
1,000	6	1	受入						
		5	電車代	150		150			
		10	切手代	100	100				
		12	文房具代	200			200		
		24	電気代	300				300	
			合計	750	100	150	200	300	
		30	次月繰越	250					
1,000				1,000					
250	7	1	前月繰越						
750		〃	本日補給						

6月1日に補給された1,000円のみ

7月へ持ち越す小口現金は250円です

7月1日に750円が補給されます

受入金額欄と支払金額欄はともに1,000円で一致します

5 受取手形記入帳とは…

「**受取手形記入帳**」とは、約束手形を受取って手形債権を得たときや、満期日に決済されたときに、受取手形に関する詳細な情報を記入する補助簿です。

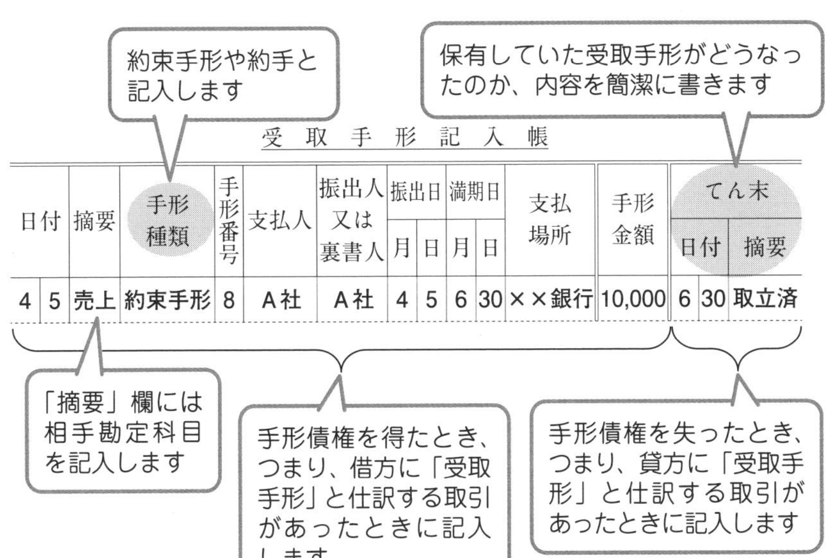

日付		摘要	手形種類	手形番号	支払人	振出人又は裏書人	振出日		満期日		支払場所	手形金額	てん末		
							月	日	月	日			日付		摘要
4	5	売上	約束手形	8	A社	A社	4	5	6	30	××銀行	10,000	6	30	取立済

☆　受取手形記入帳を作ってみよう！

例14－5

問題　7月　1日：八百源は京都商会に商品2,000円を売上げ、代金として京都商会振出、八百源宛の約束手形＃15（満期日：7月31日、支払場所：松本銀行）を受け取った。

7月31日：約束手形＃15の満期が到来したため、手形金額2,000円が当座預金口座に入金された。

【解答】

受　取　手　形　記　入　帳

日付		摘要	手形種類	手形番号	支払人	振出人又は裏書人	振出日		満期日		支払場所	手形金額	てん末		
							月	日	月	日			日付		摘要
7	1	売上	約束手形	15	京都商会	京都商会	7	1	7	31	松本銀行	2,000	7	31	当座決済

【考え方】

今までどおりの形で仕訳を表すと…

①　7月1日

借方科目	金　額	貸方科目	金　額
受取手形	2,000	売　上	2,000

②　7月31日

借方科目	金　額	貸方科目	金　額
当座預金	2,000	受取手形	2,000

6 支払手形記入帳とは…

「**支払手形記入帳**」とは、約束手形を振出して手形債務を負ったときや、満期日に決済されて手形債務が消滅したときに、支払手形に関する詳細な情報を記入する補助簿です。

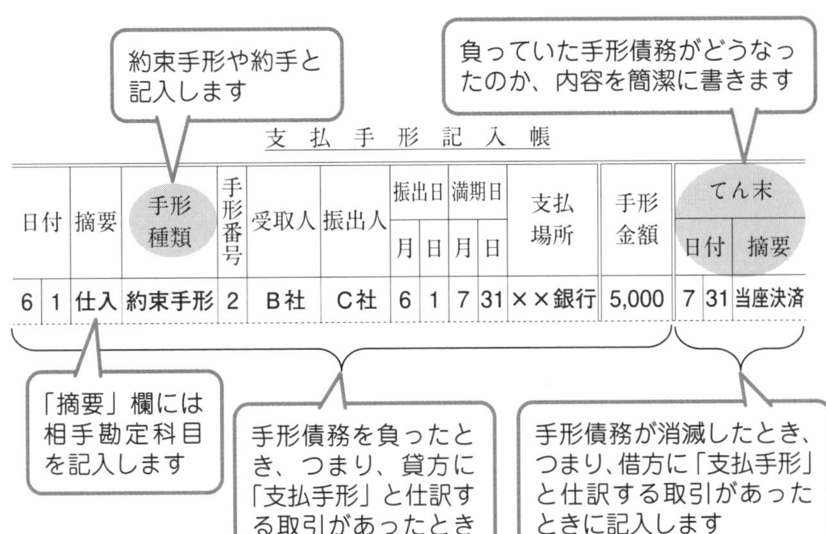

支払手形記入帳

日付		摘要	手形種類	手形番号	受取人	振出人	振出日		満期日		支払場所	手形金額	てん末		
							月	日	月	日			日付		摘要
6	1	仕入	約束手形	2	B社	C社	6	1	7	31	××銀行	5,000	7	31	当座決済

☆　支払手形記入帳を作成してみよう！

例14－6

問題　8月　1日：八百源は青森商会に対する買掛金2,000円の決済のため、青森商会宛の約束手形#21（満期日：8月31日、支払場所：松本銀行）を振出した。

8月31日：上記の約束手形の満期日となり、八百源の当座預金口座から2,000円支払った。

【解答】

支　払　手　形　記　入　帳

日付		摘要	手形種類	手形番号	受取人	振出人	振出日		満期日		支払場所	手形金額	てん末		
							月	日	月	日			日付		摘要
8	1	買掛金	約束手形	21	青森商会	八百源	8	1	8	31	松本銀行	2,000	8	31	当座決済

【考え方】

今までどおりの形で仕訳を表すと…

①　8月1日

借方科目	金　額	貸方科目	金　額
買　掛　金	2,000	支　払　手　形	2,000

②　8月31日

借方科目	金　額	貸方科目	金　額
支　払　手　形	2,000	当　座　預　金	2,000

7 仕入帳とは…

「**仕入帳**（しいれちょう）」とは、「仕入」（費用）の増加と減少に関する詳細な情報を記入する補助簿です。

商品を仕入れたときには仕入が増加するので「仕入」勘定の借方に、仕入返品を行ったときには仕入が減少するので「仕入」勘定の貸方に記入します。

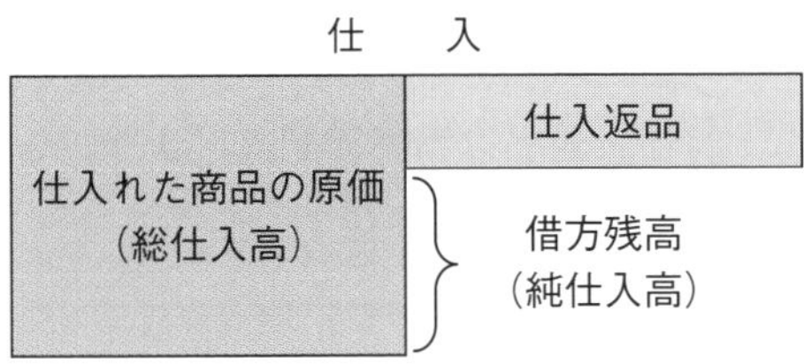

上記のように、仕入勘定の借方残高は、会社が最終的に仕入れた商品の原価である「純仕入高」となりますが、これだと商品仕入の詳細が分からないので「仕入帳」を用意する必要があります。

コトバ

総仕入高：会社の仕入れた商品の総額で、返品の金額を控除する前の金額

純仕入高：会社が最終的に仕入れた商品の原価で、返品の金額を控除した後の金額

第14章 主要簿と補助簿

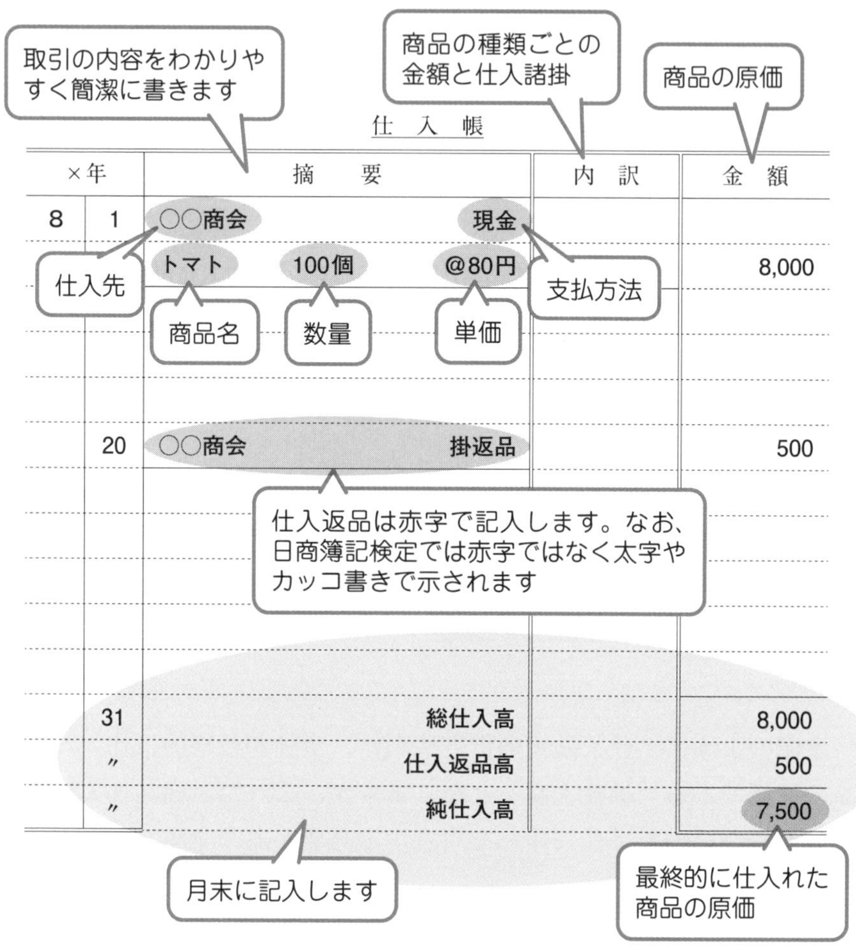
取引の内容をわかりやすく簡潔に書きます
商品の種類ごとの金額と仕入諸掛
商品の原価
仕入帳
×年
摘要
内訳
金額
8
1
○○商会
現金
仕入先
トマト
100個
@80円
8,000
支払方法
商品名
数量
単価
20
○○商会
掛返品
500
仕入返品は赤字で記入します。なお、日商簿記検定では赤字ではなく太字やカッコ書きで示されます
31
総仕入高
8,000
〃
仕入返品高
500
〃
純仕入高
7,500
月末に記入します
最終的に仕入れた商品の原価

☆ 仕入帳を作成しよう！

例14－7

問題　9月 8日：八百源は青森商会からりんご20個（@100円）を仕入れ、代金は掛けとした。なおその際、当社負担の引取運賃100円を現金で支払った。
9月14日：八百源は群馬商会からキャベツ15個（@200円）を仕入れ、代金は掛けとした。
9月15日：八百源は上記の群馬商会から仕入れたキャベツにつき5個を返品した。

【解答】

仕　入　帳

×年		摘　　要		内　訳	金　額
9	8	青森商会	掛		
		りんご　　20個　　@100円		2,000	
		引取運賃　　現金払い　　100円		100	2,100
	14	群馬商会	掛		
		キャベツ　　15個　　@200円			3,000
	15	群馬商会	掛返品		
		キャベツ　　5個　　@200円			1,000
	30		総仕入高		5,100
	〃		仕入返品高		1,000
	〃		純仕入高		4,100

【考え方】

① 総仕入高5,100円＝ 9月8日分2,100円＋9月14日分3,000円

② 純仕入高4,100円＝ 総仕入高5,100円－仕入返品高1,000円

8 売上帳とは…

「**売上帳**(うりあげちょう)」とは、「売上」(収益)の増加と減少に関する詳細な情報を記入する補助簿です。

商品を売り上げたときには売上が増加するので「売上」勘定の貸方に、売上返品を受けたときには売上が減少するので「売上」勘定の借方に記入します。

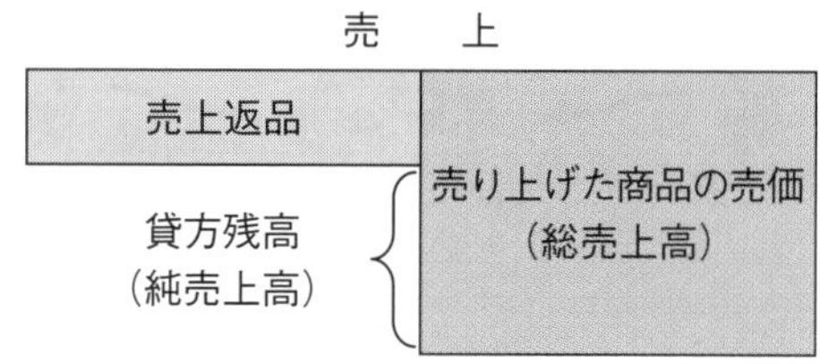

上記のように、売上勘定の貸方残高は、会社が最終的に売り上げた商品の売価である「純売上高」となりますが、商品売上の詳細が分からないので「売上帳」を用意する必要があります。

コトバ

総売上高:会社の売り上げた商品の売価総額で、返品の金額を控除する前の金額

純売上高:会社が最終的に売り上げた商品の売価で、返品の金額を控除した後の金額

売上帳

×年		摘要	内訳	金額
8	1	××商会　現金		
		みかん　50個　@70円		3,500
	10	××商会　返品		500
	31	総売上高		3,500
	〃	売上返品高		500
	〃	純売上高		3,000

第14章
主要簿と補助簿

さっくり 7日目
しっかり 9日目
じっくり 14日目

☆　売上帳を作成しよう！

例14－8

問題　10月12日：八百源は東京商会に、りんご20個（@125円）を売上げ、代金は掛けとした。

10月13日：八百源に上記の東京商会に売上げたりんごのうち4個が返品された。

10月20日：八百源は京都商会にりんご4個（@125円）とキャベツ5個（@300円）を売上げ、代金は掛けとした。

【解答】

売　上　帳

×年		摘　　要	内　訳	金　額
10	12	東京商会　　　　掛		
		りんご　20個　@125円		2,500
	13	東京商会　　　　掛返品		
		りんご　4個　@125円		500
	20	京都商会　　　　掛		
		りんご　4個　@125円	500	
		キャベツ　5個　@300円	1,500	2,000
	31	総売上高		4,500
	〃	売上返品高		500
	〃	純売上高		4,000

【考え方】

①　総売上高4,500円 ＝ 10月12日売上高2,500円+10月20日売上高2,000円

②　純売上高4,000円 ＝ 総売上高4,500円－10月13日売上返品高500円

9 商品有高帳（先入先出法）

「**商品有高帳**」とは、手もとにある商品の「**原価**」に関する詳細な情報を商品の種類ごとに記入する補助簿です。商品を仕入れたときや、商品が売れたときなどに商品の原価について記入します。

日商簿記３級では、商品有高帳の記入の仕方を２つ学習します。

「**先入先出法**」と「**移動平均法**」の２つの方法を学習しますが、まず「**先入先出法**」からみていきましょう。

「先入先出法」は、先に仕入れた古い商品から先に売れたと仮定して、お客さんに売り渡した商品の原価を求める方法です。

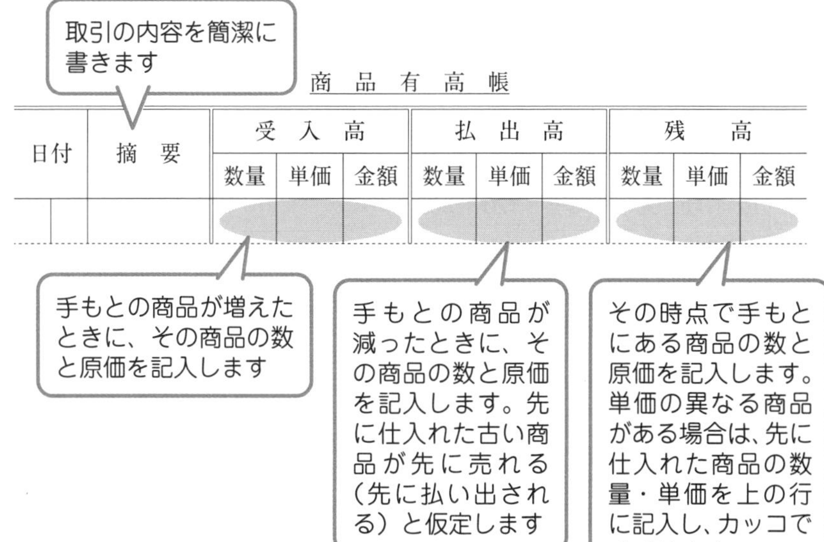

第14章 主要簿と補助簿

さっくり 7日目
しっかり 10日目

しっくり 14日目

☆　先入先出法で商品有高帳を作成しよう！

問題　1月　3日：八百源は商品２個を@100円で仕入れ、代金は掛けとした。
1月10日：八百源は商品３個を@120円で仕入れ、代金は掛けとした。
1月15日：八百源は商品４個を@150円で売上げ、代金は掛けとした。

先に仕入れていた古いりんごから先にお客さんに渡したと考えます

青森商会

お客さん

【解答】

商　品　有　高　帳

日付		摘　要	受　入　高			払　出　高			残　　高		
			数量	単価	金額	数量	単価	金額	数量	単価	金額
1	3	仕　入	2	100	200				2	100	200
	10	仕　入	3	120	360				2	100	200
									3	120	360
	15	売　上				2	100	200			
						2	120	240	1	120	120

【考え方】

①　１月３日に仕入れたのは@100円の商品２個（金額は@100×２個より200円）です。１月３日時点で手もとにあるのは、@100円で仕入れた商品２個です。

商　品　有　高　帳

日付		摘　要	受　入　高			払　出　高			残　　高		
			数量	単価	金額	数量	単価	金額	数量	単価	金額
1	3	仕　入	2	100	200				2	100	200

② 1月10日に仕入れたのは@120円の商品3個（金額は@120×3個より360円）です。よって、1月10日時点で手もとにあるのは、@100円で仕入れた商品2個と@120円で仕入れた商品3個です。

商品有高帳

日付		摘要	受入高			払出高			残高		
			数量	単価	金額	数量	単価	金額	数量	単価	金額
1	3	仕入	2	100	200				2	100	200
	10	仕入	3	120	360				⎧2	100	200
									⎩3	120	360

③ 1月15日に売り上げたのは商品4個です。このとき、手もとにある@100円で仕入れた商品2個と@120円で仕入れた商品3個のうち、先に仕入れた商品、つまり、@100円で仕入れた商品から先に売れたと仮定します。よって、@100円で仕入れた商品2個をまずお客さんに渡し、つづいて、@120円で仕入れた商品3個のうち2個をお客さんに渡したと考えます。よって、1月15日時点で手もとにあるのは、@120円で仕入れた商品1個です。

商品有高帳

日付		摘要	受入高			払出高			残高		
			数量	単価	金額	数量	単価	金額	数量	単価	金額
1	3	仕入	2	100	200				2	100	200
	10	仕入	3	120	360				⎧2	100	200
									⎩3	120	360
	15	売上				⎧2	100	200			
						⎩2	120	240	1	120	120

このように、1月15日の売上高600円（@150円×4個）に対して、売上原価は440円（@100×2個＋@120×2個）になります。

商品有高帳は原価を把握する補助簿だから、売価の情報は絶対に記入されないんだ！！

「いくらで売れたか」ではなく「いくらで買ってきたものが売れたか」を知りたいんだよ！！

10 商品有高帳（移動平均法）

次に「**移動平均法**」を見ていきましょう。

「移動平均法」は、仕入れた商品の原価の平均値を仕入のたびに計算して、お客さんに渡した商品の原価をこの平均値と考える方法です。

商　品　有　高　帳

日付		摘　要	受　入　高			払　出　高			残　　高		
			数量	単価	金額	数量	単価	金額	数量	単価	金額

商品を買ってくるたびに単価の平均値を計算します。その平均値を記入します

コトバ

先入先出法：先に仕入れた古い商品から先に売れたと仮定して、お客さんに渡した商品の原価を求める方法

移動平均法：仕入れた商品の原価の平均値を仕入のたびに計算して、お客さんに渡した商品の原価をこの平均値と考える方法

商品を仕入れたときの値段は、高いものもあれば、安いものもあるね

売れた商品がいくらで買ってきたものなのかがよくわからないので、それを決めるルールが必要なんだ！

☆　移動平均法で商品有高帳を作成しよう！

例14－10

問題　1月 3日：八百源は商品２個を@100円で仕入れ、代金は掛けとした。

1月10日：八百源は商品３個を@120円で仕入れ、代金は掛けとした。

1月15日：八百源は商品４個を@150円で売上げ、代金は掛けとした。

【解答】

商品有高帳

日付		摘要	受入高			払出高			残高		
			数量	単価	金額	数量	単価	金額	数量	単価	金額
1	3	仕入	2	100	200				2	100	200
	10	仕入	3	120	360				5	112	560
	15	売上				4	112	448	1	112	112

【考え方】

①　１月３日に仕入れたのは@100円の商品２個（金額は@100×２個より200円）です。１月３日時点で手もとにあるのは、@100円で仕入れた商品２個です。

商品有高帳

日付		摘要	受入高			払出高			残高		
			数量	単価	金額	数量	単価	金額	数量	単価	金額
1	3	仕入	2	100	200				2	100	200

１回目の仕入が終わった時点では先入先出法と同じだね

② 1月10日に仕入れたのは@120円の商品3個（金額は@120×3個より360円）です。1月10日時点で手もとにあるのは、@100円で仕入れた商品2個と@120円で仕入れた商品3個です。よって、これらの平均単価を計算します。商品の数量の合計は2個＋3個より5個、金額の合計は200円＋360円より560円です。商品5個分の金額が560円であると考えて、平均単価を560円÷5個より@112円と求めます。

商　品　有　高　帳

日付		摘　要	受入高			払出高			残高		
			数量	単価	金額	数量	単価	金額	数量	単価	金額
1	3	仕　入	2	100	200				2	100	200
	10	仕　入	3	120	360				5	112	560

@112円で仕入れた商品が5個あると考えます

③ 1月15日に売上げたのは商品4個です。先ほど、平均単価を計算して、手もとにあるのは@112円で仕入れた商品5個と考えたので、このうち4個が売れたと仮定します。1月15日時点で手もとにあるのは、@112円で仕入れた商品1個です。

商　品　有　高　帳

日付		摘　要	受入高			払出高			残高		
			数量	単価	金額	数量	単価	金額	数量	単価	金額
1	3	仕　入	2	100	200				2	100	200
	10	仕　入	3	120	360				5	112	560
	15	売　上				4	112	448	1	112	112

@112円で仕入れた商品が4個売れたと考えます

このように、1月15日の売上高600円（@150円×4個）に対して、売上原価は448円（@112×4個）になります。

11 売掛金元帳とは…

「**売掛金元帳**(うりかけきんもとちょう)」とは、「売掛金」(資産)の増加と減少に関する詳細な情報を得意先ごとに記入する補助簿です。売掛金元帳をつけている場合は、「売掛金」が増減したときにだけ、得意先ごとに売掛金元帳に記録します。また、「売掛金元帳」は「**得意先元帳**(とくいさきもとちょう)」ともいいます。

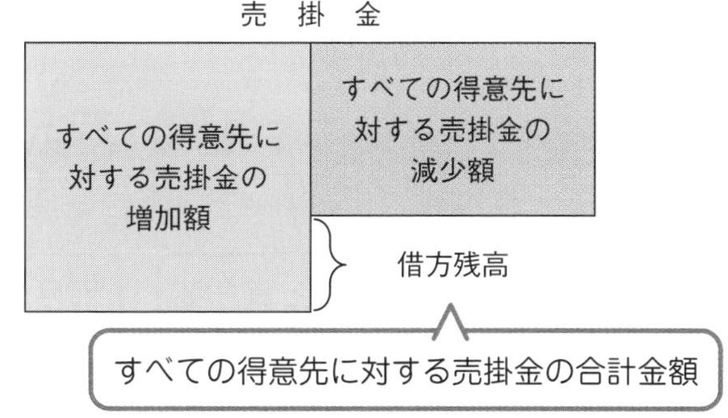

上記のように、売掛金勘定だけでは、得意先ごとの残高はわかりません。売掛金元帳を作れば、得意先ごとの売掛金の残高を調べることができます。

第14章 主要簿と補助簿

さっくり 7日目

しっかり 10日目

じっくり 14日目

売掛金元帳の○○商会には、○○商会に対する売掛金のみを書き込みます。

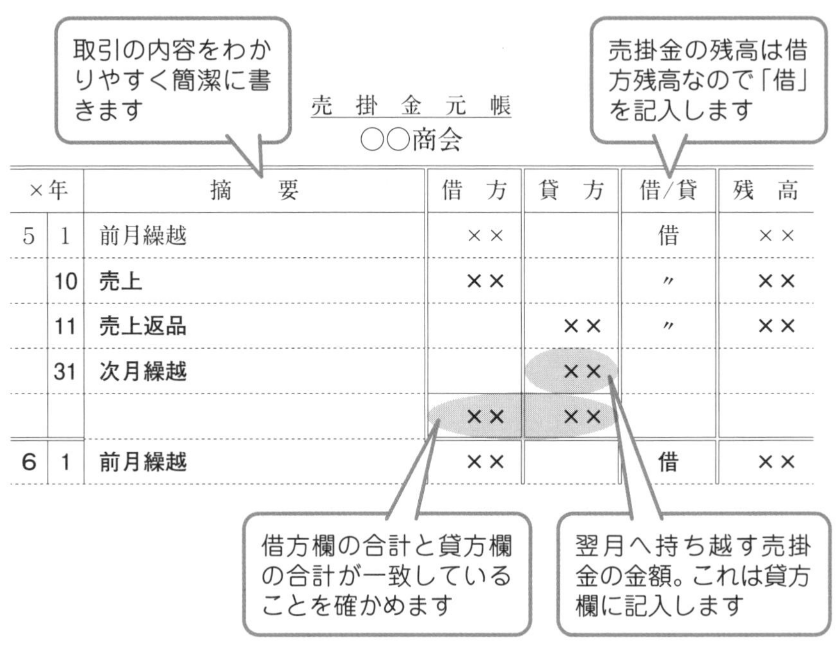

売　掛　金　元　帳

○○商会

×年		摘　　要	借　方	貸　方	借/貸	残　高
5	1	前月繰越	××		借	××
	10	売上	××		〃	××
	11	売上返品		××	〃	××
	31	次月繰越		××		
			××	××		
6	1	前月繰越	××		借	××

仕訳をする時に、売掛金勘定を使わずに、会社名を勘定科目として使う場合があります。会社名を勘定科目として使うので「**人名勘定**(じんめいかんじょう)」といいます。売掛金勘定を用いる場合と人名勘定を用いる場合を比べてみましょう。

【売掛金勘定を使う場合】

借方科目	金額	貸方科目	金額
売掛金（○○）	×××	売　　上	×××

会社名

どの得意先に対する売掛金かがわかるように、カッコ書きで会社名を示しています。

【人名勘定を使う場合】

借方科目	金額	貸方科目	金額
○○商会	×××	売　　上	×××

どの得意先に対する売掛金かがわかるように、「売掛金」ではなく、「横浜商会」「神戸商会」などの会社名を勘定科目として使います。

コトバ

人名勘定：会社名の勘定科目

☆　売掛金元帳を作成しよう！

例14－11

問題　次の取引にもとづいて東京商会の売掛金元帳を作成しなさい。

11月 2日：八百源は東京商会に商品2,500円を売上げ、代金は掛けとした。

11月 3日：八百源は上記の東京商会に売上げた商品につき400円の返品を受けた。

11月21日：八百源は京都商会に商品2,000円を売上げ、代金は掛けとした。

11月27日：八百源は京都商会に対する売掛金1,500円を現金で回収した。

【解答】

売　掛　金　元　帳

東京商会

×年		摘　　要	借　方	貸　方	借/貸	残　高
11	1	前月繰越	1,000		借	1,000
	2	売上	2,500		〃	3,500
	3	売上返品		400	〃	3,100
	30	次月繰越		3,100		
			3,500	3,500		
12	1	前月繰越	3,100		借	3,100

東京商会に対する売掛金が11月末に3,100円残っていて、12月に繰り越されるってことがわかるね

【考え方】

【売掛金勘定を使う場合の仕訳】

借方科目	金額	貸方科目	金額
売掛金（東京）	2,500	売上	2,500
売上	400	売掛金（東京）	400
売掛金（京都）	2,000	売上	2,000
現金	1,500	売掛金（京都）	1,500

【人名勘定を使う場合の仕訳】

借方科目	金額	貸方科目	金額
東京商会	2,500	売上	2,500
売上	400	東京商会	400
京都商会	2,000	売上	2,000
現金	1,500	京都商会	1,500

12 買掛金元帳とは…

「**買掛金元帳**」とは、「買掛金」（負債）の増加と減少に関する詳細な情報を仕入先ごとに記入する補助簿です。買掛金元帳をつけている場合は「買掛金」が増減したときにだけ、仕入先ごとに買掛金元帳に記録します。また、「買掛金元帳」は「**仕入先元帳**」ともいいます。

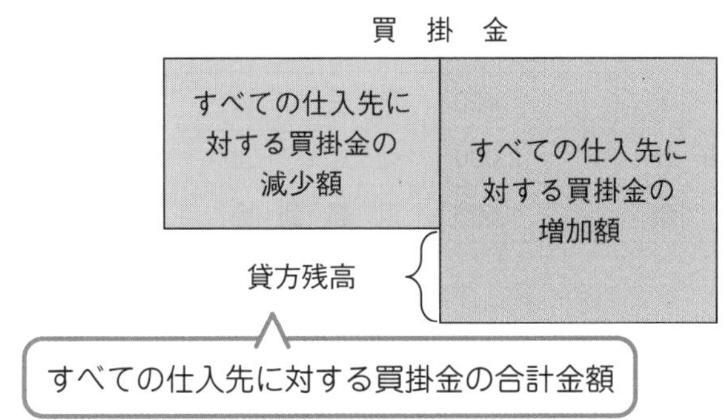

上記のように、買掛金勘定だけでは、仕入先ごとの残高はわかりません。買掛金元帳を作れば、仕入先ごとの買掛金の残高を調べることができます。

買掛金元帳の××商会には、××商会に対する買掛金のみを書き込みます。

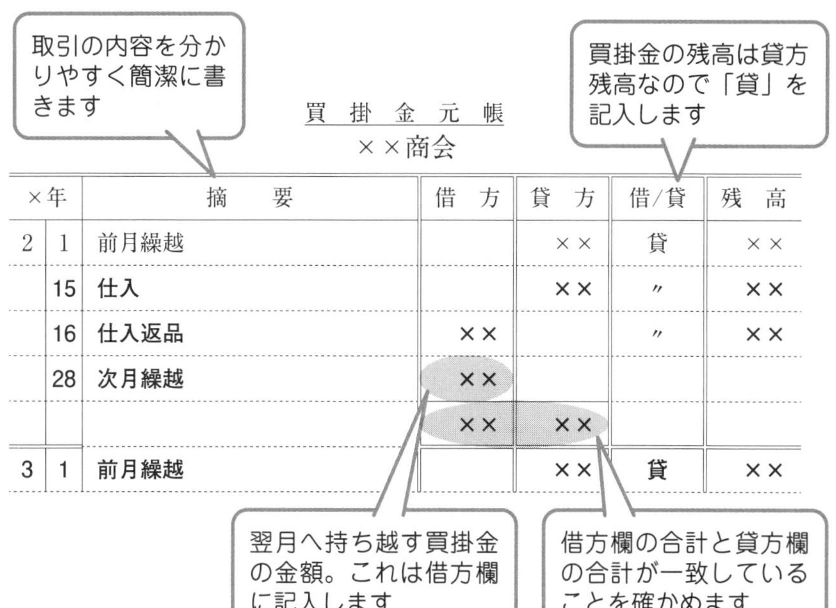

買 掛 金 元 帳

××商会

×年		摘　要	借　方	貸　方	借/貸	残　高
2	1	前月繰越		××	貸	××
	15	仕入		××	〃	××
	16	仕入返品	××		〃	××
	28	次月繰越	××			
			××	××		
3	1	前月繰越		××	貸	××

これで、どの会社にいくら買掛金を払えばいいかがわかるんだ！

仕訳をする時に、買掛金勘定を使わずに、会社名を勘定科目として使う場合があります。会社名を勘定科目として使うので「**人名勘定**（じんめいかんじょう）」といいます。買掛金勘定を用いる場合と人名勘定を用いる場合を比べてみましょう。

【買掛金勘定を使う場合】

借方科目	金　額	貸方科目	金　額
仕　　　入	×××	買掛金（○○）	×××

会社名

どの仕入先に対する買掛金かがわかるように、カッコ書きで会社名を示しています。

【人名勘定を使う場合】

借方科目	金　額	貸方科目	金　額
仕　　　入	×××	○　○　商　会	×××

どの仕入先に対する買掛金かがわかるように、「買掛金」ではなく、「青森商会」「長野商会」などの会社名を勘定科目として使います。

☆ 買掛金元帳を作成しよう！

例14－12

問題　次の取引にもとづいて青森商会の買掛金元帳を作成しなさい。

12月13日：八百源は青森商会から商品2,000円を仕入れ、代金は掛けとした。

12月14日：八百源は上記の青森商会から仕入れた商品のうち200円を返品した。

12月19日：八百源は群馬商会から商品3,000円を仕入れ、代金は掛けとした。

12月24日：八百源は群馬商会に対する買掛金2,500円を現金で支払った。

【解答】

買掛金元帳

青森商会

×年		摘要	借方	貸方	借/貸	残高
12	1	前月繰越		1,600	貸	1,600
	13	仕入		2,000	〃	3,600
	14	仕入返品	200		〃	3,400
	31	次月繰越	3,400			
			3,600	3,600		
1	1	前月繰越		3,400	貸	3,400

青森商会に対する買掛金が12月末に3,400円残っていて、1月に繰り越されるってことがわかるね

第14章　主要簿と補助簿

さっくり 7日目　しっかり 10日目　じっくり 14日目

【考え方】

【買掛金勘定を使う場合の仕訳】

借方科目	金額	貸方科目	金額
仕入	2,000	買掛金（青森）	2,000
買掛金（青森）	200	仕入	200
仕入	3,000	買掛金（群馬）	3,000
買掛金（群馬）	2,500	現金	2,500

【人名勘定を使う場合の仕訳】

借方科目	金額	貸方科目	金額
仕入	2,000	青森商会	2,000
青森商会	200	仕入	200
仕入	3,000	群馬商会	3,000
群馬商会	2,500	現金	2,500

13 固定資産台帳とは…

「**固定資産台帳**(こていしさんだいちょう)」とは、会社が土地、建物、備品などの有形固定資産を管理するために作成する補助簿です。有形固定資産の取得日や取得原価などの明細を記入し、減価償却が必要な資産については、減価償却累計額や減価償却費などの減価償却に関する情報も記入します。

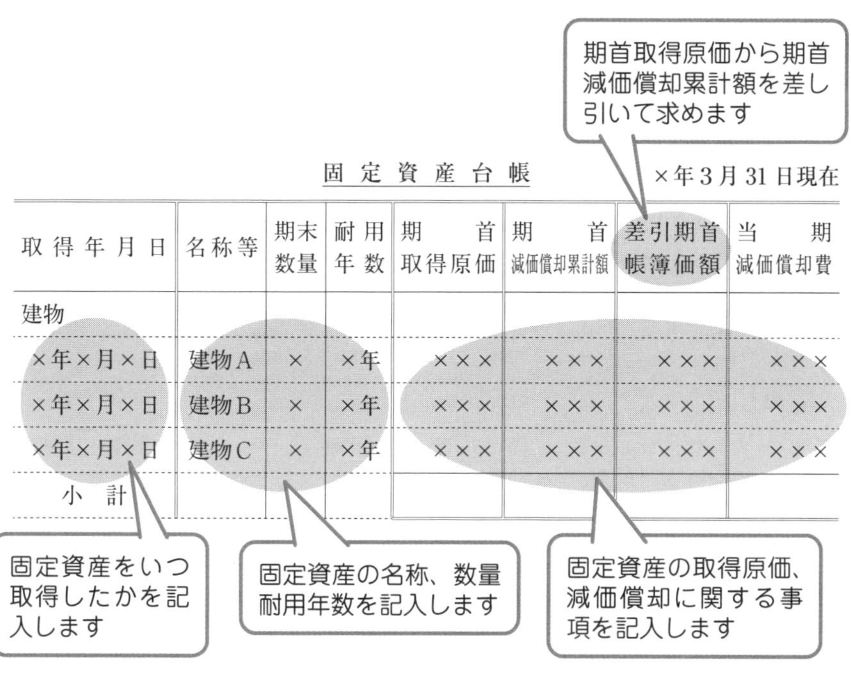

固定資産台帳　　×年3月31日現在

取得年月日	名称等	期末数量	耐用年数	期首取得原価	期首減価償却累計額	差引期首帳簿価額	当期減価償却費
建物							
×年×月×日	建物A	×	×年	×××	×××	×××	×××
×年×月×日	建物B	×	×年	×××	×××	×××	×××
×年×月×日	建物C	×	×年	×××	×××	×××	×××
小計							

☆　固定資産台帳を作成しよう！

例14－13

問題　以下の固定資産台帳を完成させなさい。なお、当期は×4年4月1日～×5年3月31日の1年間であり、当期中に有形固定資産の売買は行われていない。また、減価償却費は、残存価額ゼロ、定額法で計算する。

固定資産台帳　×5年3月31日現在

取得年月日	名称等	期末数量	耐用年数	期首取得原価	期首減価償却累計額	差引期首帳簿価額	当期減価償却費
備品							
×1年 6月1日	備品A	10	12年	36,000	8,500	(　　)	(　　)
×2年12月1日	備品B	6	8年	84,000	14,000	(　　)	(　　)
×3年 4月1日	備品C	14	5年	14,000	2,800	(　　)	(　　)
小　計				(　　)	(　　)	(　　)	(　　)

【解答】

固定資産台帳　×5年3月31日現在

取得年月日	名称等	期末数量	耐用年数	期首取得原価	期首減価償却累計額	差引期首帳簿価額	当期減価償却費
備品							
×1年 6月1日	備品A	10	12年	36,000	8,500	(27,500)	(3,000)
×2年12月1日	備品B	6	8年	84,000	14,000	(70,000)	(10,500)
×3年 4月1日	備品C	14	5年	14,000	2,800	(11,200)	(2,800)
小　計				(134,000)	(25,300)	(108,700)	(16,300)

【考え方】

① 差引期首帳簿価額は「期首取得原価－期首減価償却累計額」で求める。

・備品A：36,000円－ 8,500円 ＝ 27,500円
・備品B：84,000円－14,000円 ＝ 70,000円
・備品C：14,000円－ 2,800円 ＝ 11,200円

② 残存価額がゼロなので、当期減価償却費は「期首取得原価÷耐用年数」で求める。

・備品A：36,000円÷耐用年数12年 ＝ 3,000円
・備品B：84,000円÷耐用年数８年 ＝ 10,500円
・備品C：14,000円÷耐用年数５年 ＝ 2,800円

また、備品減価償却累計額勘定は以下のようになります。

備品減価償却累計額

×5.3.31	次期繰越	41,600	×4.4.1	前期繰越	25,300
			×5.3.31	減価償却費	16,300

しっかり
10日目

確認テスト

問題

次の資料に基づいて、移動平均法により商品有高帳に記入しなさい。

4月1日：前月から繰越されてきた商品が10個（@170円）ある。
　　10日：商品20個（@200円）を仕入れた。
　　15日：商品15個を売上げた。
　　20日：商品10個（@180円）を仕入れた。
　　25日：商品10個を売上げた。

商品有高帳

日付		摘要	受入高			払出高			残高		
			数量	単価	金額	数量	単価	金額	数量	単価	金額

解答

<u>商品有高帳</u>

日付		摘要	受入高			払出高			残高		
			数量	単価	金額	数量	単価	金額	数量	単価	金額
4	1	前月繰越	10	170	1,700				10	170	1,700
	10	仕入	20	200	4,000				30	190	5,700
	15	売上				15	190	2,850	15	190	2,850
	20	仕入	10	180	1,800				25	186	4,650
	25	売上				10	186	1,860	15	186	2,790

解説

① 4月1日に前期から繰り越されてきた商品は、@170円の商品10個で、金額は@170×10個＝1,700円です。そのため、4月1日時点で手もとにあるのは、@170円で仕入れた商品10個です。

② 4月10日に仕入れたのは、@200円の商品20個で、金額は@200×20個＝4,000円です。4月10日時点で手もとにあるのは、@170円で仕入れた商品10個と@200円で仕入れた商品20個です。よって、これらの平均単価を計算します。商品の数量の合計は10個＋20個＝30個、金額の合計は1,700円＋4,000円＝5,700円です。商品30個分の金額が5,700円であると考えて、平均単価を5,700円÷30個より@190円と求めます。

③　４月15日に売上げたのは、商品15個です。先ほど、平均の単価を計算して、手もとにあるのは@190円で仕入れた商品30個と考えたので、このうち15個が売れたと仮定します。よって、４月15日時点で手もとにあるのは、@190円で仕入れた商品15個で、金額は@190×15個 ＝ 2,850円です。

④　４月20日に仕入れたのは、@180円の商品10個で、金額は@180×10個より1,800円です。４月20日時点で手もとにあるのは、@190円で仕入れた商品15個と@180円で仕入れた商品10個です。よって、これらの平均単価を計算します。商品の数量の合計は15個 ＋10個 ＝ 25個、金額の合計は2,850円 ＋1,800円 ＝ 4,650円です。商品25個分の金額が4,650円であると考えて、平均単価を4,650円÷25個より@186円と求めます。

⑤　４月25日に売上げたのは、商品10個です。先ほど、平均の単価を計算して、手もとにあるのは@186円で仕入れた商品25個と考えたので、このうち10個が売れたと仮定します。よって、４月25日時点で手もとにあるのは、@186円で仕入れた商品15個で、金額は@186×15個 ＝ 2,790円です。

移動平均法は取引ごとに１つ１つ
整理しながら進めないと…

第15章

伝票会計

でんぴょう

学習進度目安

さっくり 7日間	しっかり 10日間	じっくり 15日間
7日目	10日目	15日目

◉第15章で学習すること

① 伝票への記入

② 伝票の集計・転記

1 伝票への記入

イントロダクション

八百源が繁盛してくると源さん一人で仕訳帳に仕訳をするのが大変になってきました…
「仕訳を分担したいけど、何かいい方法はないかなぁ…」
とりあえずアドバイザーの横浜商会の社長に聞いてみるか！！

1 伝票とは

仕訳帳に仕訳を記入するのが大変な場合、「**伝票**（でんぴょう）」というカードを使って作業を分担することがあります。従業員が数人でそれぞれ担当の取引を決めておき、自分が担当する取引があったときに各自で伝票に記入します。この作業を「**起票**（きひょう）」といいます。その後、伝票を見ながら総勘定元帳に転記します。

コトバ

起票：取引を伝票に記入すること

2 3種類の伝票を使い分ける

伝票を使って取引を記録するときに「**入金伝票**」「**出金伝票**」「**振替伝票**」の３種類の伝票を準備する場合があります。入金取引は入金伝票に、出金取引は出金伝票に、それ以外の取引は振替伝票に記入します。このような記録方法を「**３伝票制**」といいます。

コトバ

３伝票制：「入金伝票」「出金伝票」「振替伝票」の３種類の伝票を用いて取引を記録する方法
入金取引：「現金」（資産）が増加する取引
出金取引：「現金」（資産）が減少する取引

3 入金取引があったときは…

お金を受け取るなど、現金（資産）が増加する取引をしたときは、「**入金伝票**」を選んで記入します。

商品を売り上げて現金をもらった取引を例に挙げてみましょう。仮に、伝票を使わずに、これまで通りの仕訳を行うと、次のようになります。

借方科目	金額	貸方科目	金額
現金	×××	売上	×××

入金伝票を用いる場合、上記の仕訳をそのまま入金伝票に書き込むわけではありません。なぜなら、入金伝票を選んだ時点で、借方が「現金」であることは明らかだからです。そこで、入金伝票には、①貸方の勘定科目と②金額だけを記入します。

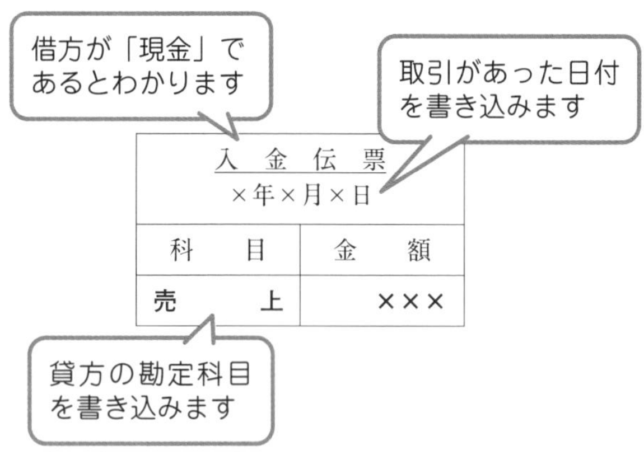

☆ **起票してみよう！**

例15－1

問題 八百源は４月15日に商品2,500円を売上げ、代金は現金で受取った。３伝票制により起票しなさい。

【解答】

入金伝票
×年４月15日

科目	金額
売上	2,500

【通常の仕訳】

借方科目	金額	貸方科目	金額
現金	2,500	売上	2,500

【考え方】

① 代金は現金で受取った（３伝票制） ＝ 入金伝票に起票

② 入金伝票に起票 ＝ 借方は「現金」

⇒ 通常の仕訳の貸方科目と金額のみを書き込む

⇒「売上」を書き込む

4 出金取引があったときは…

お金を支払うなど、現金（資産）が減少する取引をしたときは、「**出金伝票**」を選んで記入します。

商品を仕入れて現金で支払った取引を例に挙げてみましょう。仮に、伝票を使わずに、これまで通りの仕訳を行うと、次のようになります。

借方科目	金額	貸方科目	金額
仕入	×××	現金	×××

出金伝票を用いる場合、上記の仕訳をそのまま出金伝票に書き込むわけではありません。なぜなら、出金伝票を選んだ時点で、貸方が「現金」であることは明らかだからです。そこで、出金伝票には①借方の勘定科目と②金額だけを記入します。

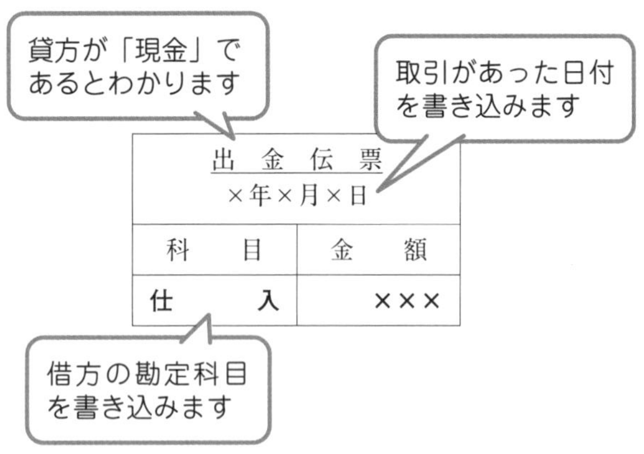

☆　起票してみよう！

例15－2

問題　八百源は５月５日に商品2,000円を仕入れ、代金は現金で支払った。３伝票制により起票しなさい。

【解答】

出　金　伝　票 ×年５月５日	
科　　目	金　　額
仕　　入	2,000

【通常の仕訳】

借方科目	金　額	貸方科目	金　額
仕　　入	2,000	現　　金	2,000

【考え方】

①　代金は現金で支払った（３伝票制）＝出金伝票に起票

②　出金伝票に起票＝貸方は「現金」
　⇒通常の仕訳の借方科目と金額のみを書き込む
　⇒「仕入」を書き込む

しっかり
10日目

5 お金の出入りがない取引は…

お金をもらったり、支払ったりしない取引は、現金（資産）の増加や減少がないので、入金伝票や出金伝票を使うことができません。そのようなときは「**振替伝票**」に起票します。

商品を掛けで仕入れた取引を例に挙げてみましょう。仮に、伝票を使わずに、これまで通りの仕訳を行うと、次のようになります。

借方科目	金額	貸方科目	金額
仕入	×××	**買掛金**	×××

振替伝票を用いる場合、入金伝票と出金伝票の場合とは異なり、上記の仕訳をそのまま振替伝票に書き込みます。

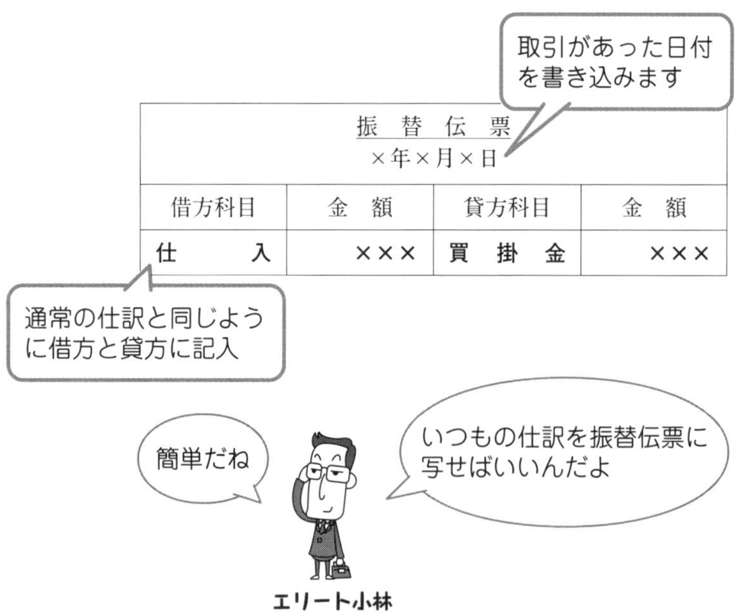

振替伝票
×年×月×日

借方科目	金額	貸方科目	金額
仕入	×××	**買掛金**	×××

☆　起票してみよう！

例15－3

問題　八百源は４月25日に商品2,500円を売上げ、代金は掛けとした。３伝票制により起票しなさい。

【解答】

振　替　伝　票 ×年４月25日			
借方科目	金　額	貸方科目	金　額
売　掛　金	2,500	売　　上	2,500

【通常の仕訳】

借　方　科　目	金　　額	貸　方　科　目	金　　額
売　掛　金	2,500	売　　上	2,500

【考え方】

①　掛けで商品を売っている（３伝票制）
　＝ 現金のやり取りがない
　⇒ 振替伝票に起票

②　振替伝票に起票
　⇒ 通常の仕訳の借方科目と金額、貸方科目と金額を書き込む
　⇒「売掛金」と「売上」を書き込む

6 代金の一部だけを現金でもらったり、支払ったりする場合は…

お金のやり取りをする取引とお金のやり取りをしない取引が同時に行われる場合があります。例えば、商品を売ったときに、代金の一部は現金でもらい、残りは掛けにした場合などです。この場合には、お金のやり取りをする現金取引の部分は「入金伝票」または「出金伝票」に起票し、それ以外の取引の部分は「振替伝票」に起票します。このような、商品の代金のうち一部だけを現金で受渡しする取引を「**一部現金取引**」といいます。一部現金取引の伝票への記入方法は「**①取引を分解する方法**」と「**②取引を擬制(ぎせい)する方法**」の2つの方法があります。なお、一部現金取引は、「**一部振替取引**」ともいいます。

コトバ
一部現金取引：商品の代金のうち一部だけを現金で受け渡ししている取引

以下、2,500円の商品を売ったときに1,000円は現金でもらい、残りの1,500円は掛けにした場合を例に2つの方法を考えてみましょう。

仮に、伝票を使わず仕訳を行うと、次のようになります。

借方科目	金額	貸方科目	金額
現金	1,000	売上	2,500
売掛金	1,500		

① 取引を分解する方法

売上代金2,500円を全額現金で受け取ったり、全額掛けにしたりしていないので、１枚の伝票で取引のすべてを表すことはできません。

そこで、取引を**分解**する方法では、「**商品1,000円を売上げ、代金は現金で受け取った。同時に、商品1,500円を売上げ、代金は掛けとした。**」というふうに読み替えます。そうすると、以下のように１つの取引から２つの仕訳が作れます。現金で販売した部分は入金伝票へ、掛けで販売した部分は振替伝票へ記入することで、一部現金取引を伝票で表すことができます。

【現金で販売した部分⇒入金伝票へ】

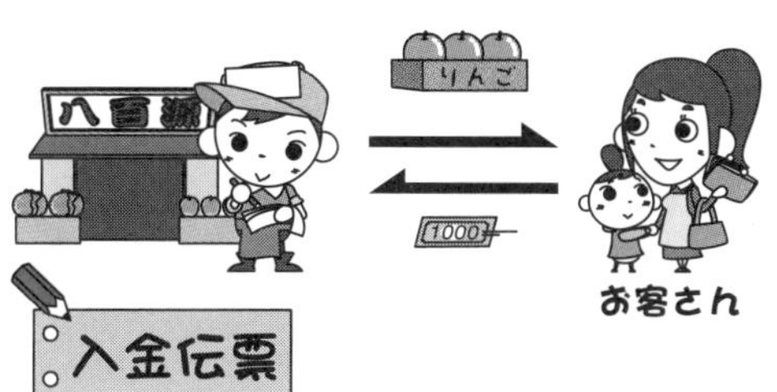

借方科目	金額	貸方科目	金額
現金	1,000	売上	1,000

入金伝票 ×年×月×日	
科目	金額
売上	1,000

【掛けで販売した部分⇒振替伝票へ】

借方科目	金額	貸方科目	金額
売掛金	1,500	売上	1,500

振替伝票
×年×月×日

借方科目	金額	貸方科目	金額
売掛金	1,500	売上	1,500

② 取引を擬制する方法

売上代金2,500円を全額現金で受け取ったり、全額掛けにしたりしていないので、１枚の伝票で取引のすべてを表すことはできません。

そこで、取引を擬制する方法では、「**商品2,500円を売上げ、代金は全額掛けとした。その後、売掛金のうち1,000円を現金で回収した。**」というふうに読み替えます。そうすると、以下のように１つの取引から２つの仕訳が作れます。掛けで販売した部分は振替伝票へ、現金で回収した部分は入金伝票へ記入することで、一部現金取引を伝票で表すことができます。

【いったん全額掛けで売ったことに⇒振替伝票へ】

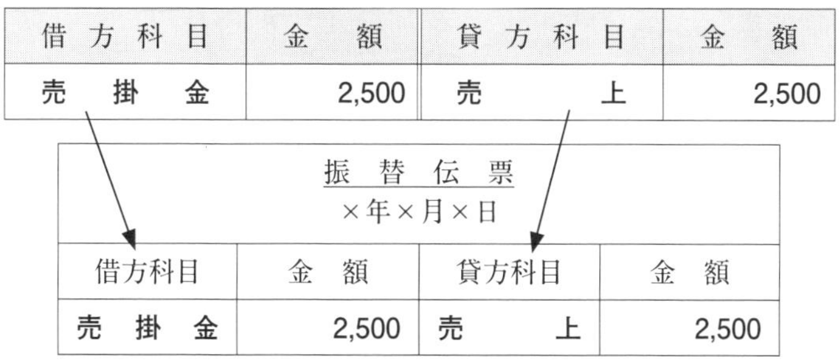

借方科目	金額	貸方科目	金額
売掛金	2,500	売上	2,500

振替伝票
×年×月×日

借方科目	金額	貸方科目	金額
売掛金	2,500	売上	2,500

【その後すぐに掛け代金を一部回収⇒入金伝票へ】

借方科目	金額	貸方科目	金額
現金	1,000	売掛金	1,000

入金伝票
×年×月×日

科目	金額
売掛金	1,000

☆ 起票してみよう！

例15－4

問題 八百源は５月10日に商品3,000円を仕入れ、代金のうち1,000円は現金で支払い、残額は掛けとした。３伝票制により起票しなさい。

【解答：取引を分解する方法】

出　金　伝　票 ×年５月10日	
科　　目	金　　額
仕　　入	1,000

振　替　伝　票 ×年５月10日			
借方科目	金　額	貸方科目	金　額
仕　　入	2,000	買　掛　金	2,000

【考え方】

① 現金で仕入れた部分 ⇒ 出金伝票へ

借方科目	金　額	貸方科目	金　額
仕　　入	1,000	現　　金	1,000

② 掛けで仕入れた部分 ⇒ 振替伝票へ

借方科目	金　額	貸方科目	金　額
仕　　入	2,000	買　掛　金	2,000

【解答：取引を擬制する方法】

振　替　伝　票 ×年５月10日			
借方科目	金　額	貸方科目	金　額
仕　　入	3,000	買　掛　金	3,000

出　金　伝　票 ×年５月10日	
科　　目	金　　額
買　掛　金	1,000

【考え方】

① いったん全額掛けで仕入れたことに ⇒ 振替伝票へ

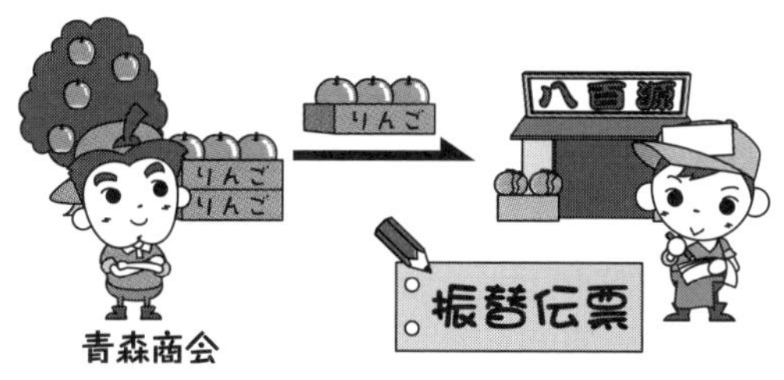

借　方　科　目	金　　額	貸　方　科　目	金　　額
仕　　　入	3,000	買　掛　金	3,000

② その後すぐに掛け代金を一部決済 ⇒ 出金伝票へ

借方科目	金額	貸方科目	金額
買掛金	1,000	現金	1,000

さっくり 7日目

2 伝票の集計・転記

イントロダクション

「今日はりんごがよく売れたから、伝票が多いな〜」

「いちいち転記するのは、面倒くさいのよね。」

「まとめて転記する方法があるらしいよ。」

「あら、そう。」

「本当だよ！　まーちゃんに聞いたんだ！」

「やり方わかるの？」

「……」

1 伝票を集計して表を作ろう!

1日分や1週間分の記入した伝票を勘定科目ごとに集計します。例えば、1日分の集計結果を表にしたものを**仕訳日計表**といいます。

仕訳日計表を作成することで、その日の現金の増加額と減少額、当座預金の増加額と減少額、売掛金の増加額と減少額というように、勘定科目ごとに増加額と減少額が一目でわかるようになります。

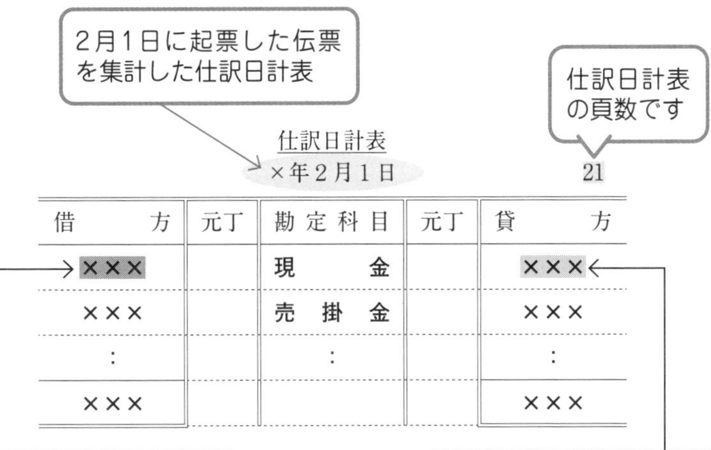

仕訳日計表
×年2月1日　　21

借　方	元丁	勘定科目	元丁	貸　方
×××		現　金		×××
×××		売掛金		×××
:		:		:
×××				×××

コトバ

仕訳日計表：1日分の伝票を勘定科目ごとに集計した表
仕訳週計表：1週間分の伝票を勘定科目ごとに集計した表

さっくり 7日目
しっかり 10日目

☆ 集計してみよう！

例15－5

問題　次の×年2月1日に起票した伝票にもとづいて、仕訳日計表を作成しなさい。

入金伝票　No.101
（当座預金）　250

入金伝票　No.102
（売掛金）東京商会　310

出金伝票　No.201
（当座預金）　420

振替伝票　No.301
（売掛金）東京商会　550
（売上）　550

振替伝票　No.302
（売掛金）京都商会　480
（売上）　480

振替伝票　No.303
（売上）　50
（売掛金）東京商会　50

【解答】

仕訳日計表
×年2月1日　21

借方	元丁	勘定科目	元丁	貸方
560		現金		420
420		当座預金		250
1,030		売掛金		360
50		売上		1,030
2,060				2,060

【考え方】

集計しやすくするために、各伝票を仕訳の形に直して下書きすると、次のようになります。この仕訳をもとにして、勘定科目ごとに集計して2月1日の取引高を仕訳日計表に記入します。

(借)	現　　　金	250	(貸)	当座預金	250
(借)	現　　　金	310	(貸)	売 掛 金	310
(借)	当座預金	420	(貸)	現　　　金	420
(借)	売 掛 金	550	(貸)	売　　　上	550
(借)	売 掛 金	480	(貸)	売　　　上	480
(借)	売　　　上	50	(貸)	売 掛 金	50

借方に仕訳された現金の合計額：¥250＋¥310＝¥560

貸方に仕訳された現金の合計額：¥420

仕訳日計表
×年2月1日　　　21

借　方	元丁	勘定科目	元丁	貸　方
560		現　　金		420
420		当座預金		250
1,030		売 掛 金		360
50		売　　上		1,030
2,060				2,060

仕訳日計表の合計額は伝票の合計額と一致します

2 総勘定元帳へ転記しよう!

伝票を見ながら転記するのは大変です。そこで、仕訳日計表を見ながら、総勘定元帳の各勘定に転記します。そうすれば、何枚もの伝票を1枚ずつ見ながら転記するよりも簡単で、作業も少なくすみます。

これまで学習してきた転記は、取引1つごとに転記をしていました。このような転記を**個別転記**(こべつてんき)といいます。これに対して、取引の内容を集計した後、集計した金額を転記することを**合計転記**(ごうけいてんき)といいます。

コトバ

個別転記：伝票の金額をひとつひとつ転記すること
合計転記：伝票の金額を集計してから転記すること

これまでは、左側と右側に分かれた勘定に転記してきましたが、残高を記入する欄のある勘定の形式もあります。

本章の例では、残高を記入する形式の勘定へ記入してみましょう。

【左側と右側に分かれた勘定】

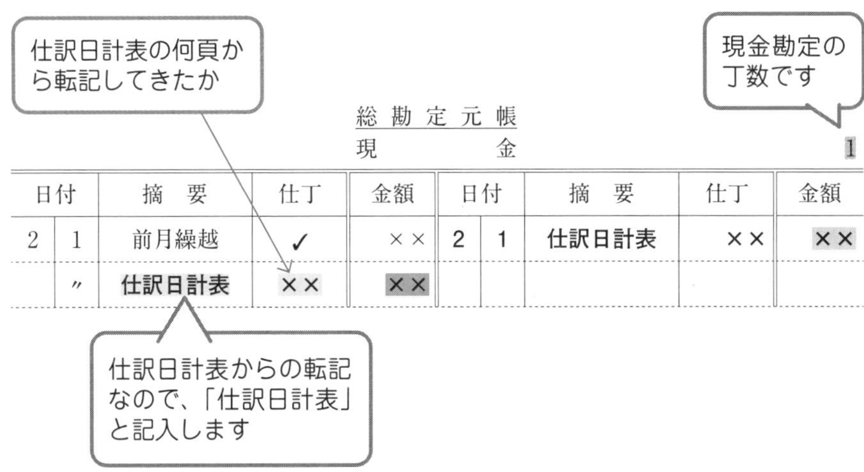

総勘定元帳
現　　金　　1

日付		摘要	仕丁	金額	日付		摘要	仕丁	金額
2	1	前月繰越	✓	××	2	1	仕訳日計表	××	××
	〃	仕訳日計表	××	××					

【残高を記入する欄のある勘定】

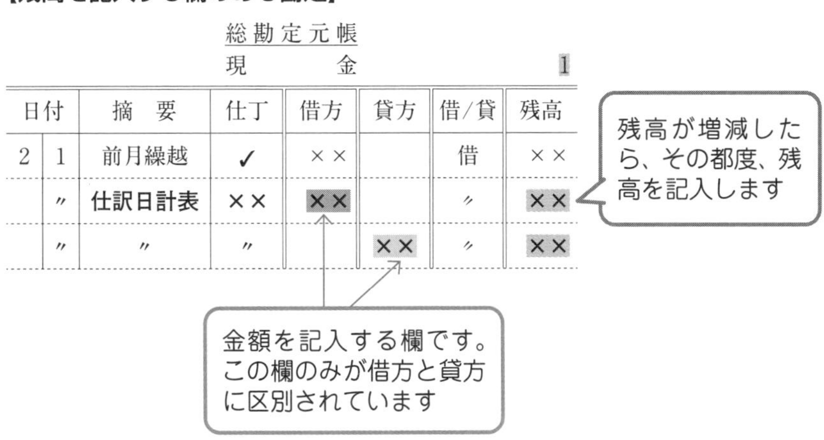

総勘定元帳
現　　金　　1

日付		摘要	仕丁	借方	貸方	借/貸	残高
2	1	前月繰越	✓	××		借	××
	〃	仕訳日計表	××	××		〃	××
	〃	〃	〃		××	〃	××

☆ 転記してみよう！

例15－6

問題 【例15－5】で作成した仕訳日計表（以下に記載）にもとづいて、総勘定元帳の現金勘定および売上勘定へ転記しなさい。

仕訳日計表

×年2月1日　21

借　方	元丁	勘定科目	元丁	貸　方
560		現　金		420
420		当座預金		250
1,030		売掛金		360
50		売　上		1,030
2,060				2,060

【解答】

総勘定元帳

現　金　1

×年		摘　要	仕丁	借　方	貸　方	借/貸	残　高
2	1	前月繰越	✓	1,200		借	1,200
	〃	仕訳日計表	21	560		〃	1,760
	〃	〃	〃		420	〃	1,340

売　上　5

×年		摘　要	仕丁	借　方	貸　方	借/貸	残　高
2	1	仕訳日計表	21		1,030	貸	1,030
	〃	〃	〃	50		〃	980

【考え方】

仕訳日計表から各勘定に合計転記します。摘要欄には仕訳日計表と記入します。また、仕丁欄には仕訳日計表の頁数を記入します。例えば、現金勘定への転記を示すと以下のようになります。

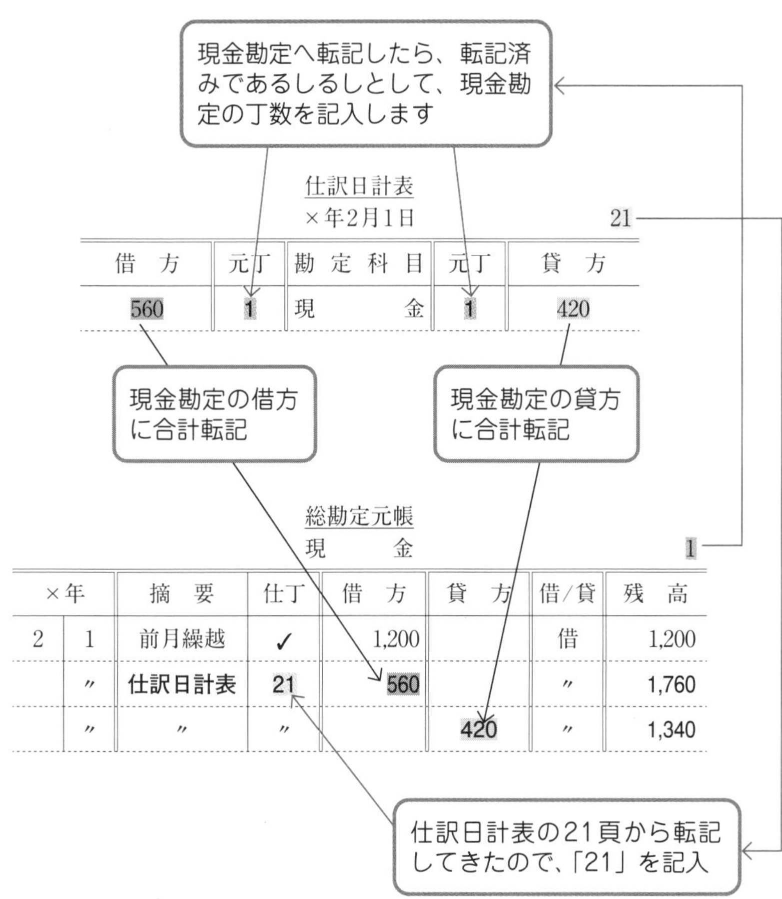

仕訳日計表
×年2月1日 21

借　方	元丁	勘定科目	元丁	貸　方
560	1	現　　金	1	420

総勘定元帳
現　　金 1

×年		摘　要	仕丁	借　方	貸　方	借/貸	残　高
2	1	前月繰越	✓	1,200		借	1,200
	〃	仕訳日計表	21	560		〃	1,760
	〃	〃	〃		420	〃	1,340

3 伝票から補助簿へ転記しよう!

補助簿である仕入先元帳・得意先元帳を作成している場合は、伝票を見て、どの会社に対する買掛金・売掛金が増減しているのかを読み取り、伝票から直接、仕入先元帳・得意先元帳に個別転記します。

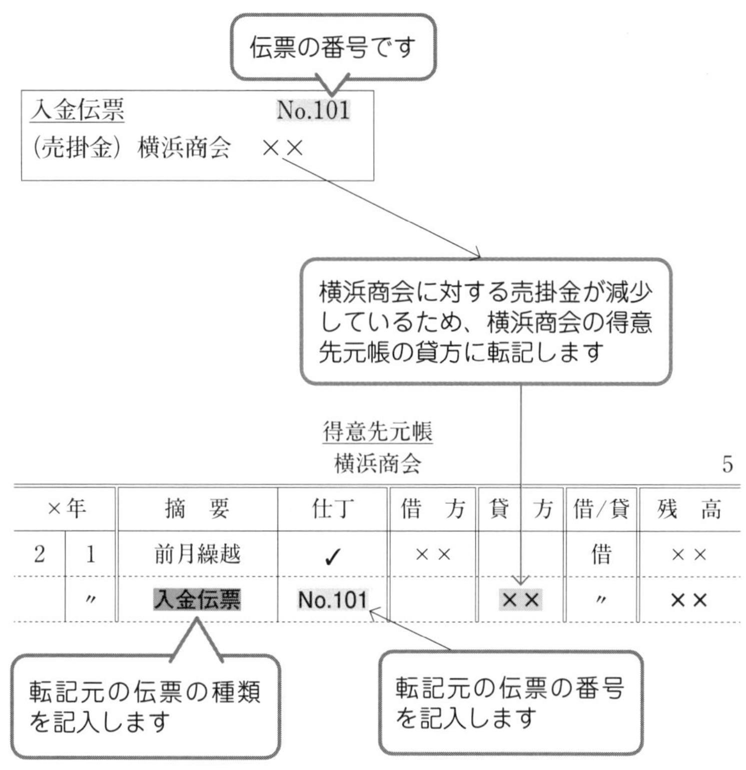

×年		摘　要	仕丁	借　方	貸　方	借/貸	残　高
2	1	前月繰越	✓	××		借	××
	〃	入金伝票	No.101		××	〃	××

慣れないうちは、以下のように、伝票の取引を仕訳の形で下書きをしてから転記しましょう。

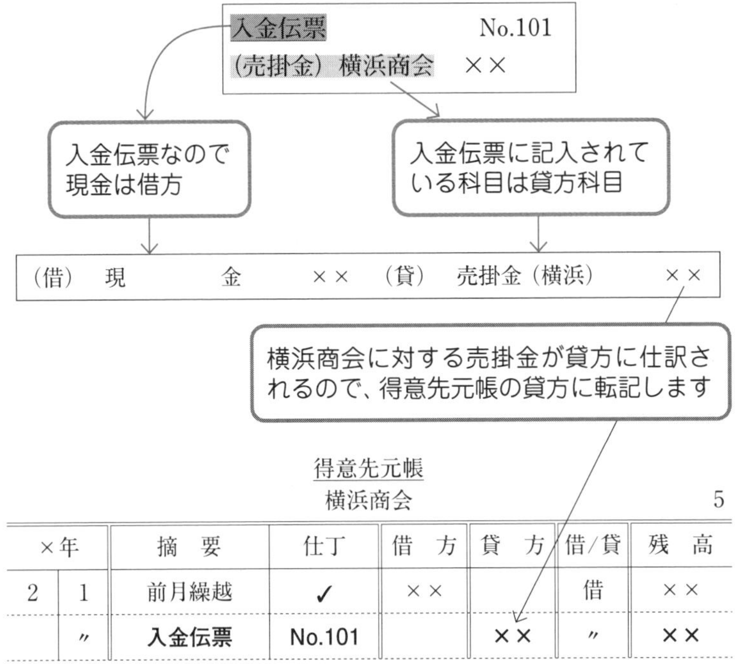

×年		摘　要	仕丁	借　方	貸　方	借/貸	残　高
2	1	前月繰越	✓	××		借	××
	〃	入金伝票	No.101		××	〃	××

重要　**転記方法**

総勘定元帳への転記…仕訳日計表から合計転記
仕入先元帳・得意先元帳への転記…伝票から個別転記

☆ 転記してみよう！

例15－7

問題　【例15－5】の×年2月1日に起票した伝票（以下に記載）にもとづいて、得意先元帳の東京商会勘定へ転記しなさい。

入金伝票	No.101
（当座預金）	250

入金伝票	No.102
（売掛金）東京商会	310

出金伝票	No.201
（当座預金）	420

振替伝票	No.301
（売掛金）東京商会	550
（売上）	550

振替伝票	No.302
（売掛金）京都商会	480
（売上）	480

振替伝票	No.303
（売上）	50
（売掛金）東京商会	50

【解答】

得意先元帳
東京商会　　1

×年		摘要	仕丁	借方	貸方	借/貸	残高
2	1	前月繰越	✓	690		借	690
	〃	入金伝票	No.102		310	〃	380
	〃	振替伝票	No.301	550		〃	930
	〃	振替伝票	No.303		50	〃	880

【考え方】

得意先元帳へは、伝票から直接、個別転記します。

まず、東京商会に対する売掛金が増減する取引が記入された伝票を選びます。売掛金の増加額は借方、減少額は貸方へ転記します。慣れないうちは、以下のように、伝票の取引を仕訳の形で下書きをしてから転記しましょう。

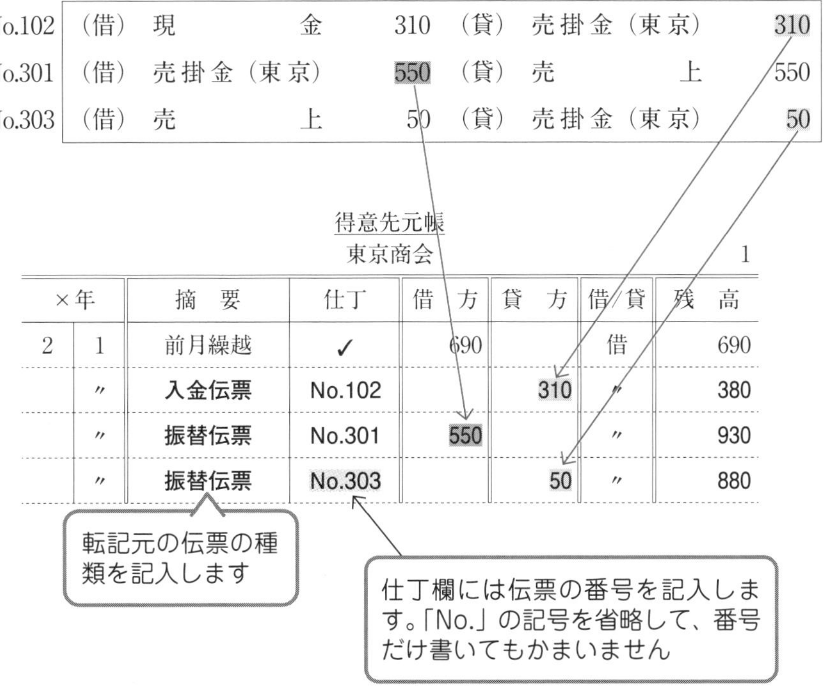

No.102	(借) 現　　金	310	(貸)	売掛金(東京)	310
No.301	(借) 売掛金(東京)	550	(貸)	売　　上	550
No.303	(借) 売　　上	50	(貸)	売掛金(東京)	50

得意先元帳

東京商会　　1

×年		摘　要	仕丁	借　方	貸　方	借/貸	残　高
2	1	前月繰越	✓	690		借	690
	〃	入金伝票	No.102		310	〃	380
	〃	振替伝票	No.301	550		〃	930
	〃	振替伝票	No.303		50	〃	880

確認テスト

問題

次の取引を起票しなさい。

① 商品6,000円を仕入れ、代金のうち1,500円は現金で支払い、残額は掛けとした。この取引を、３伝票制により、取引を分解して起票しなさい。

② ①の取引を、３伝票制により、すべていったん掛けで仕入れたものとみなして起票しなさい。

①

出金伝票 ×年×月×日	
科目	金額

振替伝票 ×年×月×日			
借方科目	金額	貸方科目	金額

②

振替伝票 ×年×月×日			
借方科目	金額	貸方科目	金額

出金伝票 ×年×月×日	
科目	金額

解答

①

出金伝票 ×年×月×日	
科　目	金　額
仕　入	1,500

振替伝票 ×年×月×日			
借方科目	金　額	貸方科目	金　額
仕　入	4,500	**買掛金**	4,500

②

振替伝票 ×年×月×日			
借方科目	金　額	貸方科目	金　額
仕　入	6,000	**買掛金**	6,000

出金伝票 ×年×月×日	
科　目	金　額
買掛金	1,500

解説

①−1　現金で仕入れた部分 ⇒ 出金伝票へ

借方科目	金額	貸方科目	金額
仕入	1,500	現金	1,500

①−2　掛で仕入れた部分 ⇒ 振替伝票へ

借方科目	金額	貸方科目	金額
仕入	4,500	買掛金	4,500

②−1　いったん全額掛けで仕入れたことに ⇒ 振替伝票へ

借方科目	金額	貸方科目	金額
仕入	6,000	買掛金	6,000

②−2　その後すぐに掛け代金を一部決済 ⇒ 出金伝票へ

借方科目	金額	貸方科目	金額
買掛金	1,500	現金	1,500

第16章 証ひょう

学習進度目安

さっくり 7日間	しっかり 10日間	じっくり 15日間
7日目	10日目	15日目

◉第16章で学習すること

① 証ひょうの見方と仕訳

1 証ひょうの見方と仕訳

イントロダクション

この章では、取引をするときに発行する書類である「証ひょう」について学習します。証ひょうには様々な種類がありますが、その中でも代表的な証ひょうを見ていきます。仮に、見たことのない証ひょうが出題されても、今までに学習したいずれかの取引に当てはまるはずなので、冷静に証ひょうを読み取り、仕訳ができるように練習してください。

1 証ひょうとは

会社が取引をしたときには、色々な書類を取引先に渡したり、取引先からもらったりします。このような取引のときに取り交わす書類のことを「**証ひょう**」といいます。例えば、八百源が東京商会に野菜や果物を送るときには、「納品書」という商品の納品を証明する書類を商品と一緒に東京商会に送ります。

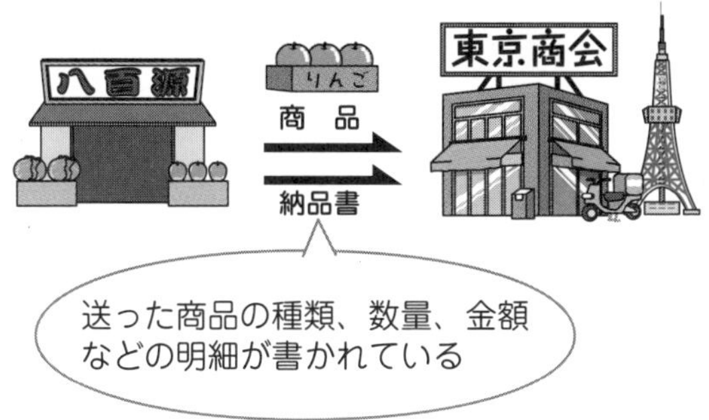

証ひょうには、下の表に示すように様々な種類があります。

【証ひょうの具体例】

種類	使用される場面
納品書（のうひんしょ）	商品を取引先へ納品するときに提出する書類
請求書（せいきゅうしょ）	代金の支払いを求める書類
領収書（りょうしゅうしょ）	代金を受け取ったことを証明する書類
売上集計表	売上取引が行われた時に、商品別や会社別に売上に関する情報を集計する書類
当座勘定照合表（しょうごうひょう）	当座預金の入出金の状況を記した書類
入出金明細表（にゅうしゅっきん）	口座の入出金の状況を記した書類

2 証ひょうを読み取り、仕訳をしよう！

証ひょうには、様々な種類がありますが、日商簿記3級では、証ひょうを読み取り、証ひょうから仕訳を導けるようにすることが重要です。

例えば、「商品を仕入れ、品物とともに次の納品書を受け取り、代金は後日支払う。」という取引が行われた場合、次の仕訳をします。

借方科目	金額	貸方科目	金額
仕入	400,000	買掛金	432,000
仮払消費税	32,000		

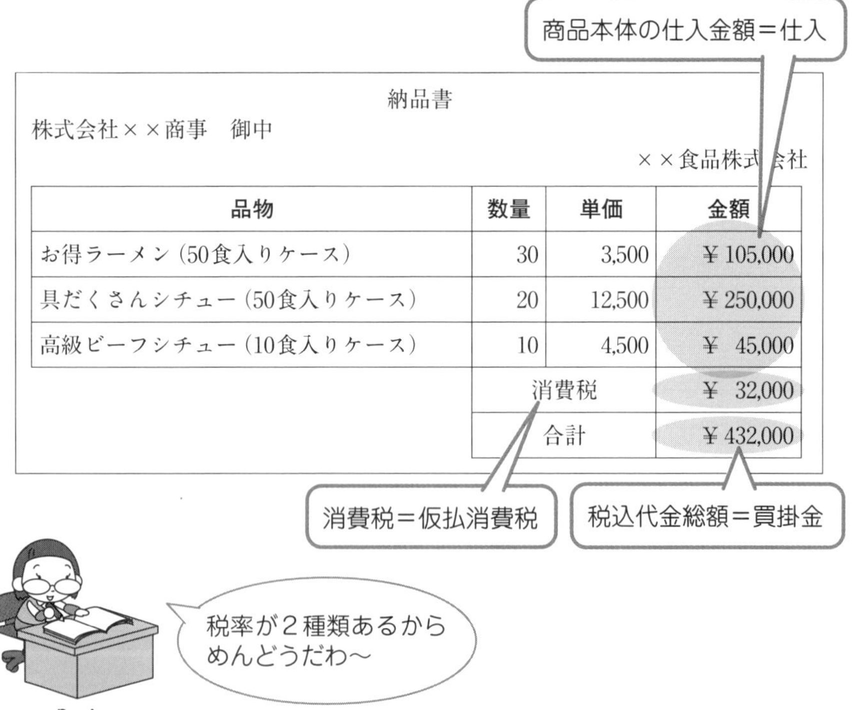

納品書

株式会社××商事　御中

××食品株式会社

品物	数量	単価	金額
お得ラーメン（50食入りケース）	30	3,500	￥105,000
具だくさんシチュー（50食入りケース）	20	12,500	￥250,000
高級ビーフシチュー（10食入りケース）	10	4,500	￥ 45,000
	消費税		￥ 32,000
	合計		￥432,000

また、「事務作業に使用する物品を購入し、品物とともに次の領収書を受け取った。なお、代金は小切手を振出して支払っている。」という取引が行われた場合、次の仕訳をします。

借方科目	金額	貸方科目	金額
備品	4,295,000	当座預金	4,295,000

購入代価＋付随費用

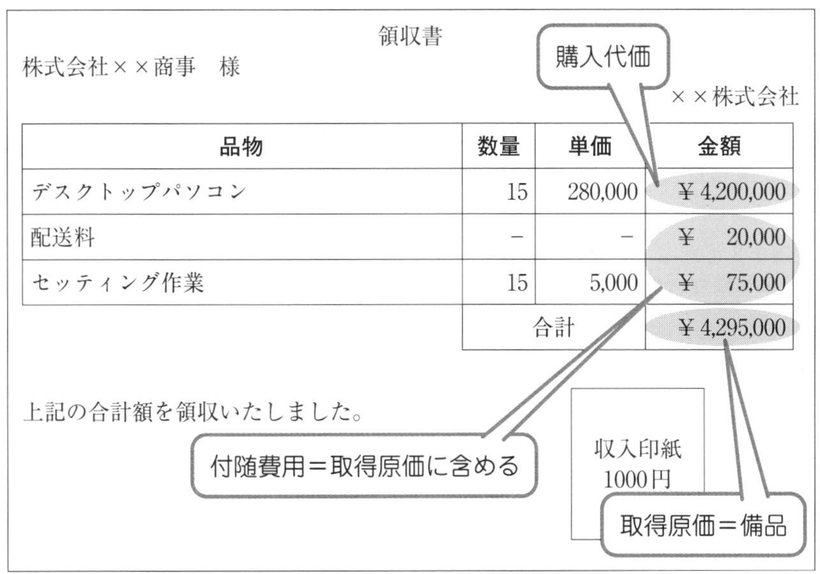
領収書

株式会社××商事　様

××株式会社

品物	数量	単価	金額
デスクトップパソコン	15	280,000	¥4,200,000
配送料	－	－	¥20,000
セッティング作業	15	5,000	¥75,000
	合計		¥4,295,000

上記の合計額を領収いたしました。

収入印紙
1000円

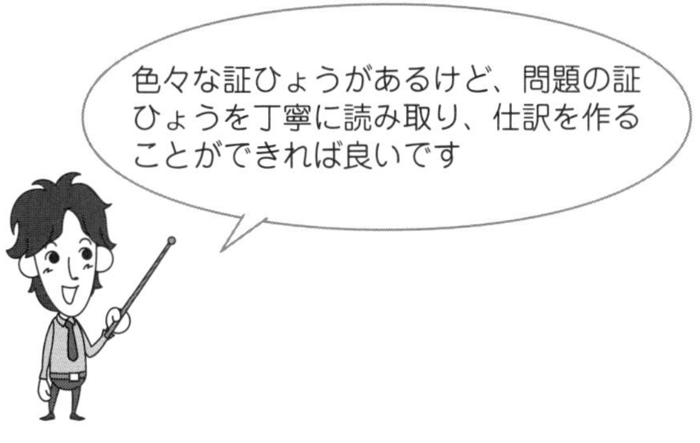

第16章 証ひょう

さっくり 7日目
しっかり 10日目
じっくり 15日目

☆　仕訳をしてみよう！

例16－1

問題　事務作業に使用する物品を購入し、品物とともに、次の請求書を受け取り、代金は後日支払うこととした。

請求書

株式会社××商事　様

株式会社××電器

品物	数量	単価	金額
印刷用紙（500枚入）	6	500	¥　3,000
プリンター	2	20,000	¥　40,000
パソコン（デスクトップ）	1	320,000	¥320,000
	合計		¥363,000

X8年８月25日までに合計額を下記口座へお振込み下さい。
　××銀行△△支店　普通　1122334　カ）××デンキ

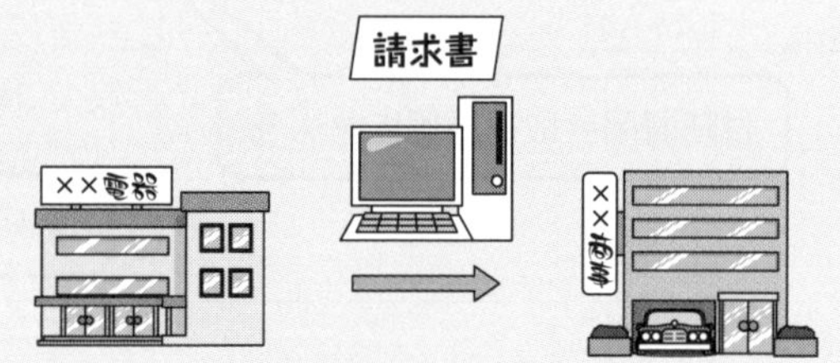

【解答】

借方科目	金額	貸方科目	金額
消耗品費	3,000	未払金	363,000
備品	360,000		

【考え方】

① 印刷用紙 ＝ 事務用消耗品
⇒ 消耗品費（費用）の増加

② プリンター及びパソコン（デスクトップ） ＝ 備品
⇒ 備品（資産）の増加

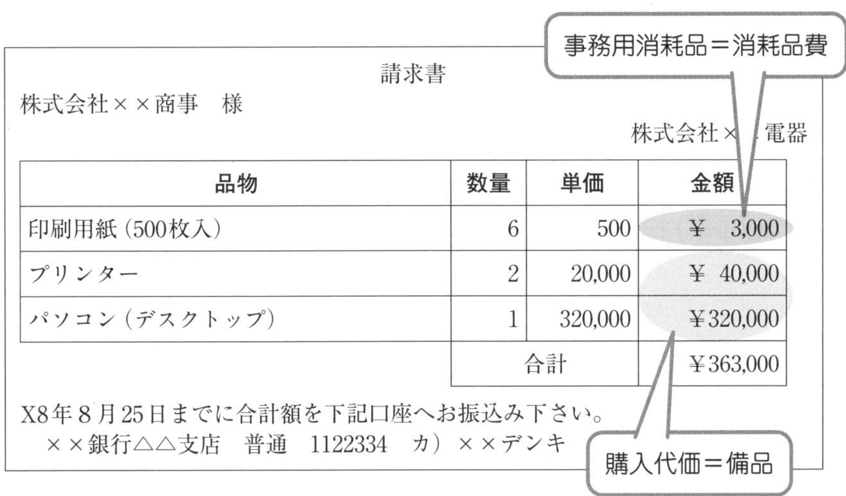

請求書

株式会社××商事　様

株式会社××電器

品物	数量	単価	金額
印刷用紙（500枚入）	6	500	¥　3,000
プリンター	2	20,000	¥　40,000
パソコン（デスクトップ）	1	320,000	¥320,000
	合計		¥363,000

X8年8月25日までに合計額を下記口座へお振込み下さい。
××銀行△△支店　普通　1122334　カ）××デンキ

第16章 証ひょう

さっくり 7日目
しっかり 10日目

じっくり 15日目

☆　仕訳をしてみよう！

例16－2

問題　商品を売上げ、品物とともに次の納品書兼請求書の原本を発送し、商品代金を掛けとして処理した。

納品書兼請求書（控）

株式会社横浜商会　御中

株式会社八百源

品物	数量	単価	金額
青森産りんご（１箱）	10	5,000	¥　50,000
ハウスみかん（1箱）	10	4,200	¥　42,000
高級メロン（1箱２個入り）	5	15,000	¥　75,000
	消費税		¥　13,360
	合計		¥180,360

X8年７月31日までに合計額を下記口座へお振込み下さい。
○○銀行△△支店　普通　3344556　カ）ヤヲゲン

【解答】

税抜価格

借方科目	金額	貸方科目	金額
売掛金	180,360	売上	167,000
		仮受消費税	13,360

【考え方】

① 青森産りんご＋ハウスみかん＋高級メロン
= 税抜価格での商品代金
⇒ 売上（収益）の増加

② 売上げについての消費税（軽減税率の対象）
⇒ 仮受消費税（負債）の増加

③ 税込価格での商品代金を掛け
⇒ 売掛金（資産）の増加

納品書兼請求書（控）

株式会社横浜商会　御中

株式会社八百源

品物	数量	単価	金額
青森産りんご（1箱）	10	5,000	¥ 50,000
ハウスみかん（1箱）	10	4,200	¥ 42,000
高級メロン（1箱2個入り）	5	15,000	¥ 75,000
	消費税		¥ 13,360
	合計		¥180,360

X8年7月31日までに合計額を下記口座へお振込み下さい。
○○銀行△△支店　普通　3344556　カ）ヤヲゲン

税抜価格

軽減税率適用の消費税

第16章
証ひょう

☆　仕訳をしてみよう！

例16－3

問題　商品を売上げ、品物とともに次の納品書兼請求書の原本を発送し、商品代金と送料の合計額を掛けとして処理した。また、送料は運送会社へ翌月末に支払うこととした。

納品書兼請求書（控）

株式会社横浜商会　御中

株式会社八百源

品物	数量	単価	金額
青森産りんご（1箱）	10	5,000	¥ 50,000
ハウスみかん（1箱）	8	4,200	¥ 33,600
高級メロン（1箱2個入り）	5	15,000	¥ 75,000
送料	－	－	¥ 2,000
	合計		¥160,600

X8年7月31日までに合計額を下記口座へお振込み下さい。
○○銀行△△支店　普通　3344556　カ）ヤヲゲン

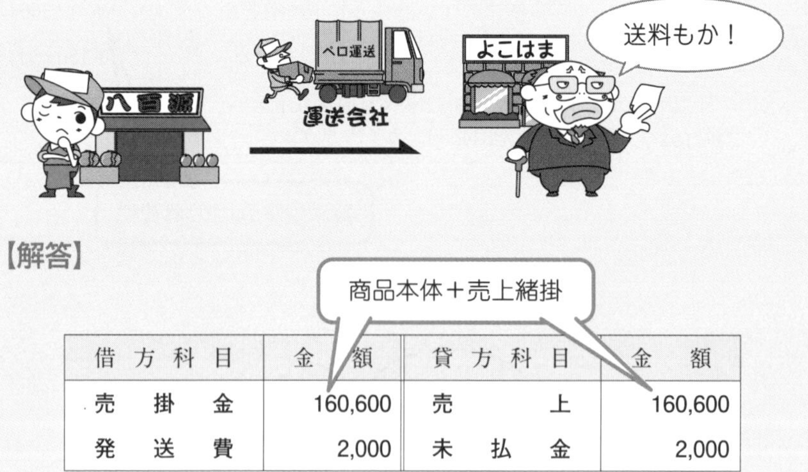

【解答】

商品本体＋売上緒掛

借方科目	金額	貸方科目	金額
売掛金	160,600	売上	160,600
発送費	2,000	未払金	2,000

【考え方】

① 先方負担の送料もいっしょに売上代金としてもらう
⇒売上（収益）の増加、売掛金（資産）の増加

② 送料は翌月末に支払う
＝発送費が未払い
⇒発送費（費用）の増加、未払金（負債）の増加

納品書兼請求書（控）

株式会社横浜商会　御中

株式会社八百源

品物	数量	単価	金額
青森産りんご（1箱）	10	5,000	¥ 50,000
ハウスみかん（1箱）	8	4,200	¥ 33,600
高級メロン（1箱2個入り）	5	15,000	¥ 75,000
送料	－	－	¥ 2,000
	合計		¥160,600

X8年7月31日までに合計額を下記口座へお振込み下さい。
○○銀行△△支店　普通　3344556　カ）ヤヲゲン

先方負担の売上諸掛は、売上に含めた上で発送費としても計上

第16章 証ひょう

☆ 仕訳をしてみよう！

例16－4

問題 取引銀行のインターネットバンキングサービスから当座勘定照合表（入出金明細）を参照したところ、次のとおりであった。そこで、取引日ごとに必要な仕訳を答えなさい。なお、青森商会および神戸商会は、それぞれ八百源の商品の取引先であり、商品売買取引はすべて掛けで行っている。また、小切手（No.201）は、7月19日以前に振り出したものである。

X8年8月2日

当座勘定照合表

株式会社八百源 様

××銀行△△支店

取引日	摘要	お支払金額	お預り金額	取引残高
7.20	融資　返済	100,000		省略
7.20	融資　利息	1,000		
7.21	振込　青森商会	180,000		
7.21	振込手数料	300		
7.22	振込　神戸商会		350,000	
7.25	小切手引落（No.201）	220,000		
7.25	手形引落（No.450）	80,000		

【解答】

① 7月20日

借方科目	金額	貸方科目	金額
借入金	100,000	当座預金	101,000
支払利息	1,000		

② 7月21日

借方科目	金額	貸方科目	金額
買掛金	180,000	当座預金	180,300
支払手数料	300		

③ 7月22日

借方科目	金額	貸方科目	金額
当座預金	350,000	売掛金	350,000

④ 7月25日

借方科目	金額	貸方科目	金額
支払手形	80,000	当座預金	80,000

【考え方】

①－1　融資　返済 ＝ 借入金の返済
⇒ 借入金（負債）の減少

①－2　融資　利息 ＝ 利息の発生
⇒ 支払利息（費用）の増加

「お支払金額」があるから、買掛金を支払ったと考えるんだね

②－1　青森商会への振込み
⇒ 買掛金（負債）の減少

②－2　振込手数料
⇒ 支払手数料（費用）の増加

③　神戸商会からの振込み

⇒売掛金（資産）の減少

「お預り金額」があるから、売掛金が払われたと考えるんだね

④－1　手形引落

⇒支払手形（負債）の減少

④－2　小切手（No.201）は7月19日以前に振り出したもの

⇒7月19日以前に「当座預金」を減らす仕訳をしている。

⇒7月25日は仕訳をしない

小切手を振り出した時に「当座預金」を減らしているんだね

確認テスト

問題

次の［**資料**］に基づいて、日付ごとに必要な仕訳をしなさい。

［**資料**］
取引銀行のインターネットバンキングサービスから普通預金口座のWEB通帳（入出金明細）を参照したところ、次のとおりであった。そこで、各取引日において必要な仕訳を答えなさい。なお、株式会社中野食品および水道橋薬品株式会社はそれぞれ当社の商品の取引先であり、商品売買取引はすべて掛けとしている。

入出金明細

日付	内容	出金金額	入金金額	取引残高
8.16	ATM 入金		225,000	省略
8.17	振込 カ）ナカノショクヒン	400,000		
8.18	振込 スイドウバシヤクヒン（カ		544,500	
8.20	給与振込	742,000		
8.20	振込手数料	1,000		

8月18日の入金は、当社負担の振込手数料￥400が差し引かれたものである。
8月20日の給与振込額は、所得税の源泉徴収額￥60,000を差し引いた額である。

しっかり 10日目

解答

① 8月16日

借方科目	金額	貸方科目	金額
普通預金	225,000	現金	225,000

② 8月17日

借方科目	金額	貸方科目	金額
買掛金	400,000	普通預金	400,000

③ 8月18日

借方科目	金額	貸方科目	金額
普通預金	544,500	売掛金	544,900
支払手数料	400		

④ 8月20日

借方科目	金額	貸方科目	金額
給与	802,000	普通預金	743,000
支払手数料	1,000	所得税預り金	60,000

① ATM入金
⇒ 現金（資産）の減少

② 中野食品は当社の商品の取引先、商品売買取引はすべて掛け
⇒ 出金金額欄に金額が記載
⇒ 買掛金（負債）の減少

③－1　水道橋薬品は当社の商品の取引先、商品売買取引はすべて掛け
⇒ 入金金額欄に金額が記載
⇒ 売掛金（資産）の減少

③－2　8月18日の入金は、当社負担の振込手数料が差し引かれたもの
⇒ 入金金額544,500円＋振込手数料400円 ＝ 売掛金544,900円

④－1　給与振込
⇒ 給与（費用）の増加

④－2　8月20日の給与振込額は、所得税の源泉徴収額を差し引いた額である
⇒ 振込額742,000円＋源泉徴収額60,000円 ＝ 給与額802,000円

④－3　8月20日の給与振込額は、所得税の源泉徴収額を差し引いた額である
⇒ 所得税預り金（負債）の増加

④－4　振込手数料
⇒ 支払手数料（費用）の増加

④－5　手取額の振込みと手数料の支払い
⇒ 給与額802,000円＋支払手数料1,000円
－源泉所得税60,000円 ＝ 普通預金減少額743,000円

3級INDEX

英字

T勘定……31

あ

預り金……217, 222, 225
一部現金取引……572
移動平均法……544
受取手形……150, 172, 196
受取手形記入帳……533
受取手数料……19, 397
受取利息……185, 191, 194
売上……16, 23, 47, 49, 53
売上原価……55
売上諸掛……79, 82
売上総利益……355, 361, 371
売上帳……538
売上返品……65, 68, 71
売掛金……61
売掛金元帳……547

か

買掛金……57, 71
買掛金元帳……552
会計期間……9
掛け取引……57, 61
掛明細表……303
貸方……11, 15
貸倒損失……383
貸倒引当金……373
貸倒引当金繰入……374
貸倒引当金戻入……379
貸付金……180, 183
借入金……10, 187
仮受金……212
仮受消費税……244
借方……11, 15
仮払金……206
仮払消費税……242
仮払法人税等……253
勘定科目……24
間接法……428
繰越試算表……470, 479
繰越商品……50, 355
繰延べ……414
クレジット売掛金……168
決算整理……323, 354
決算日……9, 322
減価償却……416
減価償却累計額……419
現金……26
現金過不足……96, 101, 338
現金出納帳……523
合計残高試算表……297

合計試算表……298
購入代価……74, 263
小切手……91, 104
小口現金……129
小口現金出納帳……132, 527
固定資産税……234
固定資産台帳……557
固定資産売却益……203, 424
固定資産売却損……425

さ

債権者請求方式……172
債務者請求方式……172
再振替仕訳……328, 394
財務諸表……8, 480
差額補充法……377
先入先出法……541
雑益……338
雑損……343
残存価額……418
残高試算表……301
3伝票制……565
三分法……50, 55
仕入……48
仕入原価……51
仕入諸掛……73
仕入帳……535
仕入返品……69
資産……10
試算表……298
支払手形……145
支払手形記入帳……533
支払利息……191
資本金……14, 41, 43
収益……16, 19
出金伝票……565, 568
取得原価……263, 416
主要簿……516
純資産……10, 14
償却債権取立益……385
商品……49
商品有高帳……541
消耗品費……134, 274
諸掛……73, 79
諸口……518
仕訳……24
仕訳帳……24
仕訳日計表……581
精算表……437
税抜方式……243
総勘定元帳……24, 31
租税公課……235
損益計算書……8, 16, 484

た

貸借対照表……8, 15, 490
耐用年数……418
立替金……76, 221
棚卸表……325
他人振出小切手……91, 108

帳簿価額……422
直接法……428
貯蔵品……326
通貨代用証券……90
手形貸付金……193
手形借入金……196
転記……24, 31, 34
電子記録債権……172
電子記録債務……175
伝票……564
当期純利益……21
当座借越……115, 332
当座預金……104
当座預金出納帳……525

な

名宛人……144
入金伝票……566

は

発生記録の請求……172
発送費……79
備品……26, 49
費用……16, 18
負債……14, 22
振替伝票……565, 570
振出人……105, 145
分記法……50
法人税等……250
補助簿……522

ま

前受金……159
前払金……154
前渡金……154
満期日……142
見越し……414
未収入金……202
未払金……197
未払配当金……508
未払法人税等……254

や

約束手形……144
有形固定資産……262, 415
郵便為替証書……92

ら

利益準備金……509
利息……122, 185
旅費……208

日商簿記3級 光速マスターNEO テキスト〈第6版〉

2015年5月15日　第1版　第1刷発行
2022年3月30日　第6版　第1刷発行
2024年3月25日　　　　　第3刷発行

著　者●株式会社　東京リーガルマインド
LEC総合研究所　日商簿記試験部

発行所●株式会社　東京リーガルマインド
〒164-0001　東京都中野区中野4-11-10
アーバンネット中野ビル
LECコールセンター　0570-064-464
受付時間　平日9：30～20：00/土・祝10：00～19：00/日10：00～18：00
※このナビダイヤルは通話料お客様ご負担となります。
書店様専用受注センター　TEL 048-999-7581 / FAX 048-999-7591
受付時間　平日9：00～17：00/土・日・祝休み
www.lec-jp.com/

カバー・本文デザイン●株式会社エディポック
カバー・本文イラスト●いさじ　たけひろ
印刷・製本●倉敷印刷株式会社

ISBN978-4-8449-9935-5

合格のれっくLEC

日商簿記

簿記とは

すべてのビジネスパーソンに役立つ!!

簿記は世界で通用するビジネスの共通言語であり、ビジネスパーソンにとって必要不可欠な知識です。簿記を学習することで、企業活動や社会経済システムが分かり、企業のＩＲ情報や新聞の経済記事などを理解することができます。また、損益計算書や貸借対照表を読み取れるようになるため、企業の経営成績や財政状態を数字で分析するスキルが身に付き、ビジネスや投資活動に役立てることができます。さらに、簿記検定は会計系資格のベースであり、短期間で取得可能なことから、専門資格へのステップアップの第一歩となります。簿記検定の知識やノウハウを生かせる専門資格や活躍の場は多岐にわたり、キャリアアップの可能性がひろがります。日商簿記は、社内での昇給昇格や専門職への転職を希望する社会人、就職活動を控えた学生などにとって、履歴書にアピールポイントとして記載できる資格として、ビジネス社会で活躍するための強力な武器となる資格です。

日商簿記検定ガイド

日商簿記検定は、1級を除いた場合「上位何パーセント合格」といった競争試験ではなく、合格点をクリアしていれば、全員が合格となります。努力した分、確実に結果を得られる資格試験です。

受験資格 学歴・年齢・性別・国籍に制限はありません。（どなたでも受験できます）

各級レベル

	3級	2級	1級
レベル	[簿記の基本] 商業簿記のみの学習ですが、小規模株式会社の経理実務を前提とし、現代のビジネス社会における新しい取引にも対応できる実践的な知識が身につきます。 (学習の目安：1.5～2.5ヶ月／約90時間)	[企業に求められる資格の一つ] 経営管理・財務担当者には必須の知識とされる財務諸表の数字を読み解く力が身につき、経営内容を把握できるようになります。 (学習の目安:3～6ヶ月／約250時間)	[簿記の最高峰] 公認会計士、税理士などの国家資格への登竜門。極めて高度な商業簿記・会計学・工業簿記・原価計算を学び、会計基準・会社法・財務諸表等規則などの企業会計に関する法規を理解し、経営管理や経営分析ができます。 (学習の目安：6ヶ月以上／約550時間)
試験科目・試験時間	商業簿記／60分	商業簿記 工業簿記／90分	商業簿記・会計学／1時間30分 工業簿記・原価計算／1時間30分 (計3時間)
点数配分・合格点	100点／70点以上	商業簿記60点 工業簿記40点 [計100点] ／ 2科目合計70点以上	各科目25点 [計100点] ／4科目合計70点以上（ただし1科目でも10点に満たない場合は不合格）

実施試験日 統一試験：2月・6月・11月の年3回（1級は6月・11月のみ）
ネット試験：随時（試験センターが定める日時）

LEC日商簿記 受験生の立場になって真剣に考えました

合格への安心サポート！

2級・3級

安心1 都合に合わせて学習が開始できる　～配信期間はお申込日からカウントします～

講座配信日を見直し、配信期間は申込日からカウントすることにしました。いつ学習を開始されても、2級210日間、3級150日間配信します。一律で配信終了日が決められている講座のように、申込日が遅いと学習期間が短くなってしまうというデメリットが解消されました。

安心2 選べる講義　～Web講義は一科目につき、二人の講師の講義が受講できる～

3級完全マスター講座のWeb講義は、1コマ150分のスタンダード講義と1コマ15分のワンポイント講義の2つを配信します。
2級完全マスター講座は、対象者・回数を変えた二つの講義が受講できます。予習と復習で講師を変えてみるなど、様々な使い方ができます。

安心3 ネット方式が体験できる　～Web模試を販売中～

新たに開始された「ネット試験」。本番前にはネット方式も体験しておきたいもの。LECでは本試験と同様の環境が体験できるWeb模試を、各級2回提供しています。受講期間中なら、何度でもトライアルできます。
3級Web模試　4,950円(税込)　/　2級Web模試　7,700円(税込)

1級

安心1 「安心の学習期間」　～次回の検定までWeb受講可能～

コースに含まれているすべての講座は、目標検定の次の検定試験日の月末までWeb講義を配信します！お仕事などで「目標検定までに講義が受講できなかった」「次の検定で再度チャレンジしたい！」という方も安心。追加受講料不要！安心して受講できます。
※質問サービスの教えてチューターも次回の検定までご利用できます。

安心2 選べる講義　～Webは一科目につき、2人の講師の講義で受講できる～

「1級パーフェクト講座」は、対象者の異なる2種類の講義を配信しています。
初めて1級を受験する方には「ベーシック講義」(全66回)、受験経験があり重要ポイントを中心に確認したい方には「アドバンス講義」（全40回）がおススメです。
Web講義なら、別途受講料不要で、2つの講義が視聴できます。
2種類の講義は、使い方次第で多くのメリットが生まれます。
■対象講座：「1級パーフェクト講座」

税理士 学習相乗効果を引き出し、学習時間を短縮「簿財横断」

税理士の仕事とは？

税理士は、国家資格を取得した税務に関する専門家です。合格者の多くが独立開業しているため、税理士会登録＝個人事務所設立というイメージがありますが、近年では、企業内、さらにはインターナショナルな世界へと、その活躍のフィールドが広がってきています。また仕事内容も税務書類の作成業務だけでなく、財務のプロフェッショナルとして、企業からの経営指導や経営戦略の相談に応えうる、コンサルタントとしての顔も持ち合わせています。

税理士の活躍するフィールド

独立開業
合格者の多くが独立開業しています。仕事内容や収入、やりがいも自分次第。税制の専門家として常に必要とされ、社会で活躍しています。

勤務税理士
税理士事務所や公認会計士事務所、法律事務所などに所属。特に近年、設立が認められた税理士法人では、個人事務所の限界を超えた新たな業務展開の可能性も秘めています。

企業内税理士
銀行・証券・保険といった金融業界を始め、一般企業の財務部門に所属し、税務に関する業務に携わる。企業の M&A（買収・合併）に関わることもあります。

国際税務
日本企業の海外進出、外資系企業の国内参入などビジネス社会の国際化は進む一方。国内外の税法を把握し、国際税務に携われる人材のニーズは、年々高まってきています。

税務・経営コンサルティング
企業内の財政・経営状態を把握している税理士には、経営戦略のコンサルタントとしての活躍の場もあります。企業のパートナーとして、今後、更に重要視されていく職域です。

税理士試験ガイド

会計学に属する科目の受験資格
受験資格不要

税法に属する科目の受験資格（2023年1月現在）
［学識］ 大学・短大・高等専門学校を卒業した者（社会科学に関する科目を1科目以上履修）
［資格］ 日商簿記1級または全経簿記上級合格者
［職歴］ 実務経験2年以上　など

詳しくは、国税庁ホームページ（https://www.nta.go.jpf）をご覧いただくか、主催である国税庁内国税審議会税理士分科会（TEL03-3581-4161）へお問合せいただくようお願い致します。

試験日程
8月上旬～中旬の平日の3日間

試験科目
以下の科目から5科目選択し受験します。

必須科目
必ず合格しなければならない科目です。この2科目は受験資格が不要です。
簿記論・財務諸表論

選択必須科目
2科目のうち1科目は必ず合格しなければならない科目です。
法人税法または所得税法

選択科目
7科目から選択・受験できる科目です。
相続税法・酒税法または消費税法・国税徴収法・住民税または事業税・固定資産税

科目合格制度

1科目ずつの受験が可能で働きながらでも合格が目指せる。

1回の試験で5科目全てに合格する必要はなく、1科目ずつ合格することも可能です。1度合格した科目は生涯有効となるので、受験生一人一人のライフスタイルにあった受験計画を立てることができます。

科目選択制度

勉強しやすい科目、得意科目などを選んで受験。自分なりの受験プランニングができる。

必須科目、選択必須科目もありますが、全11科目のうち5科目を自由に自分で選択し受験することができます。難易度、将来の必要性などを考慮して受験することができます。

公認会計士

決め手は、"短答式1年合格"でした。

公認会計士とは

～なぜ今、公認会計士を目指すのか！～

拡大を続ける活躍の場
時代が求めるプロフェッショナル

2006年より公認会計士試験制度が変更されました。
短答式年2回実施・短答式免除制度・受験資格撤廃など、どなたでも目指しやすい試験になりました。
現代においては、企業の活動の範囲が拡がり、会計も国際化するとともに複雑になっています。
また、地方自治体等、企業以外でも公認会計士の専門知識が必要とされる場面が増えてきました。
公認会計士は会計・コンサルティング・税務の専門知識を有したプロフェッショナルとして様々なビジネス領域でその活躍を期待されているのです。

公認会計士試験ガイド

～変化する会計士試験の世界～

短答式試験が年2回に　！

2007年10月公表の「公認会計士試験実施の改善について」により、2009年度の試験から短答式試験が年2回実施されることになりました。これにより多くの人にとってより身近な試験になったといえます。
また、年2回の短答式試験実施によって目標の設定がしやすくなったといえます。

短答式試験

受験資格　なし（どなたでも受験できます）

試験科目

財務会計論	簿記
	財務諸表論
管理会社論	原価計算ほか
監査論	
企業論	会社法

試験日程　5月・12月実施

企業法・管理会社論・監査論　各60分
財務会計論120分

短答免除制度あり

論文式試験

受験資格　短答式試験合格者／短答式試験免除者

試験科目

必須科目

会計学	財務会計論
	管理会計論
監査論	
企業法	会社法ほか
租税法	法人税法ほか

選択科目

経営学・経済学・民法・統計学のうち1科目選択

試験日程　8月3日間実施

1日目
監査論120分／租税法120分
2日目
会計額120分／会計学180分
3日目
企業法120分／選択科目120分

期限付き科目免除制度あり

短答免除制度とは？

一度短答式試験に合格すれば、翌年から2年間短答式試験が免除されます！！

期限付き科目免除制度とは？

2年間の科目別合格免除を上手に使って、計画的に合格も可能！！

なぜみんな短答式1年合格？

短答式1年合格カリキュラム **3つの特長**

スマートフォン・タブレットから簡単アクセス！ ▷▷

自慢のメールマガジン配信中！（登録無料）

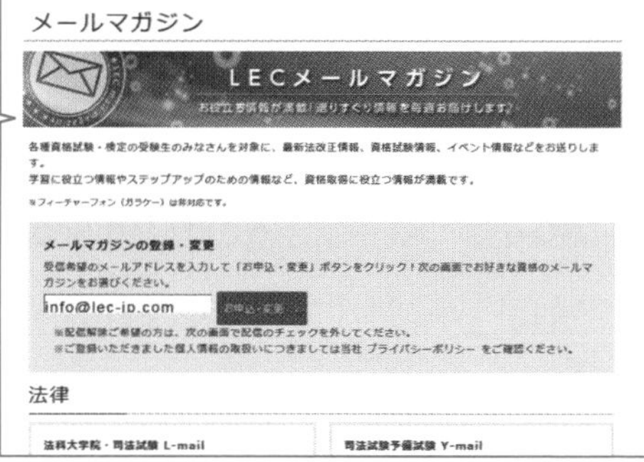

LEC講師陣が毎週配信！　最新情報やワンポイントアドバイス，改正ポイントなど合格に必要な知識をメールにて毎週配信。

www.lec-jp.com/mailmaga/

LEC E学習センター

新しい学習メディアの導入や，Ｗｅｂ学習の新機軸を発信し続けています。また，ＬＥＣで販売している講座・書籍などのご注文も，いつでも可能です。

online.lec-jp.com/

LEC電子書籍シリーズ

LECの書籍が電子書籍に！　お使いのスマートフォンやタブレットで，いつでもどこでも学習できます。

※動作環境・機能につきましては，各電子書籍ストアにてご確認ください。

www.lec-jp.com/ebook/

LEC書籍・問題集・レジュメの紹介サイト **LEC書籍部** **www.lec-jp.com/system/book/**

- LECが出版している書籍・問題集・レジュメをご紹介
- 当サイトから書籍などの直接購入が可能(*)
- 書籍の内容を確認できる「チラ読み」サービス
- 発行後に判明した誤字等の訂正情報を公開

＊商品をご購入いただく際は，事前に会員登録(無料)が必要です。
＊購入金額の合計・発送する地域によって，別途送料がかかる場合がございます。

※資格試験によっては実施していないサービスがありますので，ご了承ください。

LEC全国学校案内

＊講座のお問合せ，受講相談は最寄りのLEC各校へ

LEC本校

北海道・東北

札　幌本校　☎011(210)5002
〒060-0004 北海道札幌市中央区北4条西5-1　アスティ45ビル

仙　台本校　☎022(380)7001
〒980-0022 宮城県仙台市青葉区五橋1-1-10　第二河北ビル

関東

渋谷駅前本校　☎03(3464)5001
〒150-0043 東京都渋谷区道玄坂2-6-17　渋東シネタワー

池　袋本校　☎03(3984)5001
〒171-0022 東京都豊島区南池袋1-25-11　第15野萩ビル

水道橋本校　☎03(3265)5001
〒101-0061 東京都千代田区神田三崎町2-2-15　Daiwa三崎町ビル

新宿エルタワー本校　☎03(5325)6001
〒163-1518 東京都新宿区西新宿1-6-1　新宿エルタワー

早稲田本校　☎03(5155)5501
〒162-0045 東京都新宿区馬場下町62　三朝庵ビル

中　野本校　☎03(5913)6005
〒164-0001 東京都中野区中野4-11-10　アーバンネット中野ビル

立　川本校　☎042(524)5001
〒190-0012 東京都立川市曙町1-14-13　立川MKビル

町　田本校　☎042(709)0581
〒194-0013 東京都町田市原町田4-5-8　MIキューブ町田イースト

横　浜本校　☎045(311)5001
〒220-0004 神奈川県横浜市西区北幸2-4-3　北幸GM21ビル

千　葉本校　☎043(222)5009
〒260-0015 千葉県千葉市中央区富士見2-3-1　塚本大千葉ビル

大　宮本校　☎048(740)5501
〒330-0802 埼玉県さいたま市大宮区宮町1-24　大宮GSビル

東海

名古屋駅前本校　☎052(586)5001
〒450-0002 愛知県名古屋市中村区名駅4-6-23　第三堀内ビル

静　岡本校　☎054(255)5001
〒420-0857 静岡県静岡市葵区御幸町3-21　ペガサート

北陸

富　山本校　☎076(443)5810
〒930-0002 富山県富山市新富町2-4-25　カーニープレイス富山

関西

梅田駅前本校　☎06(6374)5001
〒530-0013 大阪府大阪市北区茶屋町1-27　ABC-MART梅田ビル

難波駅前本校　☎06(6646)6911
〒556－0017 大阪府大阪市浪速区湊町1-4-1
大阪シティエアターミナルビル

京都駅前本校　☎075(353)9531
〒600-8216 京都府京都市下京区東洞院通七条下ル2丁目
東塩小路町680-2　木村食品ビル

四条烏丸本校　☎075(353)2531
〒600-8413　京都府京都市下京区烏丸通仏光寺下ル
大政所町680-1　第八長谷ビル

神　戸本校　☎078(325)0511
〒650-0021 兵庫県神戸市中央区三宮町1-1-2　三宮セントラルビル

中国・四国

岡　山本校　☎086(227)5001
〒700-0901 岡山県岡山市北区本町10-22　本町ビル

広　島本校　☎082(511)7001
〒730-0011 広島県広島市中区基町11-13　合人社広島紙屋町アネクス

山　口本校　☎083(921)8911
〒753-0814 山口県山口市吉敷下東 3-4-7　リアライズⅢ

高　松本校　☎087(851)3411
〒760-0023 香川県高松市寿町2-4-20　高松センタービル

松　山本校　☎089(961)1333
〒790-0003 愛媛県松山市三番町7-13-13　ミツネビルディング

九州・沖縄

福　岡本校　☎092(715)5001
〒810-0001 福岡県福岡市中央区天神4-4-11　天神ショッパーズ福岡

那　覇本校　☎098(867)5001
〒902-0067 沖縄県那覇市安里2-9-10　丸姫産業第2ビル

ＥYE関西

EYE 大阪本校　☎06(7222)3655
〒530-0013　大阪府大阪市北区茶屋町1-27　ABC-MART梅田ビル

EYE 京都本校　☎075(353)2531
〒600-8413　京都府京都市下京区烏丸通仏光寺下ル
大政所町680-1　第八長谷ビル

LEC提携校

＊提携校はLECとは別の経営母体が運営をしております。
＊提携校は実施講座およびサービスにおいてLECと異なる部分がございます。

北海道・東北

八戸中央校【提携校】 ☎0178(47)5011
〒031-0035 青森県八戸市寺横町13 第1朋友ビル 新教育センター内

弘前校【提携校】 ☎0172(55)8831
〒036-8093 青森県弘前市城東中央1-5-2
まなびの森 弘前城東予備校内

秋田校【提携校】 ☎018(863)9341
〒010-0964 秋田県秋田市八橋鮲沼町1-60
株式会社アキタシステムマネジメント内

関東

水戸校【提携校】 ☎029(297)6611
〒310-0912 茨城県水戸市見川2-3092-3

所沢校【提携校】 ☎050(6865)6996
〒359-0037 埼玉県所沢市くすのき台3-18-4 所沢K・Sビル
合同会社LPエデュケーション内

東京駅八重洲口校【提携校】 ☎03(3527)9304
〒103-0027 東京都中央区日本橋3-7-7 日本橋アーバンビル
グランデスク内

日本橋校【提携校】 ☎03(6661)1188
〒103-0025 東京都中央区日本橋茅場町2-5-6 日本橋大江戸ビル
株式会社大江戸コンサルタント内

東海

沼津校【提携校】 ☎055(928)4621
〒410-0048 静岡県沼津市新宿町3-15 萩原ビル
M-netパソコンスクール沼津校内

北陸

新潟校【提携校】 ☎025(240)7781
〒950-0901 新潟県新潟市中央区弁天3-2-20 弁天501ビル
株式会社大江戸コンサルタント内

金沢校【提携校】 ☎076(237)3925
〒920-8217 石川県金沢市近岡町845-1 株式会社アイ・アイ・ピー金沢内

福井南校【提携校】 ☎0776(35)8230
〒918-8114 福井県福井市羽水2-701 株式会社ヒューマン・デザイン内

関西

和歌山駅前校【提携校】 ☎073(402)2888
〒640-8342 和歌山県和歌山市友田町2-145
KEG教育センタービル 株式会社KEGキャリア・アカデミー内

中国・四国

松江殿町校【提携校】 ☎0852(31)1661
〒690-0887 島根県松江市殿町517 アルファステイツ殿町
山路イングリッシュスクール内

岩国駅前校【提携校】 ☎0827(23)7424
〒740-0018 山口県岩国市麻里布町1-3-3 岡村ビル 英光学院内

新居浜駅前校【提携校】 ☎0897(32)5356
〒792-0812 愛媛県新居浜市坂井町2-3-8 パルティフジ新居浜駅前店内

九州・沖縄

佐世保駅前校【提携校】 ☎0956(22)8623
〒857-0862 長崎県佐世保市白南風町5-15 智翔館内

日野校【提携校】 ☎0956(48)2239
〒858-0925 長崎県佐世保市椎木町336-1 智翔館日野校内

長崎駅前校【提携校】 ☎095(895)5917
〒850-0057 長崎県長崎市大黒町10-10 KoKoRoビル
minatoコワーキングスペース内

沖縄プラザハウス校【提携校】 ☎098(989)5909
〒904-0023 沖縄県沖縄市久保田3-1-11
プラザハウス フェアモール 有限会社スキップヒューマンワーク内

※上記は2024年2月1日現在のものです。

書籍の訂正情報について

このたびは，弊社発行書籍をご購入いただき，誠にありがとうございます。
万が一誤りの箇所がございましたら，以下の方法にてご確認ください。

1 訂正情報の確認方法

書籍発行後に判明した訂正情報を順次掲載しております。
下記Webサイトよりご確認ください。

www.lec-jp.com/system/correct/

2 ご連絡方法

上記Webサイトに訂正情報の掲載がない場合は，下記Webサイトの入力フォームよりご連絡ください。

lec.jp/system/soudan/web.html

フォームのご入力にあたりましては，「Web教材・サービスのご利用について」の最下部の「ご質問内容」に下記事項をご記載ください。

- 対象書籍名（○○年版，第○版の記載がある書籍は併せてご記載ください）
- ご指摘箇所（具体的にページ数と内容の記載をお願いいたします）

ご連絡期限は，次の改訂版の発行日までとさせていただきます。
また，改訂版を発行しない書籍は，販売終了日までとさせていただきます。

※上記「2ご連絡方法」のフォームをご利用になれない場合は，①書籍名，②発行年月日，③ご指摘箇所，を記載の上，郵送にて下記送付先にご送付ください。確認した上で，内容理解の妨げとなる誤りについては，訂正情報として掲載させていただきます。なお，郵送でご連絡いただいた場合は個別に返信しておりません。

送付先：〒164-0001 東京都中野区中野4-11-10 アーバンネット中野ビル
株式会社東京リーガルマインド 出版部 訂正情報係

- 誤りの箇所のご連絡以外の書籍の内容に関する質問は受け付けておりません。
また，書籍の内容に関する解説，受験指導等は一切行っておりませんので，あらかじめご了承ください。
- お電話でのお問合せは受け付けておりません。

講座・資料のお問合せ・お申込み

LECコールセンター 携帯OK 0570-064-464

受付時間：平日9：30〜20：00/土・祝10：00〜19：00/日10：00〜18：00

※このナビダイヤルの通話料はお客様のご負担となります。
※このナビダイヤルは講座のお申込みや資料のご請求に関するお問合せ専用ですので，書籍の正誤に関するご質問をいただいた場合，上記「2ご連絡方法」のフォームをご案内させていただきます。